JN044169

歴史とは何か

新版

歴史とは何か

新版

E. H. カー

近藤和彦 訳

岩波書店

WHAT IS HISTORY?
by E. H. Carr
Copyright © 1961 by Edward Hallett Carr

and
"An Autobiography"
from *E. H. Carr: A Critical Appraisal* edited by Michael Cox
published 2000 by Palgrave Macmillan, Basingstoke.

This Japanese edition published 2022
by Iwanami Shoten, Publishers, Tokyo
by arrangement with the Estate of E. H. Carr
c/o Curtis Brown Group Limited, London
through Tuttle-Mori Agency, Inc., Tokyo.

with
"From E. H. Carr's Files: Notes towards a Second Edition of What Is History?"
by R. W. Davies
from the second edition published 1986 by Palgrave Macmillan, Basingstoke,
reproduced with permission of SNCSC

凡例

一、本訳書の底本は、E. H. Carr, *What is History?*, Second edition, edited by R. W. Davies (Penguin Books, 1987)である。一九六一年の初版以来、二〇一八年版まで異版がいくつもあり、それらも比較参照しつつ翻訳した。本書における各版の略記法と一九八七年版の長所については、訳者解説で述べる。本書は、これの全訳にカーの自叙伝および略年譜を加えたものである。

二、原文はケインブリッジ大学における六回連続の公開講演で講じられたものを元に推敲されている。ウィットに富む講演で、熟慮のうえ構成されている。これを達意で自然な日本語文とするために、必要な語句を［ ］で簡単に補い、また関係節を独立のセンテンスとすることがある。原文で——や（ ）もしばしば用いられているが、日本語文としてかならずしも必要ない場合、逆に原文になくとも用いたほうが分かりやすいこともある。臨機応変に処理した。初出からダンやロックなどと記されて紛らわしい人名は、ジョン・ダンやジョン・ロックなどと補う。イニシャルを補い、はっきりさせることもある。

三、固有名詞の表記はなるべく原語の音に近づけたが、慣例も考慮し、折衷的である。

四、毎回約一時間の講演は配布物もスクリーンも用いることなく、軽快に進められた。明らかに笑いを誘う箇所は［笑］と補う。大事なことを述べる直前に笑わせるのは、練達のノウハウかもしれない。原文の段落はたいへん長くなることがあるが、無理のないところで改行する。全篇にわたり、中見出しは訳者の判断でつけた。

五、原注は（　）付きの番号で、見開きの左側におく。典拠文献の著者名が初出から省かれている場合もあるが、これは［　］で補う。逆に同一文献の書誌がフルにくりかえされることもあるが、今日の慣例に従い、二度目から簡略に示す。複数巻の出版（定期刊行物を含む）の巻数はローマ数字（大）で示し、頁は pp. 記号なしで表示する。『ローマ帝国衰亡史』や『戦争と平和』のように多くの版が普及している書物について、カーは特定の版のページでなく通巻の編や章を示している。新聞・放送の年月日は、今日の英国式により、日月年の順とする。書誌や英訳について補正が必要な場合は［　］に記す。単純な誤植は黙って訂正した。文献の邦訳がある場合は［　］に書誌を示すが、引用箇所の訳文はすべて拙訳による。

六、本文中の［　］で補いきれない説明は＊付きの番号で訳註とし、見開きの左端におく。

七、本書全体の理解にかかわる重要事項は、補註として巻末におく。

八、訳業のためにつねに参照した専門的文献とウェブサイト、その略記法は、訳者解説の最後に示す。特定の論点についての特定の文献は、訳註や補註の該当箇所に示すことがある。

はしがき

E・H・カーは『歴史とは何か』第二版のために大量の材料を集めたが、一九八二年一一月に亡くなるまでに書き上げたのは、この新版への序文だけであった。

本書は死後出版で、その序文に始まり、初版のまま変更のない本文が続く。その後に「E・H・カー文書より――第二版のための草稿」という新しい章をおくが、これはカーの書き付け、草稿、メモなどの大きな箱に収められた材料や推論の類《たぐい》を呈示するべく、わたしがせいぜい努めてみたものである。

この新しい章で、引用文中に〈 〉で囲んだ部分はわたしが挿入したものである。カーの引用文についてキャサリン・メリデイルが注意深くチェックしてくださったこと、またジョナサン・ハスラム[*1]とタマラ・ドイチャ[*2]がコメントをくださったことに感謝している。カーの『歴史とは何か』第二版のための草稿は、「E・H・カー文書」と一緒にバーミンガム大学図書館に寄託される予定である。[*3]

一九八四年一一月

R・W・デイヴィス[*4]

＊1　一九五一年生まれ。カーおよびデイヴィスのもとでソ連外交史を研究。ケインブリッジ大学、プリンストン高等研究所の教授。伝記 *The Vices of Integrity: E. H. Carr 1892–1982* (Verso, 1999)（『誠実という悪徳――E・H・カー　一八九二―一九八二』角田史幸・川口良・中島理暁訳、現代思潮新社、二〇〇七）を著した。

＊2　一九一三―九〇年。ポーランド出身の文筆家。ロンドンで同郷の思想史家アイザック・ドイチャ（一九〇七―六七）と結婚。夫妻で一九四七年からカーと親交があり、晩年のカーには研究助手として協力した。

＊3　現在はバーミンガム大学図書館に Special Collections: Papers of E. H. Carr として所蔵。E・H・カー文書は全三一箱からなり、上記の「大きな箱」は Box 11 にあたる。二六七頁の訳註＊1も参照。

＊4　一九二五―二〇二一年。ソ連史を研究。バーミンガム大学教授。一九五六年からカーと親交があり、『ソヴィエト＝ロシアの歴史』全一四冊のうち二冊は二人の共著。カーの遺した文書の受託に尽力した。

第二版への序文

一九六〇年にわたしが『歴史とは何か』の六回分の講演の最初の草稿を仕上げたときに、西洋世界[*1]はまだ二つの世界大戦とロシア革命・中国革命という二つの大革命の衝撃で揺れていた。あのヴィクトリア時代風の天真爛漫《てんしんらんまん》の自信、進歩への自動的な確信は、すでに遠い過去のことになっていた。世界は混乱し、怖い場所でもあった。

とはいえ、やっかいな問題のいくつかから抜け出す兆《きざ》しはすこしずつ見え始めていた。戦後に世界経済危機が起こるだろうと多くの人が予告していたのだが、これは起きなかった。イギリス帝国の解体は、静かにほとんど認知されないまま進行した。[*2]〔一九五六年の〕ハンガリー危機、スエズ危機はなんとかしのぎ、やがて過去のこととなった。ソヴィエト連邦における脱スターリン主義、アメリカ合衆国における脱マッカーシズム[*3]は、健全な方向に進んでいた。ドイツと日本は一九四五年の全面的な崩壊からすみやかに立ちなおり、目覚ましい経済成長をとげつつあった。フランスはドゴール〔大統領一九五九―六九〕のもと、元気を回復しつつあった。合衆国ではアイゼンハワー［大統領一九五三―六一］時代は立ち枯れに終わり、まもなくケネディの希望の時代の暁《あかつき》であった。南アフリカ、アイルランド、ベトナムといった問題地帯は、まだ泥沼化する前であった。世界中の株式市場は好況に沸いていた。

こうした事情があったことは、とにもかくにも、一九六一年のわたしの講演［出版も同年］の終わりに表明した楽天観《オプティミズム》と未来への確信の表向きの理由にはなった。その後の二〇年間に、こうした希望と呑気《のんき》は挫《くじ》かれた。［雪融けのあと］冷戦が再発してその苛烈さは倍増し、核戦争による人類絶滅の脅威が生じている。経済危機は遅れてきたぶん、さらにきびしく工業諸国を荒廃させ、失業という癌腫《がん》を西洋社会に全身転移させている。今では暴力やテロリズムの対立抗争から免れている国はほとんどない。中東の石油産出諸国の反乱により［国際政治の］力のバランスは西側の工業諸国に不利なほうに大きく振れている。いわゆる「第三世界」は、世界情勢における受動的な要因から能動的な不安定要因へと変貌した。こうした現状にあると、いかなる楽天的な発言も不条理と見えてくる。今や苦難の預言者たちの時代である。差し迫るこの世の終わりというイメージを、センセーショナルな物書きやジャーナリストがせっせと書きたて、マスコミが広めており、このイメージは日常会話にまで浸透している。かつて［前近代に］広く信じられたこの世の終わりという予言がこんなにも当てはまるかと見えた時代は、何世紀もなかった。

しかしながら、こうしたときにも常識《コモンセンス》が、二つほど重要な留保へと注意をうながしている。

第一に、未来に希望はないという判断は、反論の余地のない事実にもとづくと称してはいるが、じつは抽象理論の構成概念なのである。大多数の人々は未来に希望はないなどとは全然信じていないし、そのことは人々の行動から明らかである。人々は愛しあい、妊娠し、出産し、子育てに情熱を注いでいるではないか。健康と教育には計り知れないほどの公私の関心が払われ、次世代の福利向上がとなえられている。新しいエネルギー源の探査開発が休みなく続く。新しい発明や工夫によって生産効率が高められている。「少額貯蓄者」の多くが国債を買い、住宅ローンを利用し、投資信託に投資している。歴史的な建築や美術の「国民的な遺産」を将来世代のために残そうという運動に、広汎な人々が情熱を注いでいる。こうしたことを見ると、人類のまもない絶滅を信じているのは、現状に不満な一群の知識人たちで、流行の終末論をとなえている方々だけのことかと結論したくなる。

留保の第二は、この世の災難という予言の発生した源泉の地理にかかわる。こうした予言はほ

＊1　カーは「西洋世界」「西洋社会」という語を①地理的に西ヨーロッパ・北アメリカ、②社会主義圏と対《たい》峙《じ》する「西側」という意味で厳密には区別せずに用いている。

＊2　一九四七年のインド・パキスタンから以後、アフリカ諸国にいたる旧植民地の独立をめぐる本国内の反応の、やや皮肉な表現である。

＊3　第三講訳註＊20（一二七頁）を参照。

とんど西ヨーロッパおよびその海外進出先で発していて、わたしの見るところ、それ以外からは発していないようである。これは驚くに当たらない。これまで五〇〇年にわたって、これらの諸国が文句なしに世界の覇権を握っていた。[*4] 西ヨーロッパ諸国が文明の光を代表して現れ、その周辺に野蛮な暗黒の世界が広がるといった、それらしきイメージが主張された。こうした主張にたいする挑戦や拒絶が勢いをもつ時代は、たしかに災難に違いないであろう。さらにまたこうした混乱の震源地、もっとも深い知的悲観論の地がイギリスだというのも驚くに当たらない。というのは、一九世紀の輝きと二〇世紀のくすみ、一九世紀の優位と二〇世紀の劣位という対照がかくも際《きわ》だち痛ましい地は、他にないからである。この気運《ムード》は西ヨーロッパ全体に、そして——程度はやや軽いかもしれないが——北アメリカにも広まった。こうした国々はすべて一九世紀の大拡張の時代の能動的なアクターであった。しかし、こうした気運が世界の他の地域でも勢いをもつだろうと懸念すべき理由は思いつかない。

　一方で越えがたい情報の障壁が築かれ、他方で冷戦のプロパガンダが絶えることなく流通しているので、ソ連の国内情況がどうなっているか、賢明な評価は難しい。とはいえ、膨大な住民の大多数がなにか日々の不平不満はあるとしても、二五年前、五〇年前、いや一〇〇年前と比べて、事情がはるかに良くなっているのを自覚しているに違いない国で、およそ未来についての絶望が広く蔓延しているとは考えられない。アジアでは日本と中国が、それぞれ方向は異なるが、前向きの姿勢でいる。中東およびアフリカでは、現在は混乱状態にある地域においても、新興の国民がみずからの信じる未来に向けて奮闘している。よく見とおせない未来かもしれないが。

したがって、わたしの結論はこうである。今日の懐疑と絶望の波、すなわち前方に破滅と衰退しか見ないで、進歩を信じるのも、人類のさらなる前進を期待するのも不条理だとして片付けるような懐疑と絶望の波は、エリート主義の一つの形である。——この危機によって安全と特権がじつに著しく浸食されたエリート社会集団の産物、かつての文句なしの世界覇権が砕け散ってしまったエリート国の産物なのである。この〔懐疑と絶望の〕運動の旗ふり役は知識人であり、支配的な社会集団の思想の御用達商人《ごようたし》である(「一社会の思想とは、その支配階級の思想である」[*5]という)。たとえ当該の知識人の一部が別の社会集団の出身だったとしても関係ない。というのは、知識人になることによって自動的に知的エリートに編入されるからである。知識人とは、定義に

＊4　一六世紀以来の西ヨーロッパ人の南北アメリカ、アフリカ支配が想定されている。対アジア覇権については「長い一九世紀」の事象だったという認識はまだないようだ。

＊5　マルクス／エンゲルス『ドイツ・イデオロギー』本論二には、「支配階級の思想が、どの時代においても、支配的な思想である」とある(『新編輯版　ドイツ・イデオロギー』廣松渉編訳、小林昌人補訳、岩波文庫、二〇〇二、一一〇頁)。

より、エリート集団をなすものである。

しかしながら、今この脈絡でもっと重要なのは、あらゆる社会集団はたとえどれほど凝集性であっても(歴史家はしばしば理由があって社会集団を凝集性のものと見なすのだが)、一定数の変わり者や異論派《ディシデント》を産み出してしまうという事実である。こうしたことは、とりわけ知識人の場合に起こりやすい。知識人のあいだではつねづね社会の大前提はともに受容したうえで議論が交わされてきたが、わたしが言いたいのはそうしたことではなく、むしろこの社会の大前提にたいする挑戦である。西洋の民主社会ではこうした挑戦は、一握りの異論派に限られているあいだは寛大にあつかわれ、異論を表明しても読者や聴衆は見つかる。シニカルな見方をするなら、異論派が許容されるのは、数も少なく影響力も乏しく危険でないからだといえよう。

これまで四〇年以上にわたって、わたしは「知識人」というラベルを貼られてきた。近年はわたしも、ますます自身を異論派知識人と見なし、また人からもそう見られている。その説明は簡単である。わたしはといえば、あの偉大なヴィクトリア時代の信念と楽天観の最盛期ではないが、その残光のなかで育ち、今でも書き続けているごく少数の知識人の一人に違いないのである。[*6] 今日においてもわたしは、世界が永久で後戻りできない衰退の途上にある、といった具合には考えられない。以下のページでわたしは、西洋の知識人たちの主流の動向から、とりわけ今日のイギリスにおける主流の動向から距離を保ち、彼らがどのように、またなぜ迷走しているのかを明らかにしたい。そして、楽天的とまでは行かなくとも、せいぜい正気でバランスのとれた未来への展望を打ち出したい。

E・H・カー

［一九八二年以前］

＊6　一八八頁にも関係する証言が見られる。

目　次

装丁　水戸部功

歴史とは何か

一九六一年一月―三月に
ケインブリッジ大学にて実施された
ジョージ・マコーリ・トレヴェリアン記念講演

不思議だなって思うことがよくあるのですが、
歴史の本ってほとんど作りごとでしょうに、
どうしてこんなにもつまらないのでしょう。

『ノーサンガ・アビ』第一四章で
キャサリン・モーランド嬢が歴史について

第一講　歴史家とその事実

歴史[*1]とは何か。こうした問いは意味がないとか、余計とか考える方がいらしては困りますので、テクストとしてあの『ケインブリッジ近代史[*2]』の第一期と第二期の出版企画にそれぞれ関係した文章を見てみたいと思います。まずはアクトン[*3]ですが、一八九六年一〇月にケインブリッジ大学出版会の理事会に提出した「第一期の企画」報告書で、すでに始まっていた編集の方針についてこう述べました。

この出版は、まもなく終わりを迎える一九世紀の豊かな知識を遺産として伝え、最大多数の人々に役立つ形で記録しておく特別の機会であります。……賢明な執筆分担によってこれを実現し、あらゆる人のもとに国際的研究の決定版、そのもっとも成熟した成果をもたらすことができるのであります。

究極の歴史というものにわが世代だけで到達することは不可能でありますが、旧態依然たる歴史に別れを告げて、究極の歴史にいたる道程のどの地点まで達したのかを示すことはできます。今では〔文書館や刊行史料により、〕あらゆる情報は手に届く範囲にあり、どのような問題でも解決可能になっているのでありますから。[(1)]

このほぼ六〇年後のことですが、サー・ジョージ・クラーク教授[*4]が第二期『ケインブリッジ近代史』の総序説〔一九五七〕を書き、アクトンとその共著者たちがいつの日か「究極の歴史」を産み出せると確信していたことに触れたうえで、こう述べています。

……後の世代の歴史家〔であるわたしたち〕は、その究極の歴史を産出しようと期しているわけではなく、むしろ自分の研究は次から次に乗り越えられるであろうと考えている。歴史家の考えでは、過去の知識は何人もの人間の精神を経由して継承され「処理」されてきたものであり、したがって自然界における非人格の原子のような不変の物質からなるのではない。……探究には終わりがないので、忍耐心に欠ける学者のうちには懐疑論[*5]や、そこまで行かなくとも次のような教理に退避して安らぎをえる者もあるであろう。あらゆる歴史的判断には複数の人、複数の観点がかかわっていて、あれとこれの優劣はつけがたいのだから、「客観

的」な歴史の真実なぞ存在しないといった教理にである。(2)

大先生たちがこれほど見事に矛盾することをそれぞれ言い放っているのですから、ここは調査探究のしどころです。ところで、わたしは一八九〇年代の文章なんて、すべてナンセンスに違いないと認識するくらいの新しさはもちあわせているつもりです[笑]。しかしながら、一九五〇年代の文章ならすべて[*6]かならず意味が通ると信じるほどに先端的ではないのです[笑]。

---

(1)　[Acton in] *The Cambridge Modern History: An Account* (1907), pp. 10–12.

(2)　[G. Clark in] *The New Cambridge Modern History*, I (1957), xxiv-xxv.

＊1　補註a。

＊2　補註e。

＊3　ジョン・E・E・アクトン(一八三四—一九〇二)、イタリア生まれ、ドイツで研究した国際人、カトリック、自由党議員、男爵、ケインブリッジ大学の歴史学欽定《きんてい》講座教授(在任一八九五—一九〇二)。第六講にいたるまで、くりかえし言及される。歴史学欽定講座について、補註c。

＊4　一八九〇—一九七九年。オクスフォード大学の経済史教授からケインブリッジ大学の歴史学欽定講座教授(在任一九四三—四七)、その後、オクスフォードのオリエル学寮長へ。学寮と大学について、補註d。

＊5　懐疑論(scepticism)は理性による真理の認識は不可能とする。不可知論、相対主義を含むこともある。

＊6　講演は一九六一年だったから、五〇年代からまだ何年も経っていない。

じつのところ、こうした調査探究に立ち入ると、歴史学よりはるかに広大などこかへ迷い込んでしまいそうとご心配の方もおられるかもしれません。アクトンとサー・ジョージ・クラークの違いは、二人の意見表明のあいだ［六一年間］に生じた社会観全般における転換の反映であります。アクトンは後期ヴィクトリア時代のポジティヴな信念、迷いのない自信から語り出していますし、サー・ジョージ・クラークにはビート時代[*7]の困惑、混乱した懐疑心が反響しています。わたしたちが「歴史とは何か」という問いに答えようとするなら、その答えは、意識的であれ無意識であれ、時代のなかの自分の立ち位置を反映していますし、自分が生きる社会をどう見ているのか、というもっと広い問いにたいする答えの一部でもあるわけです。ですから、［歴史とは何かという］わたしのテーマは、よく吟味してみたら取るに足りぬ詰まらん問題だったという懸念は、ございません［笑］。むしろ、こんなにも大きく、こんなにも重要な問題の口火を切ってしまって、僭越《せんえつ》かなという心配はいたしております。

歴史的事実とは

一九世紀は事実を求めた偉大な時代でした。ディケンズの小説『ハード・タイムズ』で［効用本位の］グラッドグラインド氏は「わたしがほしいのは事実だ。……人生で必要なのは事実だけだ」と語っていました。一九世紀の歴史家たちは大体のところ彼に賛成でしょう。［ドイツの歴史家］L・ランケは一八三〇年代に、従来の教訓をたれる歴史書を正当にも批判して、歴史家の仕事とは「要するにことは本当のところどうだったのか(wie es eigentlich gewesen)を明らかにすることである」と申しましたが、このたいして深みのあるわけでもない警句は目覚ましい効果がありました。ドイツ、イギリスばかりでなくフランスの歴史家までが、三世代にわたって一斉に「ことは本当のところどうだったのか」という魔法の呪文をとなえて研究にいそしみ、――たいていの呪文がそうですが、自分の頭で考えるというやっかいな責務から免れたのです。

実証哲学者は熱心に歴史は科学であれととなえ、この事実崇拝《カルト》に重みを加えました。実証哲学者によれば、まずは事実を確定しよう、その後で、事実から結論を導こう、となります。イギリスではこうした歴史観は、ジョン・ロックからバートランド・ラッセルにいたるイギリス哲学の主流、経験主義の伝統にピタリとはまりました。知の経験論の前提によれば、主体と客体は完全に別です。事実とは、感覚＝印象と同じように、観察者にたいして外から当たってくるもので、本人の意識からは独立しています。受容のプロセスは受動的で、与件を受けとめてから人はそれ

＊7　一九五〇年代、青年・知識人が因襲にとらわれず、自由な生きざまを求めた時代。ビートルズの登場する直前であった。

に働きかけるのです。『オクスフォード英語辞典』の簡約版[*8]は有用ですが経験学派に傾いた作品でして、これを引いてみますと、二つのプロセスを峻別して、事実とは「経験の与件であり、推論とは区別される」と定義しています。これは常識版の歴史観と呼べるものです。歴史とは確定された事実の集成《コーパス》からなるというわけです。事実は、歴史家が文書や碑文などから見つけてくる。魚屋の台に並んだ魚みたいなものですね。歴史家はそれを集めて、家にもち帰って料理し、好みのスタイルで食卓に出す。アクトンの好みは峻厳でしたから、料理は質実にと望みました。第一期の『ケインブリッジ近代史』の執筆者にあてた執筆要綱で、彼はこう要望しています。

われわれの記述は、ワーテルローの戦いなら、フランス人もイギリス人もドイツ人もオランダ人も同じように満足できるものでなければならない。また執筆者リストを精査しないかぎり、オクスフォード主教[W・スタッブズ]がどこまで書き、その先を書き継いだのはフェアベアンなのかガスケなのか、リーバーマンなのかハリスンなのか[*9]、だれにも分からないような文章としていただきたい(3)。

アクトンの姿勢に批判的だったサー・ジョージ・クラークでさえ、歴史における「事実というかたい芯」と「議論の余地のあるまわりの果肉」とを対照しています(4)。かたい芯よりも果肉の部分のほうがおいしいということはお忘れだったのでしょうか〔笑〕。まずはおのが事実をしっかり手にして、次に解釈という危険な流砂に身を投じる。――これが歴史学の経験主義、常識学派の究極の知恵でした。あの偉大なリベラル派ジャーナリスト、C・P・スコット[*10]のお好みの言、「事実は神聖、意見は自由」が想い起こされます。

ところがですね、これはうまく行かんのです。過去をどう認識するかについての哲学論議をここで始めるつもりはありません。今かりに、カエサルがルビコン川を渡ったという事実と、この

（3）Acton, *Lectures on Modern History* (1906), p. 318.

（4）*The Listener*, 19 June 1952, p. 992 より引用。

＊8　『オクスフォード英語辞典』(*OED* 補註a)が一九九二年にCD-ROM化され、その後オンライン供用されるまで、簡約版 *Shorter Oxford English Dictionary*（二巻）が愛用されていた。項目と語義はほぼ本体*OED*を継承し、豊富な用例は省略されていた。

＊9　オクスフォード大学の歴史学欽定講座教授W・スタッブズは一八八九年に(国教会の)オクスフォード主教に叙任された。以下アクトンが例示する学者は、プロテスタント神学者からローマカトリック聖職者、ドイツ人、社会改良家など、信教も出身も主義主張も異なる一九世紀末の現役歴史家。アクトン自身がそうだったようにコスモポリタンな歴史学が目されている。

＊10　一八四六―一九三二年。有力新聞『マンチェスタ・ガーディアン』(現『ガーディアン』)の編集長、ついで社主、自由党議員。

部屋の真ん中にテーブルがあるという事実が、同一の次元、または比較可能な次元の事実であるということ、この二つの事実は同一の程度に、または比較可能な程度にわたしたちに認識されるということ、そして二つの事実は同様に、それを認知する人との関係では同じような客観性を有するということを想定してみましょうか。しかし、この大胆であまりありそうもない想定にもとづいて議論しようとしても、すぐに問題が生じてしまいます。つまり、過去のすべての事実が歴史的事実というわけではないし、言いかえますと、歴史家は過去のすべての事実を取りあつかうわけではないのです。過去の事実と歴史的事実とを区別する基準は何でしょうか。

歴史的事実とは何か。これは決定的に重要な問題で、この点について、今すこし立ち入る必要があります。常識的な見方からしますと、あらゆる歴史家にとって同一の基礎的事実というのが存在して、いわば歴史の背骨をなしています。たとえば、一〇六六年にヘイスティングズの戦いがあった［ウィリアム征服王が勝利した］といった事実ですね。

しかし、これには二点ほど注意が必要です。まず第一に、歴史家が第一義的に問題関心をもつのは、この種の事実ではありません。この大いなる戦いがあったのは一〇六五年や一〇六七年ではなく一〇六六年だった、そして戦場はイーストボンやブライトンではなくヘイスティングズだったと知るのはたしかに重要です。これをまちがってはならない。しかし、このレベルのことが議論されるさいにわたしが想起するのは、［古典学者・詩人］ハウスマンの「正確さは本分であって、美徳ではない」という言です[5]。歴史家の仕事が正確だといって誉めるのは、建築家[*11]にたいして、よく乾かした材木を用いたとかよく混ぜたコンクリートを使ったとかいって誉めるようなものです。それは仕事の必要条件ですが、プロの本領ではありません。歴史家が歴史の「補助学」と呼ばれる部門――考古学、碑文学、古銭学、年代学など――に依拠してよいのは、まさしくこうした問題です。歴史家は、陶器や大理石の破片の来歴や年代を判定したり、不鮮明な碑文を解読したり、正確な年代を確定するために精巧な天文学的計算をしたりといった専門家の特別な技能を修得している必要はありません。こうした、いわゆる基礎的事実は、すべての歴史家に共通で、歴史家の原材料といったカテゴリーに属していて、歴史そのもののカテゴリーとは違います。

第二の注意点ですが、こうした基礎的事実を確定する必要があるかどうかは、事実そのものの属性ではなく、歴史家の先験的《アプリオリ》な決定にかかっているのです。先ほどのC・P・スコットの言にもかかわらず、今日のジャーナリストならだれでも承知していることですが、世論に影響力を行使しようとすれば、適当な事実を選別してアレンジすればよいのです。かつて事実はみずから語

(5) M. *Manilii Astronomicon: Liber Primus*[, ed. by A. E. Housman] (2nd ed., 1937), p. 87.

＊11　ここは建築家のギリシア語源 arkhitekton(大工の棟梁)が連想されている。カントからの引用(二七六頁)を参照。

ると申しましたが、これは、もちろん偽《いつわ》りです。事実が語るのは、歴史家が声をかけたときのみです。どんな事実に発言権を与えるのか、どんな順序で、どんな文脈で発言させるのかを決めるのは歴史家です。あれはピランデッロの劇中の一人でしたか、「事実ってのは袋みたいなものだ。なかに何かを入れておかんと縦には立たん」[*12]と言っていました。わたしたちが一〇六六年のヘイスティングズの戦いに関心をもつ理由は、ただ歴史家がそれを大きな歴史的事件だと見なすからです。カエサルがあの小さな流れ、ルビコン川を渡ったことが歴史的事実だと決めたのは歴史家で、それなりの理由があってのことです。他に幾百万の人がその前にも後にもルビコン川を渡ったからといって、だれも何とも思わないのです。みなさんが三〇分前にこの講義棟にいらした、歩いてか自転車でか車でか、といった事実は、たしかにカエサルがルビコン川を渡ったと同じく過去の事実です。しかし、将来の歴史家たちはきっと無視しますね［笑］。

［社会学者］タルコット・パーソンズ教授は、学問のことを「現実にたいする認知の方向定位の選択的なシステム」と呼んだことがあります。[6]もうすこし簡単に言えたかもしれませんが、しかし、歴史とはまさしくそれなのです。歴史家はどうしても選択的です。歴史家の解釈とは別に、歴史的事実のかたい芯が客観的に独立して存在するといった信念は、途方もない誤謬《ごびゅう》です。ですが、根絶するのがじつに難しい誤謬です。

ただの過去の事実が歴史的事実へと変貌するプロセスを見てみましょう。一八五〇年、［ランカシャ州の」ステイリブリッジの大祭日《ウェイクス》でのこと、一人の菓子売りがちょっとした争いから、怒った群衆に蹴り倒されて死にました。これは歴史的事実でしょうか。一年前でしたら迷うことなく「ノー」と答えました。この件はほとんど無名の一目撃者の回想録に記されていたのですが、(7) わたしの見るところ、言及に値すると判定した歴史家は一人もいませんでした。ところが昨年、オクスフォード大学の「フォード記念講演」でG・キトスン＝クラーク博士*13がこの件に言及したのです。(8) これで歴史的事実の仲間入りをはたすでしょうか。まだ、でしょうね。思うに、現在のステータスは、えり抜きの「歴史的事実クラブ」の会員へと推挙されて、その動議の賛同者《セカンダ》、推薦

(6) T. Parsons & E. Shils, *Towards a General Theory of Action* (3rd ed., 1954), p. 167.［『行為の総合理論をめざして』永井道雄・作田啓一・橋本真訳、日本評論新社、一九六〇］

(7) 'Lord' George Sanger, *Seventy Years a Showman* (2nd ed., 1926), pp. 188–189.

(8) Kitson Clark, *The Making of Victorian England* (1962).［この書の pp. 61–62 に該当する叙述があるが、この典拠には Evans, *In Defence of History* (2018), pp. 76–79 が疑問を呈している。］

＊12　イタリアの劇作家L・ピランデッロ（一八六七―一九三六）の「作者をさがす六人の登場人物」（一九二一）における「父親」の台詞。（『ピランデルロ名作集』岩田豊雄訳、白水社、一九五八）

＊13　一九〇〇―七五年。トリニティ学寮フェローで、カーの同僚。一九世紀イギリス史。じつはカーをトレヴェリアン記念講演に推挙した一人。「フォード記念講演」については補註ｆ。

人が待たれているといったところです［笑］。これから数年間のうちに、この事件が一九世紀イングランドについての専門論文や著書のまずは脚註に、ついで本文に出現するようになれば、そして二〇年、三〇年経過したならば、しっかり確立した歴史的事実となるかもしれません。反対にだれもこの事件を採りあげないかもしれず、その場合は、事件は過去の非歴史的事実の黄泉《よみ》の国に収まり、キトスン゠クラーク博士の勇敢な救出劇は無に帰することになります［笑］。いったいこの二つの選択肢のうちどちらになるでしょう。それは思うに、キトスン゠クラーク博士がこの事件を引用したときの議論、解釈が有効で意味あり、と他の歴史家たちが承認するかどうかにかかっています。歴史的事実というステータスは、解釈という問題にかかっています。この解釈という要素が、あらゆる歴史的事実に入りこんでいます。

個人的な想い出を語ってよろしいでしょうか。何十年も前ですが、わたしがこのケインブリッジ大学で古代史を勉強していたころ、特別研究として「ペルシア戦争期のギリシア」をとりました。で、わたしは一五巻から二〇巻ほどの書物を集めて書架に並べて、これらの書物のなかに記録された、わがテーマに関するすべての事実が手中にある、と悦に入ったものです。これら全巻の書が、わがテーマに関する当時知られていたすべての事実を、あるいは知られうるすべての事実を収めていたと想定しましょう――まことに真実に近く見えました。でもその時は、いかなる偶然や摩滅の経過によって、かつては人に知られていたに違いない無数の全事実のうち、たった二〇巻に満たぬ選ばれし事実だけが生き残って「歴史的事実」となったのか、といったことまでは考えもおよばなかったのです。

もしや今日でも、古代史や中世史が人を魅了する理由の一つは、すべての事実を手にして思いのままにできる範囲内に置けるという幻想を与えてくれる、ということでしょうか。というのは、わずかに知られている事実はすべて歴史的事実なので、［歴史家が考慮すべき］歴史的事実と、それ以外の過去の事実との区別というやっかいな問題が消えてしまいますから。古代も中世も研究したJ・B・ベリは「古代・中世の史料には、欠落が星空のごとく散りばめられている(9)」と述べました。歴史とは、たくさん欠落のある巨大なジグソーパズルだとも言われてきました。しかし、主要な問題は欠落にあるのではないのです。紀元前五世紀のギリシアのイメージに欠けたところがあるとしたら、それは偶然にもジグソーのかくも多数のピースがなくなってしまったからではなく、それが概してアテネの少数の市民集団が作ったイメージでしかないからです。前五世紀のギリシアがアテネ市民からどう見えたかについて、わたしたちはよく知っています。しかし、スパルタ人、コリント人、テーベ人から、ましてやペルシア人からは、そしてアテネの奴隷や非市民在留民《メトイコイ》からはどう見えたのか、ほとんど分かりません。わたしたちのイメージはあらかじ

(9) J. B. Bury, *Selected Essays* (1930), p. 52.

め選択され、あらかじめ定められていたのです。それも偶然にそうなったというより、意識してか無意識にか、特定の見方に染まり、その見方に添う事実こそ保存に値すると考えた人々によってあらかじめ選別されていたのです。

同様のことですが、近代に書かれた中世史で、中世の人々は信心深かったという叙述を読むと、いったいどうしてそんなことが分かるのか、本当にそうだろうかと思ってしまいます。中世史の事実としてわたしたちが知っていることはほとんどすべて、何世代もの年代記筆者によって選別されてきたものです。彼らは聖職者として信仰の理論と実践に従事し、したがって信仰こそ最高の重要事と考え、信仰に関連するすべてを記録し、それ以外はあまり記録しませんでした。ロシアの農民が敬虔で信心深かったというイメージは一九一七年の革命で打ち破られましたが、中世人が敬虔で信心深かったというイメージは、正誤は別として、打ち破ることはできません。というのは、中世人についてわたしたちが知っているほとんどの事実は、そうと信じ、他人にもそう信じてほしいと考えた聖職者によってあらかじめ選別されたものだからです。そして、信心深さを否定する証拠となりえたかもしれない他の大量の事実は、永遠に失われてしまいました。過ぎ去った幾世代もの歴史家、書記、年代記筆者など死者の記録が、過去の意匠《パターン》を決定してきたのです。上訴再審の可能性はありません。G・バラクラフ教授も若いころは中世史研究者でしたが[*14]、こう述べています。「歴史の書物とは、事実に基づいているとはいえ、厳密にいうとじつは事実などころか、むしろ一連の承認されてきた判断《ジャジメント》にすぎないのである。(10)」

そこで事情は異なるけれども、しかし深刻度は同じ、現代史家の問題に移りましょう。古代史や中世史の学者は、長年の風雪によって史料が散逸《さんいつ》してしまった結果、手に負える程度の歴史的事実の集成しかお手元に残っていないことに感謝してもよいかもしれません。リトン・ストレイチが例の皮肉な口調で述べたとおり、「歴史家の第一要件は無知。ことを単純に分かりやすくし、選び、省くといった無知無礼」であります。(11)わたしは同僚で古代史や中世史をやっておられる方々が非常に有能なのを、ときに本気で羨《うらや》ましく思うことがあるのですが、この方々がかくも有能な理由は、ご自身のテーマについてかくも無知無礼だったからなのかと考えますと、慰められます[笑]。現代史家は、そのような構造的な無知無礼の利益をまったく享受していません。むしろ、この必須の無知無礼を自力で養わないとならず、――自分自身の時代に近づけば近づくほどそうなのです。

(10) G. Barraclough, *History in a Changing World* (1955), p. 14.〔『転換期の歴史』前川貞次郎・兼岩正夫訳、社会思想社、一九六四〕

(11) Lytton Strachey, Preface to *Eminent Victorians* [(1918) の冒頭].〔『ヴィクトリア朝偉人伝』中野康司訳、みすず書房、二〇〇八〕

＊14　一九〇八―八四年。バラクラフの研究は中世史から始まり、戦後は現代史、国際関係を専門とした。

現代史家には二重の課題、まずは数少ない意味ある事実を発見し歴史的事実に変えるという課題、次には数多い無意味な事実を非歴史的事実として捨てるという課題があります。これは一九世紀の邪教、すなわち歴史とは最大限の反駁すべくもない客観的事実の編纂《へんさん》にありという教えの正反対です。この邪教に屈してしまうと、歴史家なんて悪業はあきらめて、むしろ切手収集などの古物趣味に向かうか、あるいは精神病院で終えるかです。この一〇〇年間、現代の歴史家にこれほどの荒廃をもたらしたのは、この邪教です。――ドイツでもイギリスでも合衆国でも、無味乾燥の事実史が、微に入り細をうがつ専門研究が、ますます小さなことについてますます膨大な知識をもつ歴史家候補生たちによって、巨大な山のように積みあげられ、事実の大海に跡形もなく沈んでいます。

あの歴史家アクトンを悩ませたのは、リベラルであり同時にカトリックであることの葛藤だったという説がありますが、そうではなく、まさしくこの［事実史の］邪教だったのだとわたしは考えます。初期の論文でアクトンは師デリンガーについてこう評していました。「彼は不完全な史料しかない場合は書こうとしなかったが、彼にとって史料はつねに不完全であった」と。(12)このデリンガー評でアクトンは、じつに自身の生涯の不思議についての自己審判をあらかじめ申し渡していたようなものです。多くの人はアクトンこそケインブリッジ大学の歴史学欽定講座に就いた教授としてだれより適材適所であると見なしたものですが、その彼が［生前に］一冊も歴史書を著していないという不思議、これにみずから審判を下していたのです。そのアクトンは、死の直後に刊行された『ケインブリッジ近代史』の第一巻序文で、歴史家はもろもろの仕事に迫られて「学者ではなく、百科事典の編纂者になってしまいそうである」[13]と悲しみを表していました。これは自分自身の刻んだ墓碑銘であります。

なにかがまちがっていたのです。まちがっていたのは、かたい事実を歴史の基礎として、たゆむことなく終わりなく蓄積するという信念、事実はみずから語るし、事実が多すぎることはないという信念でした。当時のだれもこれに疑いをかけなかったので、この「歴史とは何か」という問題をみずから問いかけることが必要とは、ほとんどだれも考えなかったし、今日でもこの問いは不必要と考える人がいます。

（12） G. P. Gooch, *History and Historians in the Nineteenth Century*, p. 385 より重引。後年アクトンは師デリンガー［一七九九―一八九〇］について、「彼の課題は、人類の手にした最大限の帰納法のうえに歴史哲学を形成することであった」と述べた。*History of Freedom and Other Essays* (1907), p. 435.

（13） *Cambridge Modern History*, I (1902), 4.

史料のフェティシズム

一九世紀の事実の物神崇拝《フェティシズム》を完成させ根拠を与えたのは、史料の物神崇拝でした。史料は事実の神殿における［モーセの十戒の石盤を収めた］契約の箱《アーク》でした。敬虔な歴史家は頭をたれてこれに近づき、畏敬の声で読みあげます。史料のなかにあることは真実なのです。ですが、その史料に取りかかるとして、これら——王令、条約、土地台帳、議会文書［政府刊行物］、公的交信記録、私信、日記といった史料——はわたしたちに何を語るのでしょう。いかなる史料もその筆者［発信者］が考えた以上のことは教えてくれません。筆者が起きたと思った出来事、かならずや起きるに違いないと思ったり、そうなるだろうと思ったこと、あるいはただ他人《ひと》に本人が考えたと思ってほしいだけのこと、さらには自分でこう考えたと思いこんだだけのことかもしれない。こうしたことは、歴史家が史料に取り組んで分析し解読するまでは何の意味もありません。史料の内外に存在する事実は、歴史家が処理作業して初めて利用可能になるのです。歴史家の事実利用とは、こんな表現をしてよろしいなら、処理作業プロセスです。

わたしの申したいことを、たまたまわたしのよく知る具体例で示しましょう。グスタフ・シュトレーゼマンはワイマル共和国［ドイツ］の外務大臣で一九二九年に急死して、膨大な量の、三〇

○箱に一杯の文書を残しました。その文書はほとんどが外務大臣の職にあった六年間〔一九二三―二九〕に関する公式・半公式・私的のものでした。シュトレーゼマンの友人も親族も、当然ながら、かくも重要な人物を記念するモニュメントを残すべきと考えました。忠実な秘書ベルンハルトが仕事に取りかかり、三年かけて三〇〇箱から選び編纂された、各六〇〇ページほどの厚い三巻からなる史料集が『シュトレーゼマンの遺産』という印象的なタイトルで出版されました。通例の場合はですね、〔史料集が出たあとは〕もとの文書自体はどこかの地下室か天井裏でカビの生えるにまかされ、永久に消えてしまうか、せいぜい一〇〇年かそこら経ったころ、好奇心にかられた学者がもとの文書に取りかかってベルンハルトの刊行テクストと照合するといったところでしょう。実際は、はるかにドラマチックな展開となりました。一九四五年にこの文書が〔連合軍の〕イギリス・アメリカ政府の手に移り、両政府はその写真をとり、コピーをロンドンの公文書館（PRO）およびワシントンの国立文書館（NA）に置いて研究者の閲覧に供したのです。その結果として、もし十分な忍耐心と好奇心があればですが、わたしたちはベルンハルトが何をしたのかを正確に知ることができます。

ベルンハルトがやったことは、とくに異常でもとくに衝撃的でもありません。シュトレーゼマン外相が死んだころ、その西方外交は数々の成功で報われていました。――ロカルノの安全保障条約、ドイツの国際連盟加盟、〔ドイツの賠償支払問題についての〕ドーズ計画・ヤング計画、そしてアメリカの貸付、占領軍のラインラントからの撤退といった具合に。[★15] これらがシュトレーゼマン外交の重要で成功した点と見なされ、したがって秘書ベルンハルトの編纂になる史料集でこの部分が非常に強調されているからといって、不自然ではありません。他方でシュトレーゼマンの東方外交ですが、彼のソヴィエト連邦にたいする姿勢はどちらに向かうのか曖昧《あいまい》です。とるに足りない成果しか生まなかった交渉の文書は膨大ですが、とくにおもしろくはないし、シュトレーゼマンの評判に加えるものもない、というわけで史料選別のプロセスは厳格なものとなりました。じつのところ、シュトレーゼマンはベルンハルトが選別した史料集の読者が受ける印象よりも、ずっと継続的に熱心な注意をソ連関係に向けていたし、また彼の外交のなかでソ連ははるかに大きな役割をはたしていました。それにしても、ベルンハルト編の史料集は、ふつうの歴史家が黙って依拠する他の多くの刊行史料集に比べると良いほうだと思われます。

これでわたしの話が終わるのではありません。ベルンハルト編の三巻本が刊行されたあと、まもなく〔一九三三年に〕ヒトラーが政権をとりました。ドイツでシュトレーゼマンの名は忘却に委ねられ、三巻本の史料集は流通しなくなりました。多数の、ことによると大半のものは焼却されたに違いありません。今日、『シュトレーゼマンの遺産』はかなりの稀覯本《きこう》です。しかし西側ではシュトレーゼマンの評判は高いままで、一九三五年にイギリスの出版社がベルンハルト編の史料集の英訳・縮約版を刊行しました。もとの三分の一くらいは削られていますが、よく知られた独英の翻訳者E・サトンが有能で良い仕事をしました。彼のはしがきによると、「英訳版はやや縮約されているが、削ったのは、他に比べて一過性の意味しかなく、ほとんど英語で読む人や研究する人の関心は引かない史料だけである。(14)」これまた無理のないところです。しかし、結果としてシュトレーゼマンの東方外交は、ベルンハルト編の史料集ですでに不十分だったわけですが、サトンの英訳本ではそれがさらに視界から後退して、シュトレーゼマンの圧倒的に西を向いた外交において、ソ連は時たまの、むしろまねかれざる邪魔者として現れます。にもかかわらず、西側世界ではほんの数人の専門家を除くと、シュトレーゼマンの真正の証言を表現しているのは、ベルンハルト編ではなく――ましてやシュトレーゼマン文書自体でもなく――サトン編訳の史料集だと言ってよいでしょう。かりにですが、もし一九四五年の爆撃で［もとの］文書が焼失していたなら、そしてもしベルンハルト編の三巻本が全部消えていたなら、サトン編訳の真正さと権威は疑問に付されることもなかったでしょう。今日、オリジナルが存在しないばかりに、歴史家がありがたく受けとめている刊行史料集は数多いのですが、いま申しましたシュトレーゼマン文書

(14) Gustav Stresemann, *His Diaries, Letters and Papers*, [ed. & transl. by E. Sutton] I (1935), Editor's Note.

＊15　シュトレーゼマンは一九二六年、フランスのA・ブリアン首相・外相とともにノーベル平和賞を受賞。

の事情と考えあわせますと、なかなか危ういものがあります。

話をさらに一段階すすめましょう。ベルンハルト編とサトン編訳のことはもういいとします。［原史料の写真版があるので］その気さえあれば、ありがたいことに現代ヨーロッパ史の重要な出来事の主役の一人の真正の文書を読むことができます。その文書は何を語るのでしょう。いろいろあるなかでも、シュトレーゼマンがベルリン駐在ソヴィエト大使と交わした何百という非公式会談、［ソ連の外務人民委員］チチェーリンと交わした二十あまりの非公式会談の記録があります。こうした記録には共通の特徴が一つあります。すなわち、シュトレーゼマンは会談の主導権を握り、いつでも話の筋がとおり説得力がありますが、相手のほうは散漫で混乱したり曖昧だったりです。これは外交におけるあらゆる非公式会談の記録によくある特徴です。史料が伝えるのは何があったかではなく、シュトレーゼマン本人が起こったと考えたこと、あるいは他人に起こったと思ってほしいこと、ことによると本人が起こったと思いたがっていたことだけなのです。選別のプロセスは、サトンでもベルンハルトでもなく、シュトレーゼマン自身が始めたのです。もしかりに、同じ一連の非公式会談についてチチェーリン側の記録があったとして、そこで分かるのは、やはりチチェーリン本人が考えたことだけで、本当のところ何が起こっていたのかは、歴史家の頭のなかで再構成するしかありません。言うまでもなく、事実と史料は歴史家にとっていのち《エッセンシャル》です。しかし、これらを物神崇拝してはならない。事実と史料だけでは歴史にならない。「歴史とは何か」という難問にたいする出来あいの答えは、事実と史料のなかには用意されていません。

ここで、一九世紀の歴史家たちが一般になぜ歴史哲学に無関心だったのか、すこし述べてみたいと思います。歴史哲学という語は〔一八世紀の啓蒙思想家〕ヴォルテールが創り、それ以来、さまざまの意味で使われてきていますが、わたしの場合は「歴史とは何か」という問いにたいする答えという意味で使うことにします。一九世紀は西ヨーロッパの知識人にとって自信と楽観のあふれる幸せな時代でした。事実は全体として満足すべきものでしたので、それだけ事実についてやっかいな問いをかけ、答えたいという気持は弱かったのです。ランケの敬虔な信念によれば、自分が事実と取り組めば、歴史の意味は神の摂理が引き受けてくれるのでした。〔ランケの弟子世代にあたる〕J・ブルクハルトになると、もうすこしモダンで冷めた目で、「われわれは永遠の知の目的といった奥義に通じているわけではない」と述べています。さらにくだって一九三一年にH・バタフィールド教授[*16]はためらいもなく「歴史家はことの本質について、さらには自分のテーマの本質についてさえほとんど考えめぐらしたことがない[(15)]」と記しました。しかし、このトレヴ

(15) H. Butterfield, *The Whig Interpretation of History* (1931), p. 67.〔『ウィッグ史観批判――現代歴史学の反省』越智武臣他訳、未来社、一九六七〕

＊16　一九〇〇―七九年。ケインブリッジ大学の歴史学欽定講座教授、後出六一―六三頁。

ェリアン記念講演を以前に担当されたA・L・ラウス博士[*17]の場合は違いまして、サー・ウィンストン・チャーチルの『世界危機』という第一次世界大戦についての本がありますが、この書を彼はまことに的確に批判しています。チャーチルの本はトロツキーの『ロシア革命の歴史』と並ぶ人物描写、生き生きと精気に満ちてはいるが、一点でトロツキーにおよばない。すなわち、チャーチルの「本の背後には歴史哲学がない[16]」と評しました[笑]。

イギリスの歴史家を引き合いに出すのが場違いなのは、彼らは歴史に意味はないと信じたどころか、むしろ歴史の意味は内在し、自明だと信じていたからです。一九世紀のリベラルな歴史観は、経済の自由放任《レセフェール》主義と親近性があり、どちらも曇りなく自信に満ちた世界観の産物でした。だれもが自由にそれぞれ自分の仕事に従事せよ、宇宙の調和については「見えざる手」が引き受けてくれる、というのでした。歴史的事実はそれ自体、より高き存在にむけての有益ではてしない進歩という最高の事実を証明していました。天真爛漫《てんしんらんまん》の時代でして、歴史の神を前に、歴史家は「エデンの園」を一片の哲学で前をおおうこともなく、裸のまま恥じらいもなく、行き来していたのです。その後に原罪を知り、楽園追放を経験しました。今日、あえて歴史哲学なしでやってゆこうと言い張る歴史家がいるとしたら、ヌーディスト・クラブの会員が緑深い郊外で「エデンの園」を再生させようとしているのにも似て、ただ空しくも自意識の営みにいそしんでいるにすぎません[笑]。今日、このやっかいな問題から逃れることはできないのです。

クローチェとコリンウッド

これまで五〇年間に「歴史とは何か」という問題について真剣な議論がたっぷり行なわれてきました。ドイツは一九世紀リベラリズムの心地よい君臨を転覆するのに大いに与《あずか》った国ですが、一八八〇年代、九〇年代に歴史における事実の優位性、自律性という教理にたいして最初の挑戦が生じたのは、そのドイツです。この挑戦を担った哲学者たちは、今では名前以外はほとんど忘れられていますが、忘れられていない唯一の人が、最近のイギリスで遅まきながらの注意を引いているディルタイです。一九世紀末まで、わが国ではその繁栄と自信が大きすぎて、事実崇拝を攻撃した異端には注意が向けられませんでした。二〇世紀初めになって、ドイツの学問から大いに学んだＢ・クローチェ[*18]が歴史哲学をとなえ始め、たいまつ《トーチ》はイタリアへ移りました。

（16）　A. L. Rowse, *The End of an Epoch* (1947), pp. 282–283.

＊17　オクスフォードの歴史家、文人。一九五八年にトレヴェリアン講演を担当。*The Elizabethans and America* (1959). 前年にはチャーチル家二連作 *The Early Churchills; The Later Churchills* も著した。

＊18　一八六六—一九五二年。イタリアの歴史哲学者、政治家。『クリーティカ』誌を創刊、編集。

すべての歴史は「現代史」であるととなえたのはクローチェです[17]。その意味は、歴史の本質は過去を現在の目で見ること、現在の諸問題に照らして見ることであり、また歴史家の主なる仕事は記録でなく評価することである、ということでした。もし歴史家が評価しないなら、何が記録に値するのかどうして分かるでしょう。一九一〇年にはあのアメリカの歴史家カール・ベッカが意図的に挑発するような口調で、「歴史の事実とは、歴史家がそれを創る前には存在しない[18]」と論じました。こうした挑戦は当初はほとんど見過ごされていました。フランスとイギリスでクローチェがたいへんな流行になるのは一九二〇年より後のことです。その理由はと申しますと、クローチェがドイツの先行哲学者たちより繊細で文体が良かったからというより、むしろ第一次世界大戦[一九一四―一八]の後で、戦前ほど先の見通しは明るくなく、わたしたちは事実の威信を減じる類《たぐい》の哲学に接しやすくなっていたからかもしれません。

クローチェから大きな影響を受けたのが、オクスフォードの哲学者・歴史家R・G・コリンウッド[*19]で、彼こそ二〇世紀のイギリスで歴史哲学に本格的な貢献をした唯一の思想家です。彼は生前に計画していた体系的な著書を著す前に亡くなってしまいましたが、このテーマについての既刊・未刊の論文が死後に編まれ、『歴史の理念』というタイトルの一巻として一九四六年に公刊されました。

コリンウッドの見解をまとめるなら、こうです。歴史哲学の問題関心は「過去そのもの」でも

「過去をめぐる歴史家の思考そのもの」でもなく、「その相互関係における両方」である。（この言説は「歴史」(history)という語の現在の二つの意味――すなわち歴史家がたずさわる調査探究［歴史学］と、その調査探究の対象となる一連の過去の事象という二つ[*20]――を反映しています。）「歴史家が研究する過去とは死んだ過去ではなく、今もなおなんらかの意味で生きている過去である。」しかし、過去の行為は、歴史家がその背後にあった思考を理解しないかぎり、死んでいる、すなわち歴史家にとって意味がない。かくして「あらゆる歴史は、思考の歴史である」、そして「歴史とは、歴史家の頭のなかで研究中の思考の歴史を再演することである」となります。

---

(17)　この有名な警句の文脈はこうである。「実生活上の必要事があらゆる歴史的判断の基礎にあり、すべての歴史に「現代史」という性格を付与する。なぜなら、語られる事象がいかに時を隔てて遠い昔のことに見えても、その歴史は、現実にこれらの事象が揺れ動く今の必要、今の情況に関係しているからである。」B. Croce, *History as the Story of Liberty* (1941), p. 19.［『思考としての歴史と行動としての歴史』上村忠男訳、未來社、一九八八］

(18)［Carl Becker in］*The Atlantic Monthly*, October 1910, p. 528.［C・ベッカはコーネル大学でアメリカ独立革命史、クローチェを論じ、R・R・パーマの研究指導教授であった。］

＊19　一八八九―一九四三年。オクスフォード大学教授。古代史・考古学・歴史哲学の仕事がある。

＊20　英語 history の二つの意味について、補註a。

歴史家の頭のなかで過去を再構成できるかどうかは、経験的な証拠《エヴィデンス》にかかっています。とはいえ、それ自体が経験的なプロセスというのではないし、事実の単なる復唱ではありえません。それどころか、再構成のプロセスが、事実の選択と解釈を支配します。まさしくこのプロセスが事実を歴史的事実に変えるのです。こうした論点ではコリンウッドの立場に近いオークショット教授[*21]は、「歴史とは歴史家の経験である。歴史を「つくる」のは歴史家以外のだれでもない。歴史を書くという行為だけが歴史をつくるのである」[19]と述べています。

この鋭い論評は、いくつか重大な留保は必要としても、従来は見過ごされていたいくつかの真実を照らし出します。

第一に、歴史的事実は「純粋なまま」でわたしたちのところにはやって来ない。なぜなら歴史的事実は純粋な形態では存在しないし、存在しえないからです。歴史的事実はつねに記録者の頭を通過して屈折しています。そこから導かれるのですが、歴史書を手にして最初の関心を向けるべきは、その書物のなかの事実よりも、その書物を著した歴史家その人なのです。

ここでわたしがお話ししているG・M・トレヴェリアン記念講演の名の由来の大歴史家[*22]のことを例にとってみましょう。トレヴェリアンはその自叙伝で語っているとおり、「あふれんばかりのホウィグ的伝統の家庭で育ち」ました[20]。トレヴェリアンのことをわたしが「イングランドのホウィグ的伝統の偉大なリベラル歴史家のうち、最後の、だからといって軽んじてはならぬ人」と形容したとしましても、ご不興をかうことはないと望みます[笑]。彼がご自身の家系を遡《さかのぼ》って、偉大なホウィグ歴史家[父]G・O・トレヴェリアンからさらに、並ぶものなき最高のホウィグ歴史家[大伯父]T・B・マコーリまでたどるのには意味がありました。

トレヴェリアンご本人の最高の成熟した作品『アン女王期のイングランド』三巻本ですが、その背景にはそうした系譜があり、読者もそうした背景をふまえて読んで初めてその著書の完全な意味と意義が伝わるでしょう。この書を読み終えた読者にはまちがいなくそう伝わります。なぜなら、かりに推理小説の通《つう》の手にならって本の最後から読み始めるなら、『アン女王期』第三巻の最後の数ページに、近年は「ホウィグ史観[*23]」と呼ばれているものの、わたしの知るかぎり最善の要約が見つかります。この書でトレヴェリアンが取り組んでいるのは、ホウィグの伝統の起源と発展を探究し、それを創建者ウィリアム三世[在位一六八九―一七〇二]の死後十年あまりにしっ

(19)　M. Oakeshott, *Experience and Its Modes* (1933), p. 99.

(20)　G. M. Trevelyan, *An Autobiography* (1949), p. 11.

＊21　一九〇一―九〇年。ロンドン大学（LSE）政治哲学教授。理性主義的改革を批判する保守の学者。

＊22　G・M・トレヴェリアンはケインブリッジ大学の歴史学欽定講座教授（在任一九二七―四三）。カーの講演には高齢で出席しなかったが、後日、ラジオ放送を聞いている。補註f。

＊23　補註g。

かりと根をはらせることでした。[*24] たしかにこれがアン女王期のもろもろについての唯一無二の解釈ではないのかもしれませんが、これは有効でトレヴェリアンの手になる一つの実りある解釈なのです。

とはいえ、その価値を十全に味わうためには、当の歴史家が何をしているのか理解せねばなりません。コリンウッドが述べるように、歴史家が彼の劇の登場人物たちの心中で何が進行したのかを思考再演してみないといけないのであれば、読者もまた歴史家の心中で何が進行しているのか再演してみないといけません。事実を研究するより前に、歴史家を研究する。これはそんなに難しいことではありません。気のきいた大学生であれば、すでにやっていることです。聖ジュード学寮[*25]の大学者ジョーンズの著書が推薦図書とされたなら、聖ジュード学寮の学友のところに行って、ジョーンズとはいかなる人物で、いつも頭のなかは何で一杯なのか尋ねるでしょう。歴史書を読むさいには、著者の頭のなかで響いている音を聞き分けることが大事です。もし何も聞き分けられないとしたら、あなたが音痴であるか、その著者が鈍《どん》であるか、どちらかです［笑］。

事実とは、じつは［八頁でたとえたような］魚屋の台のうえの魚ではないのです。事実とは、広大な、ときにアクセスも難しい大海原を自由に泳いでいる魚のようなものです。歴史家が何をつかまえるかは、偶然によるかもしれませんが、たいていは大海原のどこで漁をするか、どんな漁具を用いるかにかかっています。この二つの要素は、もちろん歴史家［漁師］がどんな魚を捕りたいのかによって決まります。色々やったあげく、歴史家は望んだ類の事実を手にするでしょう。歴史とは解釈です。ここでもし、サー・ジョージ・クラークの言[八頁]を逆立ちさせて、歴史とは「解釈というかたい芯で、その周囲に議論の余地のある事実という果肉がある」と申しましたら、これは疑いもなく一面的で誤解をまねくでしょう。とはいえ、逆立ちさせる前のオリジナルが一面的で誤解をまねいたのに比べれば、まだましかと思います[笑]。

第二はよく知られている論点で、歴史家が対象とする人々の心を、また人々の行為の背景にある思考を想像力を用いて理解する必要です。ここで「共感」ではなく「想像力を用いて理解」と申しましたが、共感というと暗黙の賛同になってしまいそうなので避けました。一九世紀に中世史研究が貧弱だった理由は、中世の迷信的な信心、残虐さにたいして強く嫌悪を覚えてしまい、中世人へ想像力を用いて理解することができなかったからでしょう。あるいはブルクハルトの三十年戦争[一六一八―四八]についての手厳しい発言を見てみましょう。「カトリックもプロテスタ

＊24　一六八八―八九年の名誉革命につづくウィリアム三世期に創建された「名誉革命体制」により、次のアン女王期(一七〇二―一四)にはトーリ・ホウィグの二大勢力が競合し、古典文芸全盛期(オーガスタン)の政治文化が活性化した。『イギリス史10講』一四〇―一六一頁。

＊25　ケインブリッジ・オクスフォード両大学に聖ジョン学寮、ジーザス学寮、トリニティ(三位一体)学寮などはあるが、聖ジュード学寮は実在しない仮称。ジョーンズ先生も仮名。

ントも、自分の信条の救済を国民の統合よりも優先するとは恥ずべきことである」(21)というのです。一九世紀のリベラルな歴史家は、自国のために殺人するのは正しく賞賛に値することだが、みずからの信教のために殺人するのは邪悪でまちがっていると教えられ信じていたものですから、三十年戦争を戦った人々の精神状態に入りこむのは、非常に困難なことでした。

こうした困難はわたしのような領域で研究していますと、とりわけきついものがあります。最近一〇年間に英語国で書かれたソ連についての文章の多くが、またソ連国内で英語国について書かれた文章の多くがそうですが、互いに[鉄のカーテンの]向こう側の人の心のなかについて、想像力を用いた理解の基本さえはたせないほど悪化してしまい、その結果、向こう側の言動はいつも悪意か無分別か偽善と見えてしまうのです。歴史家が対象とする人々の心にいささかでも触れることができなければ、歴史は書けません。

第三は、過去を見通して過去の理解をはたせるのは、現在の目を通してだけだという点です。歴史家は自分の時代の人であり、人間の実存の諸条件からして、その時代に拘束されます。歴史家の使う、たとえば民主主義、帝国、戦争、革命といった言葉には、現在の意味合いがあって、それから歴史家は逃れられない。古代史家がポリス[都市国家]とかプレブス[平民]といった原語を使いたがるのは、この時代錯誤の罠《わな》に捕らわれていないと示したいからでしょうが、これは無益です。古代史家もまた現在に生きているので、日常語にない古語を用いることで過去に入りこもうとしても、ギリシア史家、ローマ史家としての改善にはつながりません。それは［ギリシアの］クラミュスや［ローマの］トガのような古代衣装を身につけて講義をしてみても、改善にならないのと同じです［笑］。代々のフランス史家はフランス革命中にきわめて重要な働きをしたパリの群衆のことを「サンキュロット」「人民」「暴徒」「肉体労働者」といった語を用いて描いてきましたが、これらの語はすべて、知る人ぞ知る政治的旗標《はたじるし》が宣明されたものであり、特定の解釈の立場があらわです。にもかかわらず、歴史家は選ばざるをえない。用語法は中立を許容しません。これは言葉だけの問題ではありません。

これまで一〇〇年以上にわたってヨーロッパの国際勢力のバランスが変化するにつれ、イギリスの歴史家のフリードリヒ大王にたいする姿勢は転変しました。キリスト教世界におけるカトリックとプロテスタントの勢力関係が変わると、ロヨラ、ルター、クロムウェルといった人物にたいするイギリスの歴史家の姿勢も大きく変わりました。フランスの歴史家のフランス革命についての過去四〇年間の研究についてほんのすこし知るだけで、一九一七年のロシア革命がおよぼした影響がどれほど深いものだったか認識できます。歴史家は過去に所属するのではなく、現在に所属するのです。

（21） J. Burckhardt, *Judgements on History and Historians* (1959), p. 179.

H・トレヴァ＝ローパ教授[*26]によれば、歴史家は「過去を愛さねばならぬ[22]」とのことですが、こうした指図《さしず》はいかがなものでしょう。過去を愛するというのは、おそらく老人や古い団体の懐古趣味的ロマン主義の表明かもしれないし、現在や未来への信頼と関心の喪失の兆《きざ》しかもしれません[23]。対照的な言いまわしとしては「過去の死者の手」からの自己解放というのがあります。歴史家の稼業とは、過去を愛することでも、過去から自己解放することでもなく、むしろ現在を理解する鍵《キー》として過去を制御《マスター》し理解することなのです。

以上がコリンウッドの歴史観の鋭い洞察力だとしますと、次にその危険性も見ておきましょう。歴史を形成するにあたっての歴史家の役割を強調して、その論理的帰結まで行き着きますと、客観的な歴史を完全に排除して、歴史とは歴史家がつくるものなり、となります。たしかにコリンウッドの未刊の原稿から編者が引用している文によりますと、彼は一時、こうした結論に達したかに見えます。

> 聖アウグスティヌスは歴史を初期キリスト者の観点から見ていた。ティユモンは一七世紀フランス人の観点から、ギボンは一八世紀イギリス人の観点から、モムゼンは一九世紀ドイツ人の観点から歴史を見ていた。どれが正しい観点だったかと問うのは意味がない。どれもが

それを採った者のただ一つ可能な観点だったのだ。(24)

これでは結局、全面的な懐疑論〔相対主義〕ということになります。〔歴史・伝記作家〕フルードが歴史とは「ＡＢＣの文字片を入れた子どもの箱みたいに、それでなんでも好きな言葉をつづることができる」(25)と述べたのと同じことです。コリンウッドは「切り貼り細工の歴史」、つまり歴史とはただ諸事実を編纂しただけのものという見方に反対する勢いのあまり、あやうく歴史とは人間の頭脳の紡《つむ》ぎ出したものと見なすところまで行ってしまいそうです。そして先に引用しました

（22）Burckhardt, *Judgements on History and Historians* への序文。p. 17.

（23）ニーチェの歴史観を参照。「老境の老人には、昔を振り返り、繰り言を語り、過去の記憶や歴史的文化に慰めを見いだすという仕事がある。」*Thoughts Out of Season*（1909）, II, 65–66.〔『反時代的考察』小倉志祥訳、ちくま学芸文庫、一九九三〕

（24）R. Collingwood, *The Idea of History*（1946）, p. xii.〔『歴史の観念』小松茂夫・三浦修訳、紀伊國屋書店、一九七〇〕

（25）J. A. Froude, *Short Studies on Great Subjects*, I（1894）, 21.

＊26　一九一四—二〇〇三年。このときオクスフォードの歴史学欽定講座教授。幅広く論争的な文筆をふるった保守で、カーとは気質が合わなかった。

一節で〔四—五頁〕サー・ジョージ・クラークの言及した「「客観的」な歴史の真実なぞ存在しない」といった説にまで引き戻されます。「歴史には意味なぞない」という第一理論に代わって、ここで呈示されているのは、意味は無限にあるという理論、あれとこれを比較してどちらが良いわけでもない——結局はどれもこれも代わり映えなし、という論です。この第二理論は、第一理論と同じだけあぶない。かりに見る角度を変えると山が姿を変えるからといって、客観的に山にはまったく姿がないとか、無限の姿をもつとかいうことにはなりません。歴史的事実を確定するにあたってかならず解釈が役割をはたすからといって、また現存の解釈で全面的に客観的なものはないからといって、解釈Aと解釈Bとはどっちもどっち、歴史的事実は原理的に客観的解釈を受けいれない、といったことにはならないのです。なお歴史における客観性とは厳密にどういうことなのかについては、また後に〔第三講、第五講で〕考察することにしましょう。

ところで、コリンウッド仮説にはもっと大きな危険性がひそんでいます。もし歴史家はかならず自分の時代の目を通して歴史上の時代を見る、現在の問題の鍵として過去の問題を研究するというのであれば、これは純粋に実用主義的《プラグマティク》な観点で事実を見ることになり、解釈が正しいかどうかの基準は、なんらか現在の目的に適合しているかどうかであるという立場に陥らないでしょうか。こうした仮説の立場ですと、歴史的事実は無で、解釈がすべて、となります。すでにニーチェが次のような信条を表明していました。「ある見解に誤りがあったからといって、われわれにとってその見解はダメということにはならない。……問題は、それがどれだけ生命を延ばし、生命を保全し、種を保全し、ことによると新種を創り出すかということなのである。(26)」アメリカのプラグマティストたちは、ここまであからさまでなく中途半端ですが、このニーチェと同じ路線でした。知はなんらかの目的のための知なのです。知の効力は、目的の効力にかかっているというわけです。しかし、こうした理論は公言されないまま、心穏《おだ》やかならぬことが日々行なわれている場合があります。わたし自身の研究領域［ソ連史］では、事実を乱暴にあつかうムチャな解釈の例をあまりにたくさん見てきましたので、この危険を現実に目のあたりにしても驚きません。ソヴィエト学派・反ソヴィエト学派の両極端の歴史叙述の産物を読まされていますと、時に一九世紀の純粋の事実史という幻想の安息地にたいして一種の郷愁《ノスタルジア》の念にかられるとしても、驚くにあたらないでしょう。

(26)［Nietzsche,］*Beyond Good and Evil*, chap. 1.［カーは書誌をここまでしか記さない。かりにニーチェの英訳全集(ed. by Oscar Levy, 1909–13. 以後数度にわたり増刷)によったとすると、この巻は Helen Zimmern 訳で『善悪の彼岸』第一章四項の第一・第二センテンスが該当する。ただし引用の最後でカーが perhaps species-creating としている箇所の Zimmern 訳は perhaps species-rearing（ことによると種を育成するか）で少しずれる。カーはドイツ語も読んだから英訳本には依拠していないかもしれない。］

歴史家と事実のあいだの相互作用

では、いま二〇世紀の半ばにあって、事実にたいする歴史家の責務はどう考えるべきでしょうか。最近のわたしについて申しますと、十分な時間をかけて史料を捜し、読み、歴史叙述にあたって事実や史料のあつかいが尊大だといった非難を受けたりしないよう、適切に典拠註をつけてきたと自任しております。歴史家は自分の事実を尊重すべしという本分は、その事実が正確であることを確保すべしという責務につきるわけではありません。歴史家は描く絵のなかに、なんらかの意味で自分のテーマ、提起している解釈に関連する事実はすべて、既知であれ知られうるものであれ、すべてを取りこむよう努めねばなりません。かりにヴィクトリア期のイングランド人を倫理的で理性的な存在として描きあげたいという場合にも、あの一八五〇年、ステイリブリッジの大祭日に起こった暴行事件[一三頁]を忘れてはなりません。だからといって、逆に、解釈こそ歴史の生きる血なのですから、解釈を省くことはできません。

ところで、「しろうと」と申しますか、アカデミズムの外の友人や別の専門分野の友人の方々から、歴史家の執筆のノウハウを尋ねられることがあります。歴史家の仕事ははっきり二つの局面か時期に分かれているといった想定が広くあるようですね。第一に、長い準備期間を費やして史料を読み、事実をノート何冊にも書きこんでゆく。この作業が終わると、［第二局面で］史料は脇に片付けて、何冊ものノートを開き、本の最初から最後まで順に書きあげてゆく、と。これは、わたしにはちょっとありえないイメージです。わたし自身はと申しますと、決定的と思われる史料の二、三に取りかかると、とたんにムズムズがきて我慢できずに書き始めます。――かならずしも最初からというわけではなく、どこか、どこでもいいのです［笑］。その後は、読むのと書くのは同時進行です。読み進むにつれ、文章は書き加えられ、削られ、形を変え、棒線で消されたりします。読むことは書くことにより導かれ、道が見え、実ります。書けば書くほどに自分が何を捜しているのかが分かり、自分が見つけたことの意味と関連がよく理解できます。

歴史家のうちにはこうした準備作業はすべて頭のなかで、ペン・紙・タイプライタは使わずに済ませてしまう方もあるでしょう。ちょうどチェスを盤面やコマを使わずに頭のなかでやれる人がいるように。こうした才能は羨ましく思いますが、わたしにはまねできません。しかし、およそ歴史家でその名に値する人にとって、経済学者のいうインプットとアウトプットの二つのプロセスは同時進行して、実際は一つのプロセスの表裏なのだろうと確信しております。この二つのプロセスを分離したり、一方を優先して他方をおろそかにしたりすると、次のような邪道のいずれかに陥ってしまうでしょう。すなわち、一方は切り貼り細工で意味も何もない事実史を書くか、他方はプロパガンダや歴史フィクションで、ただ過去の事実を使って飾り立てただけの、歴史学とはまるで関係ないしろものを書くか、そのどちらかです。

　歴史家の歴史的事実にたいする関係について考えてまいりましたが、わたしたちは一見するとなかなか危ういところにおります。あたかも［危険な海峡のように］、一方には、歴史とは事実の客観的編纂であり、事実は解釈より無条件に優位にあるという、あぶない歴史理論の岩礁が存在するかと思うと、他方には、歴史とは歴史家の頭の主観的産物であり、歴史的事実を確定して解釈のプロセスを制御するのは歴史家であるという、やはりあぶない歴史理論の渦潮が出現するのです。[★27] 言いかえると、一方は重心を過去におく歴史観、他方は重心を現在におく歴史観ですが、この二つのあいだをたくみに舵とり《ナビゲート》して抜けて行かなければならないのです。とはいえ、わたしたちの立場は、一見したほどに危ういわけでもありません。

　じつはこの連続講演では、事実と解釈という二項対立には、くりかえし立ちかえります。――特殊と一般、経験と理論、客観と主観といった具合に意匠はさまざまですが。歴史家のおかれた状態は人間の本性を反映しています。おそらく乳幼児や最晩年は別として、人間はかならずしも環境に完全に包みこまれ、絶対的に従属しているわけではありません。だからといって、人間は環境から完全に独立して、その絶対的な主人であるわけでもありません。人間と環境との関係は、歴史家とそのテーマとの関係です。歴史家は、事実にたいして卑屈な奴隷でもなく、気ままな暴君でもありません。歴史家とその事実との関係は平等な、ギヴ・アンド・テイクの関係です。現役の歴史家ならみなさんご承知のとおり、考えたり書いたりするときにご自分はどうしているのか、ちょっと手を休めて省《かえり》みてください。歴史家は自分の事実を練《ね》りあげて自分の解釈に合わせた形にする、自分の解釈を練りあげて自分の事実に合わせた形にするという連続のプロセスに従事しています。一方が主で他方が従と定めるのは不可能です。

歴史家は、とりあえず選択した事実、とりあえずの解釈で出発します。最初の選択はとりあえずの解釈によるのですが、それはご自分の解釈でしょうか、人のものでしょうか。仕事が進むにつれて、解釈も事実の選択も順序も、両者の相互作用によって繊細で無意識かもしれない変化をこうむります。この相互作用がまた、現在と過去の相互作用でもあるのです。というのは、歴史家は現在の一員であり、事実は過去の一部だからです。歴史家と歴史的事実は互いに必要とする関係です。自分の事実をもたない歴史家は根無しで不毛です。自分の歴史家をもたない事実は死んだままで無意味です。したがって、ここまでのところ、「歴史とは何か」という問いにたいするわたしの最初の答えは、こうなります。歴史とは、歴史家とその事実のあいだの相互作用の絶えまないプロセスであり、現在と過去のあいだの終わりのない対話なのです。

＊27　イタリア半島とシチリアのあいだのメッシーナ海峡にあり、怪物スキュラの巣くう岩礁と、怪物カリュブディスの渦潮からなるとされた古来の航行の難所にたとえて、第一講の論点を整理している。

第二講　社会と個人

社会と個人——そのどちらが先かという問題は、ニワトリと卵の問題に似ています。論理の問題として考えた場合も、歴史の問題として考えた場合も、どちらが先という答えを出したとしても、それに反対の答えが可能ですし、どちらにしても一面性を免れない。社会と個人は分離できません。どちらも互いに必要で、相互補完の関係にあり、対立しているわけではないのです。「人は自己完結の島ではない。人はだれしも大地の一片、大海の一掬《ひとすく》いなのだ[1]」とは〔詩人〕ジョン・ダンの有名な表現で、真実の一面を言いあてています。

ところが、他方には古典的な個人主義者J・S・ミルがおりまして、こう申します。「たとえ複数の人が一箇所に集合させられたとしても、別の実体に転じるわけではない[2]。」たしかにそのとおり。しかし、そもそも誤謬《ごびゅう》は、「集合させられた」よりも前から人は一人で存在していたとか、なんらかの実体だったとかいう想定にあります。

わたしたちは生まれると同時に、世界からの作用を受け始め、ただの生物的個体から社会的個体へと変えられます。人間は歴史のどの段階でも、先史時代でも、社会に産みおとされ、最初から社会によって練《ね》りあげられるのです。子どもの口にする言語は、個人的な遺伝ではなく、その育成集団からの社会的習得です。言語と環境の両方があいまって、人間の思考のありかたが決まります。人間の最初の考えは、他者からやって来ます。よく指摘されますとおり、個人は社会から隔絶されていたら、言葉も精神も発達しません。ロビンソン・クルーソーの奇譚《きたん》が今もって魅力を失わないのは、社会とは関係なく一人立ちした個人を想像した話だからです。でも、この話は破綻《はたん》します。ロビンソンは抽象的な個人ではなく、ヨーク出身のイングランド人なのです。彼は聖書をもち出して一族の神に祈ります。まもなくロビンソンは忠良な僕《しもべ》フライデイを授かり、新しい社会の建設が始まるのです。もう一つの関連する奇譚といえば、ドストエフスキーの『悪霊』におけるキリーロフの話で、キリーロフは自分の完璧な自由を証すために自殺します。自殺こそ、個人に可能な行為のうち唯一の完璧に自由な行為であり、他の行為はすべて、なにかしら社会の一員であることに関係してしまいます(3)。

人類学者が共通して申しますには、原始人は文明人と比べて個性が少なく、社会により練りあげられる度合いが強いとのことで、これは一片の真実を含んでいます。単純な社会ほど均一ですが、その意味するところは、単純な社会は、複合的で先進的な社会に比べて、個人の技能や職業について必要とする多様性の幅がはるかに小さいということです。この意味での個性化の増進は、近代の先進社会が必然的に産み出したものであり、社会の頂点から底辺にいたるまでの全活動に浸透します。だからといって、この個性化のプロセスと社会の強さや結合力の増加との関係について反対命題を立てようというのは、大きなまちがいです。社会の発達と個人の発達は手に手をとってすすみ、また互いに良い影響をおよぼします。じつに複合社会や先進社会とは、諸個人の相互依存が先進的で複合的な形をとった社会をいいます。近代の国民コミュニティがその個々人の性格や思考を練りあげる力、個々人を団結させ統一させる力について、これが原始的な部族コミュニティにおけるそうした力に比べていささかでも弱いと考えるのは、危険なことです。

生物的な差異にもとづく国民性といったかつての考え方は破綻して久しいものです。しかし、社会や教育の国民的な背景の違いに由来する国民性の違いについては、否定しがたいものがあり

（1）［John Donne,］*Devotions upon Emergent Occasions*, No. XVII.

（2）J. S. Mill, *A System of Logic*, VI, chap. 7, §1.［『論理学体系 四』江口聡・佐々木憲介編訳、京都大学学術出版会、二〇二〇］

（3）デュルケームは周知の『自殺論』でアノミーという語を作り、社会から孤立した個人の状態、情緒的に混乱して自殺に向かう状態を論じたが、彼はまた、自殺はけっして社会の諸条件と無関係ではないと明らかにした。

ます。「人間性」という捉えがたい実体は、国によっても世紀によってもあまりに違うので、これは歴史的な現象であり、時の優勢な社会条件や慣習によって形成されたと見なさないわけにはゆきません。たとえばアメリカ人、ロシア人、インド人は多くの点で違いますが、そのうちもっとも重要な違いといえば、個々人の社会関係にたいする態度の違い、言いかえると、社会の成りたちにたいする態度の違いでしょう。アメリカ人社会全体、ロシア人社会全体、インド人社会全体がどう違うかを研究すると、それが結果的に個々のアメリカ人、ロシア人、インド人がどう違うかの最良の研究になるのではないでしょうか。一人の文明人は、一人の原始人と同じように、社会により練りあげられ形成されるのですが、それは社会が個人によって形成されるのと同様です。ニワトリがいなくなれば卵は手に入らないのと同様に、卵がなければニワトリは手に入りません[笑]。

こんなにも自明の理についてあれこれ考えておく必要があったのは、なによりもその自明の理を眩《くら》ましていた、非常に例外的な時代があって、西洋世界は今ようやく、そうした時代から抜け出そうとしているからです。個人主義の崇拝《カルト》は近現代のもっとも浸透力ある歴史的な語りの一つです。よく知られているブルクハルト『イタリア・ルネサンスの文化』の第二部は、副題が「個人の発達」となっていますが、これによると、個人の崇拝はルネサンスとともに始まったとあります。それまでは「民族や国民や党派や家族や社団の一員としてのみ自分を意識していた」人間が、ようやくルネサンス期に「精神をもつ個人となり、自己認識をもった」というのです。もっと後になると個人主義の崇拝は、資本主義とプロテスタンティズムの興隆と結びつけられ、産業革命の始まりや自由放任《レセフェール》主義と結びつけて語られました。フランス革命における「人間および市民の諸権利の宣言」〔一七八九〕が宣言したのは、個人の諸権利でした。個人主義は、偉大なる一九世紀の功利主義哲学の基礎でした。J・モーリ[*1]の『妥協論』〔一八七四〕はヴィクトリア期の自由主義の特徴をよく表す文書ですが、個人主義と功利主義のことを「人間の幸せと福利の信教」と呼んでいます。「堅固な個人主義」こそ人類進歩の基調《キーノート》なのでした。これはこれで、一つの歴史時代の完璧に健全で有効なイデオロギー分析でしょう。

しかし、わたしが申したいのは、近代世界の興隆にともなう個人主義の増進は、文明進歩の通常のプロセスだということです。社会革命が新しい社会集団を権力の位置につけた。その社会革命がうまく作用したのは、例のとおり、諸個人によって、また個人の発達に新しいチャンスを提供することによってであった。そして資本主義発達の初期段階には、生産と分配の単位はおおむね個々人が掌握していたので、新しい社会秩序のイデオロギーは社会秩序における個人のイニシ

＊1　ジョン・モーリはリベラリズムの論客、グラッドストン内閣の閣僚。『妥協論』は少数派の異論への寛容を説く。

アティヴを強く主張した——というわけです。とはいえ、このプロセス全体は、歴史発展のある段階を代表的に現す社会のプロセスであって、これをなにか社会にたいする諸個人の反乱とか、社会的束縛からの諸個人の解放といった言葉で説明することはできません。

この文明進歩、そのイデオロギーの中心にあった西洋世界においてさえ、こうした時代は終わりを迎えたという兆《きざ》しが数多《あまた》あります。ここでわたしが大衆民主主義の興隆とか、経済生産や経営組織における個人型から集団型への転換とかについて、声を大きくするまでもないでしょう。しかし、この長く実り多き期間に生まれたイデオロギーは、西ヨーロッパでも英語圏諸国でもいまだ圧倒的な力を保持しています。自由と平等の対立とか、個人の自由と社会正義の対立とかを抽象的に議論するさいに忘れがちですが、抽象理念のあいだには闘争は起きません。対立抗争は、個人そのものと社会そのもののあいだで起こるのではなく、社会における諸個人の集団のあいだで起こるもので、その各集団は自分たちに有利な社会政策を推し進め、不利な社会政策を挫《くじ》こうとしているのです。

個人主義はかつての大社会運動という趣旨を失い、個人と社会の対立といった偽《いつわ》りの意味で今日の利権集団のスローガンになり、さらには論争的な性格を帯びて、世のなかで進行中のことを理解するのに障壁となっています。個人を手段、社会や国家を目的と見なすような倒錯にたいして異議をとなえて個人を礼賛する場合がありますが、これにわたしは反対しません。ただし、社会の外にたつ抽象的な個人といった考え方をするかぎり、過去についても現在についても本当の理解には到達できないでしょう。

ここまで長い脱線をしてまいりましたが、ポイントはこうです。常識的な歴史観では、歴史とは個人が個人について書いたものと見なします。こうした歴史観はたしかに一九世紀のリベラルな歴史家たちが採用し推進したもので、その内実はまちがってはいません。しかし、今となっては単純すぎて不十分ですし、もっと深く考える必要があります。歴史家の知識とはその個人の排他的財産ではなく、多くの人々が何代にもわたって、また多くの国々の人が参与して蓄積したものです。歴史家が研究する人々の行動は、真空のなかの孤高の個人たちの動きではありません。人々は過去のある社会の脈絡のなかで、それに推されて行動したのです。第一講でわたしは、歴史とは現在の歴史家と過去の事実のあいだの相互作用のプロセスであり、対話だと申しました［四三頁］。そこでこれから、この「歴史家と事実の」等式の両辺について、個人的要素と社会的要素の比重を測りたいと思います。歴史家はどこまで一個人で、どこまで社会と時代の産物なのか。歴史的事実はどこまで個々人の事実で、どこまで社会的事実なのか。

歴史家とその時代

そこでですが、歴史家は一個の人間です。他の個人たちと同じく、歴史家は社会現象なのですが、自分の属する社会の産物でありつつ、同時にその社会のスポークスマンでもあります。意識してもしなくてもです。歴史家はこうした資格で歴史的過去の事実にアプローチします。時に歴史の進行を「行列の行進」にたとえて語ることがあります。もちろん隠喩《メタファ》ですが、ただし歴史家のみなさん、ご自分はあたかも絶壁から様子をうかがう鷲《わし》か、観閲台で敬礼しているVIPであるかのような気持にはなられませんよう。全然違うのです［笑］。歴史家はじつは行列のなかでとぼとぼ歩いている冴えない一人にすぎないのです。行列は蛇行して右にゆれ、左にゆれて、時にはぐるりと転回して元の方向に戻ったりします。行列のなかの分隊のしめる相対的な位置はつねに変化していて、たとえばですが、今日のわたしたちと中世との距離は、一〇〇年前の曽祖父の世代よりも近いとか、わたしたちとカエサルの時代との距離はダンテの時代よりも近いといったことが十分にありえるのです。行列が進み、そのなかの歴史家も動くにつれて、次々に新しい眺め、新しい視角が出現します。歴史家は歴史の一部です。行列のなかでの歴史家の位置が、過去を見るその視角を決定します。

こうした自明の理は、歴史家のあつかう時代が自身の時代から遠く離れていても、まったく変わりません。わたしが古代史を勉強したころは――今でもそうでしょうか――古典的文献といえば、グロートの『ギリシアの歴史』、モムゼンの『ローマの歴史』でした。グロートは思想的にラディカルな銀行家で、一八四〇年代に執筆したのですが、アテネ民主政の理想化されたイメージのなかに、上り坂で政治的に進歩的なイギリス中産階級の願望を表現したのでした。*2 そこではペリクレスはベンサム主義の改革派のごとく、アテネは労せずしてあっというまに帝国を手中にするのです。グロートの叙述でアテネの奴隷制の問題がなおざりにされているのは、彼の属した中産階級がイングランドの新しい工場労働者階級の問題に正面から立ちむかっていなかったことの反映と見ても、まんざら奇抜な想像でもないでしょう。

モムゼンの場合はドイツのリベラル派で、ドイツの一八四八―四九年革命の混乱と挫折に幻滅していました。執筆は一八五〇年代ですが、ちょうどこの時期に現実政治《レアルポリティーク》という言葉も考え方も生まれたのです。モムゼンは、ドイツ人民の挫折の後に残された混乱を片付け、政治の希望を実現する強い男が必要だという問題意識で一杯でした。モムゼンによるカエサルの理想化はよく知られていますが、それがドイツを破滅から救うための強い男への希求ゆえの産物だったと認識し

---

*2　ジョージ・グロート（一七九四―一八七一）。『ギリシアの歴史』は一二巻、一八四六―五六年刊。

て、はじめてモムゼンの歴史の真の価値を正しく理解することができるでしょう。[*3] 対照的にローマの法律家・政治家キケロについては、あたかも一八四八年、フランクフルトのパウロ教会における［国民議会の］討論から出てきたばかりの、長広舌のおしゃべり、役立たずのようなあしらいです［笑］。[*4]

かりにだれかが次のようにとなえたとしても、奇をてらった珍説とは言えないと思われるのですが、グロートの『ギリシアの歴史』は今日のわたしたちにとって、紀元前五世紀のアテネ民主政のことと同じくらい、一八四〇年代のイギリスのベンサム主義ラディカル派の思想のことを語っている。あるいは一八四八年［の経験］がドイツのリベラル派にいかなる影響をおよぼしたかを理解したいなら、モムゼンの『ローマの歴史』を教科書とすべきである、と。ここまで申しましても、グロートとモムゼンの歴史的作品の偉大さを減じることにはなりません。

J・B・ベリ［一五頁］は［アクトンの死をうけて任じられた］欽定《きんてい》講座教授の就任講演で、モムゼンの功績は『ローマの歴史』ではなく『ラテン碑文集成』および『ローマ国法』にあるとまで述べて、以後これが通説になっていますが、わたしはこれに我慢がなりません。これでは歴史は史料編纂《へんさん》に還元されてしまいます。偉大な歴史が書かれるのはまさしく、現在の諸問題にたいする洞察力によって、歴史家の過去を見る視界が明るく照らされるときです。モムゼンが共和政の終焉した後の［帝政］ローマ史を書き続けなかったというので、驚きが表明されることがしばしばありますが、彼は時間がなかったのでも、機会がなかったのでも、知識がなかったのでもありません。むしろモムゼンが『ローマの歴史』を書いていたころ、ドイツにあの「強い男」はまだ登場していなかったのです。彼の現役時代を通じて、かりに「強い男」が権力を握ったらその後どうなるのか、といった問題はまだ現実味がなかった。モムゼンにはこうした問題をローマ史の場面に照射してみようという動機がなかった。だから、彼の『ローマ帝政の歴史』は執筆されないままだったのです。

こうした現象の例を、現代の歴史家についてあげることも容易です。第一講ではG・M・トレヴェリアンの『アン女王期のイングランド』〔三一頁〕について、彼の育ったホウィッグ的伝統の記念碑として賛辞を呈しました。今日は、第一次世界大戦後の学問の世界に登場した最大のイギリス人歴史家という評価で大方の一致するサー・ルイス・ネイミア[*5]について、その堂々たる業績を

＊3　テオドル・モムゼン（一八一七―一九〇三）、ベルリン大学教授、帝国議会議員、ノーベル文学賞受賞。原著は三巻、一八五四―五六年刊。長谷川博隆訳『ローマの歴史』（全四巻、名古屋大学出版会）のとくにⅣ（二〇〇七）が該当し、「現実とローマを往還する」モムゼンによるカエサルとキケロの評価についても、長谷川の解説がある。
＊4　カエサルの同時代人で紀元前一世紀の内乱の時代を生きた弁論家キケロだが、モムゼンの評価は低い。
＊5　一八八八―一九六〇年。ポーランド出身、二〇世紀イギリスの歴史学を一新した。補註h。

考えてみましょう。ネイミアは真正の保守主義者でした。——典型的なイングランド人の保守ですと一皮むけば七五パーセントはリベラルなのですが［笑］、彼はそうではなく、一〇〇年以上ものあいだイギリスの歴史家に例をみない保守主義者です。一九世紀の半ばから一九一四年まで、イギリスの歴史家はほとんどだれもが、歴史に変化があるとすれば良いほうへの変化以外にないと考えていました。一九二〇年代には変化が将来への不安と結びつき、悪いほうへの変化というのもありうるという時代——保守主義思想の再生する時代へと移行したのです。アクトンのリベラリズムの場合もそうでしたが、ネイミアの保守主義もまた、その力も深みもヨーロッパ大陸の出身ということに由来します。[4] フィッシャ[*6]やトインビー[*7]とは違って、ネイミアは一九世紀リベラリズムに根をもたず、その喪失を惜《お》しみ嘆くといったことがないのでした。

第一次世界大戦後に［ヴェルサイユ体制の］平和が挫折すると、リベラリズムの破綻があらわになり、その反動は社会主義か保守主義か、そのどちらかの形をとりました。ネイミアはそうした保守主義の歴史家として登場したのです。彼が選択した領域は二つ、どちらも重要な選択でした。その一つ、イングランド史では、秩序ある、おおむね変化のない社会において支配階級が地位と権力を合理的に追求しえた最後の時代に遡りました。ネイミアは歴史から精神を取り除いたと非難した人がいます。[5] あまり上手な表現とはいえませんが、批判のポイントは分かります。ジョージ三世の即位時［一七六〇］の政治といえば、まだ理念の熱狂も、また進歩への情熱も知りません。

そうしたことはフランス革命とともに世界に降りかかり、リベラリズムの勝利する世紀が始まるのです。理念も、革命も、リベラリズムもまだない。ネイミアが選んだのは、こうした危険のすべてからまだ免れていた時代の鮮やかな描写です。ただし、そうした時代は、そう長くは続かないのですが。

ネイミアの選んだ第二のテーマは、また同じくらい重要です。ネイミアは近現代の大革命——イギリス革命、フランス革命、ロシア革命——はパスして、これらのどれについても内実ある記述を残していません。選んだのはむしろ一八四八年のヨーロッパ革命で、これを深く貫通するよ

（4）特記に値すると思われるが、両大戦間のイギリスにおけるもう一人の重要な保守の文筆家といえばT・S・エリオット氏で、彼もやはり非イギリス出身［合衆国生まれ］であることが強みとなった。一九一四年以前のイギリスに育った人であれば、リベラルな伝統の抑制力から完全に逃れることはだれにもできない。

（5）オリジナルの批判は *The Times Literary Supplement*, August 28, 1953 に載った匿名記事「ネイミアの歴史観」であった。この記事は続けてこういう。「ダーウィンは世界から精神を取り除いてしまったと難じられた。サー・ルイスは政治史におけるダーウィンであるが、それも二重三重の意味でである。」

＊6　H・A・L・フィッシャ（一八六五—一九四〇）、歴史家、教育行政官。後出。

＊7　A・J・トインビー（一八八九—一九七五）、大著『歴史の研究』で有名。カーも関与した国際問題研究所（チャタムハウス）の研究部長。後出。

うな研究を公《おおやけ》にしました。挫折した革命、全ヨーロッパにおけるリベラリズムの希望の後退、軍隊を前にすると理念はいかに空しいか、兵隊に対峙《たいじ》すると民主主義者はいかに無力か、といったことを具体的に示す研究です。真剣な政治の場面に理念が侵入するのは不毛で危険だとネイミアはくりかえし述べ、四八年革命の屈辱的な挫折を「知識人の革命」と名付けました。わたしたちの結論も、ただの推理にはとどまりません。というのは、ネイミアは歴史哲学について全然まとまったことは書いていませんが、数年前の評論で、ご自分の考えを、いつもながら明晰に辛辣《しんらつ》に表明しました。「したがって、人の精神活動を主義やドグマといった束縛から解いて自由にすればするほど、思考にはよろしい」と。そして例の、ネイミアは歴史から精神を取り除いたという非難に言及し、それに反駁しないまま、次のように続けます。

政治思想家のうちには現今［一九五〇年代前半］のイギリス政治全般について「平和ボケ」で、議論がないと不満を訴える方がおられる。具体的な諸問題について実際的な解決策が求められているのに、［保守・労働］両政党はどちらも綱領や理念を忘れているというのである。だがわたしには、こうした状態は偉大な国民的成熟の証《あかし》と見えるし、こうした状態が長く持続し、政治思想の作用により攪乱されないままでいるよう望むほかない。(6)

この引用文の論点についてのわたしの意見は、今は控えまして後日に〔第六講で〕申します。現在のところは、二つの重要な真実を指摘するだけにとどめましょう。第一は、歴史家の仕事を十分に理解しその価値が分かるには、そもそも歴史家本人のアプローチの立脚点をつかまないかぎりは不可能だということ。第二に、その立脚点は、それ自体が社会的・歴史的な背景に根ざしているということです。忘れてはなりませんが、かつてマルクスは「教育者自身が教育されねばならない」[*8]と申しました。これは現代的な言いまわしでは「洗脳者の頭脳そのものが洗脳されている」となります。歴史家は、歴史を書き出すより前から、歴史の産物なのです。

わたしが今まで話題にしてきた歴史家たち——グロートとモムゼン、トレヴェリアンとネイミア——の場合は、それぞれの社会的・政治的な型が一つできあがっていて、初期の仕事と後期の仕事のあいだに目立った見解の変化はありません。しかし、急速に変化する時代の歴史家の著作のうちには、一つの社会や一つの秩序でなく、異なる諸秩序の連続が反映している場合もありました。

(6) L. Namier, *Personalities and Powers* (1955), pp. 5, 7.

＊8　マルクス「フォイエルバハについてのテーゼ」第三から。マルクス／エンゲルス『ドイツ・イデオロギー』補録。

このもっとも顕著な例はドイツの偉大な歴史家F・マイネッケでして、長寿なうえ執筆期間も非常に長く、祖国ドイツの運命の革命的で破局的な転変の年月にわたっております。[*9] 結局のところ三つの異なる時代のスポークスマンとしての三人のマイネッケが、三つの主著を通じてそれぞれ語り出しています。一九〇七年に出版された『世界市民と国民国家』のマイネッケは自信たっぷりに、ドイツの国民理念がビスマルクのドイツ帝国《ライヒ》に実現したとみています。マイネッケは、マッツィーニ以後の一九世紀の多くの思想家と同じように、国民主義《ナショナリズム》を普遍主義の最高形態と見なしています。これはビスマルク時代に続くヴィルヘルム期に遅れてきた特異の産物《バロック》と言えましょう。一九二四年刊の『国家理性の理念』のマイネッケが語るのは、ワイマル共和国期〔一九一八―一九三三〕の分裂して迷走する精神です。政治の世界は、国家理性と倫理とのあいだの結着のつかない対立の闘技場《アリーナ》となったのです。この倫理は政治の外にありますが、だからといって、最終的に国家の生命と安全を踏みにじることはできません。第三期、一九三六年刊の『歴史主義の成立』のマイネッケは、ナチスの嵐により学問的な栄誉から追放され、絶望の叫びをもらし、「存在するものはすべて正しい」ととなえる類《たぐい》の歴史主義を拒み、歴史的相対と超理性的絶対とのあいだで不安に揺れています。そして最後に、老齢のマイネッケは祖国の二度目の、一九一八年よりもさらに徹底的な敗戦を経験しました。一九四六年の『ドイツの破局』は、見通しもきかず冷酷な偶然に翻弄《ほんろう》された歴史といった考えへと絶望的に沈潜します。[(7)]

精神分析医や伝記作者であれば、ここでマイネッケの個人としての変遷に興味関心が向かうでしょう。歴史家の場合、興味関心が向かうのは、マイネッケが三つの、むしろ四つの、連続してかつ鋭く対照的な「現在という時代」をいかに回想して歴史的な過去を省察しているのか、その道筋でしょう。

あるいはもっと近く、ケインブリッジにおける傑出した例をとってみましょうか。かつての偶像が壊《こわ》れゆく一九三〇年代、自由党がイギリス政治における有効な勢力であることを止めたばかりのころですが、バタフィールド教授は『ホウィグ史観』という本を著し、当然ながらたいへんな成功を収められました。この本はいくつも特徴がありますが、なかでも、ホウィグ史観を批判している一三〇ページあまりのなかで(索引もないままに探しましたが)、フォックス以外のホウ

(7)　こうした論点でわたしは、『国家理性の理念』の英訳版 *Machiavellism*（1957）の序にみえるW・スターク博士によるマイネッケの変遷についてのすばらしい分析に負っている。ただし、彼はマイネッケ第三期における超合理の要素を強調しすぎかと思われる。

＊9　一八六二―一九五四年。ベルリン大学教授など、『史学雑誌』(*HZ*)編集者。最晩年、第二次世界大戦の敗戦後はベルリン自由大学の初代学長に迎えられた。

＊10　ドイツ皇帝ヴィルヘルム二世の治世は一八八八―一九一八年。宰相ビスマルクを一八九〇年に罷免した皇帝は、それまでの勢力均衡から転換して「世界政策」を推進した。

ィグの名が挙がっていませんし、アクトン以外の歴史家の名が挙がっていません。[*11] フォックスは歴史家ではないし、アクトンはホウィグではありません。(8) とはいえ、この本の欠落や不正確なところを埋め合わせているのが、きらめくほどの毒舌です[笑]。読んだ人はまちがいなく、ホウィグ史観とは悪いものだという読後感を抱くでしょう。ホウィグ史観の罪の一つは「現在に照らして過去を研究することである」として告発されています。この点についてバタフィールド教授の断言は容赦ありませんでした。

いわば一方の目を現在において過去を研究するといったことが、歴史におけるすべての罪の源、詭弁《きべん》の源なのである。……まさしくこれこそ「非歴史的」という語のエッセンスなのである。(9)

それから一二年たち、偶像破壊の流行は消え、バタフィールド教授の国は戦争中でした。この第二次世界大戦[一九三九—四五]はホウィグの伝統に体現された憲政の自由をまもるための戦争とされ、つね日ごろから「いわば一方の目を現在において」過去を引き合いに出す偉大なリーダー[チャーチル首相]のもとで戦われました。一九四四年刊の『イングランド人とその歴史』という小さな本でバタフィールド教授は、ホウィグ史観とは「イングランド人らしい」解釈であると判断したばかりか、「イングランド人と歴史との結びつき」、さらに「現在と過去との結婚」までも情熱的に語ったのです。[10] こうした見解の反転に注意をうながしたからといって、意地悪に批判しているのではありません。「原バタフィールド」を「第二バタフィールド」で論難しようとか、酔ったバタフィールド教授としらふのバタフィールド教授を対決させるといったことがわたしの意図なのではありません[*12][笑]。かりに、わたし自身が戦前・戦中・戦後に書いたものをしっかり読み比べる方がいらしたら、他の方々の文章におけるのと同じような矛盾や不一致を見つけて、有罪《クロ》と決する[*13]のは容易でしょう。本当のところ、この五〇年間の地球を揺るがすような事象の続

（8）H. Butterfield, *The Whig Interpretation of History* (1931).『ウィッグ史観批判』なおこの p. 67 でバタフィールドは「理詰めの解析」にたいする「健全な不信感」を自任している。

（9）Butterfield, *Whig Interpretation of History*, pp. 11, 31–32.

（10）H. Butterfield, *The Englishman and his History* (1944), pp. 2, 4–5.

*11　C・J・フォックスはフランス革命期のホウィグ党の指導者で、ピット首相のライヴァル。一八五〇年前後の政界再編でホウィグ党は消滅した。アクトンは自由党グラッドストンの盟友。補註g。

*12　カーのバタフィールド批判は容赦ないが、かつてカー夫妻とバタフィールド夫妻は四人で会食する仲だった。Haslam. 一九六一年にバタフィールドはケインブリッジ最古のピータハウスの学寮長で、同時に大学総長であった。

*13　ここはM二〇〇一版、P二〇一八版による。P一九八七版では「わたしを説得／確信させる」。

くなかを生きて、[*14]ものの見方についてなに一つ根本的な修正を迫られることはなかったと心から言える歴史家がいらしたとして、わたしは羨《うらや》ましく思うでしょうか、分かりません。

わたしの意図はただ、歴史家の仕事がいかに自分の生きた社会を密接に反映しているかを示すだけなのです。流動のなかにあるのは事象だけではない。歴史家本人も流動のなかにいるのです。歴史書を手にして、扉の著者名を見るだけでは不十分です。出版年、そして執筆年も見ましょう。年月を見てようやく分かることもあります。「ゆく川の流れは絶えずして、しかももとの水にあらず」と語った哲学者が正しいのなら、同じ理由で、同じ著者が書くとしても、「時が違えば」二つと同じ本は書けない、というのも真実でしょう。

ここでしばらく歴史家個人からいわゆる歴史叙述の広い動向に話を移しますと、歴史家が社会の産物だということはさらに明らかになります。一九世紀にはイギリスの歴史家はほとんど例外なく、歴史の流れは進歩の原理を証明すると考えていました。歴史家は、かなり速い進歩をとげつつある社会のイデオロギーを表明していたのです。イギリスの歴史家にとって、歴史がわが道を進んでいると見えたかぎりで、歴史は意味に満ちていました。第一次世界大戦によって時代は転変し、歴史の意味を信じるのは異端となりました。トインビーは定向進化の歴史観にとって代わるべき循環論の歴史観に決死で取り組みましたが、これは衰退局面にある社会の特徴的なイデオロギーです。(11) トインビーがこの取り組みに敗退してから、イギリスの歴史家はおおむね戦わぬまま、歴史には一般的パターンなど存在しないと口にして、自足しています。H・フィッシャもそうした意味のことを凡庸に表明しましたが、(12) これはほとんど一九世紀のランケの「ことは本当のところどうだったのか、という」警句と同じくらい広く流通しています。

もし、この三〇年間のイギリスの歴史家たちがこうした心の変化を経験したのは、深く個人として内省した結果であり、また屋根裏の個室で深夜にわたってともした灯明の結果なのだと言ってくださるなら、その事実には反論までいたしません。ただし、その場合もやはり、こうした個人的思考や深夜の灯明といっても社会現象であり、一九一四年以降のわがイギリス社会の性格とものの見方における根本的な転換の産物・現れであるというわたしの考えは堅持します。社会の

(11)「五賢帝の最後」マルクス・アウレリウスはローマ帝国のたそがれにあって「今まさに生じていることはすべて過去にも生じたし、また未来にも生じることなのである」と自省して慰めをえていた。*To Himself*, X, 27〔『自省録』神谷美恵子訳、岩波文庫、二〇〇七〕またよく知られていることだが、トインビーはシュペングラの『西洋の没落』からアイデアを得ていた。

(12)〔Herbert Fisher,〕*A History of Europe*, Preface, dated 4 December 1934.

＊14　講演の時点では第一次世界大戦・ロシア革命以来の五〇年間であるが、わたしたちの「この五〇年間」と読んでも説得力がある。バタフィールドへの論及はマイネッケへの論及と同じく、人格的な非難よりも、時代情況の転変に翻弄された知性の悲劇の例示と見るべきであろう。

性格を示す指標として、その社会の書いた歴史、あるいは書けなかった歴史ほどに意味深いものはありません。オランダの歴史家ヘイルが『ナポレオン、支持か反対か』という英訳タイトルで出たすばらしい専門書で、[*15]ナポレオンにたいする一九世紀フランスの代々の歴史家たちの評価が、それぞれいかに時の政治生活と政治思想の転換と抗争を反映していたかを明らかにしています。歴史家の思想は、他の人間の場合と同じように、その時と場所という環境によって練りあげられます。アクトンはこの真実を十分に認識していて、次の文のように、そうした環境から歴史そのもののなかに逃避しようとしました。

歴史とは、わたしたちの解放者に違いない。他の時代の不当な影響力からだけでなく、今の時代の不当な影響力から、環境の暴政から、そしてわたしたちの呼吸する空気の圧力からも自由にしてくれる解放者に違いない。(13)

これでは歴史の役割についてのあまりに楽天的な評価と聞こえるかもしれません。しかし、あえて申しますが、おのれの置かれた立場についてしっかり自覚している歴史家こそ、おのれの社会とものの見方について、それを超越し、他の時代、他の国における社会とものの見方を比較して、両者の本質的な差異を受けとめて理解する能力があるとわたしは信じます。[*16]これに比べて、

「わたしは一個人だ、社会現象ではない」と声高に異議をとなえる歴史家もおられますが、そうした方はおのれの立場をこえて差異を理解する能力は劣ります。人間が自分の置かれた社会的・歴史的な立場をこえて立ちあがる能力は、自分が置かれた立場にどれほど拘束されているかを認める感受性に左右されると思われます。

第一講では「歴史を研究する前に、歴史家を研究せよ」と申しました。今日はこれに、「歴史家を研究する前に、歴史家の歴史的・社会的環境を研究せよ」と追加いたします。歴史家は一個人ですが、歴史の産物、社会の産物でもあります。歴史の研究者は、この二重の光のもとに歴史家を見ることができるようにならねばなりません。

歴史的事実は社会的である

歴史家個人のことはここまでとしまして、［歴史家と事実の］等式のもう一つの辺［五一頁］、歴史

（13） Acton, *Lectures on Modern History*（1906）, p. 33.

＊15　Pieter Geyl, *Napoleon, For and Against*（1948）.

＊16　アクトンの悲しみへの想像力とともに、存在被拘束性を認めない歴史家への批判が表明されている。

的事実について、同じ光を照らして考えてみましょう。歴史家の研究対象は個人の言動でしょうか、あるいは社会的諸力の動きでしょうか。これはすでによく論じられてきた領域です。数年前にサー・アイザイア・バーリン[*17]が『歴史的必然性』というタイトルの評論を出版なさいましたが、きらめくほどの本で人気を博しました。その主テーマは第四講で論じることにしますが、この本の巻頭にはT・S・エリオット氏の作品から採った「巨大な非人格的諸力」というモットーが置かれています。そして全篇をとおして、歴史における決定的な要因は個人ではなく「巨大な非人格的諸力」だと信じるような人々を著者は笑いものにするのです。

歴史における「悪玉ジョン王」史観[*18]とでもいうべき見方、すなわち歴史において重要なのは個人の性格や言動であると見る説には長い系譜があります。個人の才能にこそ歴史を創る力があると思いこみたがる気持は、歴史意識の初歩の段階の特徴です。古代ギリシア人は、過去の偉業には功績のあった名高い英雄の名札を好んでつけ、その英雄的行為は叙事詩人ホメロスに語らせ、法律や制度はリュクルゴスとかソロンといった名に結びつけました。これと同じ傾向はルネサンス期の古典復興においても、人物伝で教訓をたれるプルタルコス[*19]のほうが、古代の歴史家［ヘロドトス、トゥキュディデス］よりもはるかに人気があり影響力があるといった形で再現します。

このイギリスではとくに、このような人物史観をみな、いわば母親の膝のうえで学んだものです。今日では、こうした史観は子どもっぽいと申しますか、ナイーヴだと認識しておくべきでしょう。社会がもっと単純だったころ、公のことはほんの一握りの名も顔も知られた個人が担っていたように見えたころには、それで良かったのです。しかし、今日の、ずっと複合的な社会に当てはまらないのは明らかです。一九世紀に社会学という新しい学問が生まれたのは、この複合性が増したことに対応してのことです。とはいえ、古き伝統は簡単には死に絶えません。二〇世紀の初めには、まだ「歴史とは偉人たちの伝記である」という説も通用していました。たった一〇年前にも著名なアメリカの歴史家が、[*20]同輩研究者の仕事について「歴史的人物をまるで社会経済諸力の操り人形のようにあつかう……大量殺戮である」といって非難しました。[(14)]もしや半ば冗談だったのでしょうか。最近はこうした人物史観の嗜好者は、率直に考えを表明するのを控える傾向にあるようですが、すこし調べてみましたら、すばらしい今日的な陳述がウェジウッド女史の本の序にありました。これによりますと、

(14)　[S. E. Morison, 'Faith of a historian',] *American Historical Review*, LVI, No. 2 (January 1951), 270.

＊17　一九〇九—九七年。オクスフォード大学の社会政治理論教授。カーの友人、ライヴァル。補註k。

＊18　中世のジョン王(在位一一九九—一二一六)が愚かで非情だったから、ノルマンディの領地を失い、諸侯とマグナカルタを結ばざるをえなくなり、義賊ロビンフッドが活躍したとする通説。

＊19　プルタルコス『対比列伝(英雄伝)』はギリシア・ローマの著名人を対比しつつ、偉人の徳を説いた。

＊20　アメリカ歴史学協会会長S・E・モリスンの就任講演から引用。第六講で再出。

集団や階級としての人の言動よりも、個々人としての言動のほうが、わたしの興味関心をひく。歴史は、他にも書きようはあるが、個々人に特別の関心《バイアス》を向けて書くことができるし、それが過ちに陥りやすいというわけではない。……この本は……登場人物たちがどう感じ、何故、みずから見積って実際の行動をしたのかを理解しようと試みるものである[15]。

まさしくこれなのです。ウェジウッド女史といえば人気の著者ですから、彼女と同じように考えている読者も多いでしょう。たとえばラウス博士もまた、エリザベス女王［一世、在位一五五八―一六〇三］のシステムが壊れたのは、次のジェイムズ一世がそれを理解できなかったからであり、一七世紀のイギリス革命は、ステュアート朝のジェイムズ一世とチャールズ一世がバカだったたから起きた「偶発的」事象であると述べます[16]。ラウス博士よりは厳格な歴史家であるサー・ジョン・ニールでさえ、テューダ朝の君主政［統治構造］がいかに成り立っていたかを解き明かすよりも、エリザベス女王［個人］を賞賛するのに熱心と見えることがあります[*21]。そしてサー・アイザイア・バーリンですが、先ほど言及しました『歴史的必然性』で、歴史家たちがチンギスカンやヒトラーのことを悪者だと非難しなくなるのではないかといった可能性について、ひどく心配なさっているほどです[17]［笑］。

こうした「悪玉ジョン王」史観、「善玉エリザベス女王」史観は、時代をくだるとりわけ流行しています。（株屋の広告ビラから引用しますが）共産主義のことを「カール・マルクスの脳から産まれた子」と呼ぶほうが、その起源と特徴を分析するよりも簡単です。ボリシェヴィキ革命の原因を［皇帝］ニコライ二世の愚鈍やドイツの金貨のせいにして片付けるほうが、その深い社会的諸原因を研究するよりも楽です。二〇世紀の二つの世界大戦を［ドイツの］ヴィルヘルム二世やヒトラーの個人的な邪悪さの結果と見るほうが、根深い事情から国際関係のシステムが崩壊した結果と見るよりも楽です。

（15）C. V. Wedgwood, *The King's Peace, 1637–1641* (1955), p. 17.
（16）A. L. Rowse, *The England of Elizabeth* (1950), pp.261–262, 382. 公正のために指摘すると、ラウス氏は以前の試論で、「一八七〇年後のフランスで［独仏戦争の敗北による王政復古の好機に］ブルボン家が王政再興に挫折したのは、ただアンリ五世が「小さな白色旗」に執着したからと考えるような歴史家たち」を非難していた。*The End of an Epoch* (1949), p. 275. もしや彼の個人史観はイングランド史限定であろうか。
（17）I. Berlin, *Historical Inevitability* (1954), p. 42.［*Liberty* (2002), p. 131.「歴史の必然性」生松敬三訳、『自由論』みすず書房、一九七一所収］
＊21　ここで例示されたように構造でなく偶発性を強調する「修正」史観は、一九七〇年代・八〇年代に文書主義的に補強されて、さらに勢いを増す。補注h、訳者解説。

そこでウェジウッド女史の陳述ですが、これは二つの命題が組み合わさっています。第一は、個々人としての人の言動は、集団や階級のメンバーとしての言動とは区別されるし、それゆえ、歴史家はどちらか好きなほうを選んで専念してよろしい、ということ。第二は、個々人としての人の言動の研究は、その人の行動の意識的な動機の研究からなる、ということです。

すでに申しましたことから、第一の点について立ち入って論じる必要はないでしょう。個人として人を見ることは、集団の一員として人を見るのよりも過ちに陥りやすいというのではなく、この二つを区別しようという試みこそが、過ちなのです。個人とはそもそも定義により、社会の一メンバーです。複数の社会――集団、階級、部族、国民、なんでも――のメンバーかもしれません。初期の生物学者は、籠《かご》のなかの鳥類、檻《おり》のなかの獣類、水槽のなかの魚類を分類するだけで足りていて、環境との関係における生き物を研究しようとはしなかった。ことによると今日の社会科学はこうした初期段階からまだ十分に抜け出していないのかもしれません。心理学は個人の科学、社会学は社会の科学といった識別をする人もあり、「心理学主義」といった名称で、すべての社会問題は究極的に個々の人間行動の分析に還元できるという見方もあります。しかし、個人の社会環境をしっかり研究できないような心理学者ですと、先は望み薄ですね(18)。

伝記は人を個人としてあつかい、歴史は人を全体の一部としてあつかうといった区別を立てて、良い伝記とは結局、悪い歴史である、などと言ってみたい気にもなります［笑］。「人の歴史観に過ちと不公正が生じる最悪の原因は、なにより個人の性格に惹きつけられて生じた興味関心である」という昔のアクトンの文があります。(19) しかし、この区別もまた非現実的です。ヴィクトリア期の「使用人たちは人のうわさをするが、紳士諸君はことを論じる」といった格言が、G・M・ヤングの『ヴィクトリア期イングランド』という本の扉に刻まれていますが、わたしはこの格言の陰に隠れたいとは思いません。(20) 歴史への本格的な寄与となる伝記もあって、わたしの専門領域

(18) 現代の心理学者のこうした過ちをパーソンズが告発している。「心理学者の集団は、個人を活動中の社会システムのなかの単位と見なすことなく、まず具体的な人間が存在し、これが次に社会システムを形成するプロセスへ進むものと見なしている。かくして彼らは、心理学のカテゴリーが抽出された際の特有の感覚を十分に考慮していない。」Max Weber, *The Theory of Social and Economic Organization*（1947）へのタルコット・パーソンズ教授の序論二七頁。なおまた第六講［二三四—二三六頁］のフロイト評も参照。

(19) ［Acton in］*Home and Foreign Review*, January 1863, p. 219.

(20) こうした考え方についてハーバート・スペンサが *The Study of Sociology*［1873］の第二章で壮重な文体で論じている。「だれかの精神的力量をおおまかにでも見積りたいなら、その発話における個人的特性と一般性との比率を考察するのが一番よい。——個人についての単純な真実が、人間や事物についての多くの経験から抽象された真実によってどの程度、置き換えられているかの比率である。かくして多くの人を計測したならば、人間社会のもろもろについて伝記的な見方をこえるほどの見識をもつ人は、じつに稀にしかいないことが判明するであろう。」

であげるなら、アイザック・ドイチャのスターリン伝、トロツキー伝がすばらしい例です。他方で、歴史小説と同類の文学に属する伝記もあります。トレヴァ＝ローパ教授の評ですが、リトン・ストレイチにとって歴史の問題とは、つねに個人の言動、個人の奇行ということでしかなかった。……歴史の問題、すなわち政治と社会の問題について、ストレイチは答えを出そうとしなかったし、それどころか問うてみようとさえしなかった(21)。

歴史を読んだり書いたりするのは、だれの義務でもありません。しかも過去についてすばらしい本が書かれて、それが歴史ではないということもあります。ですが、慣用でもそうですし――この連続講演でそうしておりますとおり――、「歴史」という語は、社会のなかの人の過去を調査探究するプロセスという意味で用いる、としてよいかと存じます。[*22] ［ウェジウッドの］第二点、すなわち歴史の問題関心は、個々人が「みずから見積って実際の行動をした」のはなぜかの調査探究であるという点ですが、これは一見しても非常に変です。おそらくはウェジウッド女史も、他の賢い方々と同じく、お説教のとおりには実践なさっていないのではないでしょうか［笑］。もし本当に実践しておられるとすると、まことに奇妙な歴史を書いておられるに違いない。今日ではだれもが認識していることですが、人間はつねに、または習慣的に、十分に意識した動機や率直に認めるような動機によって行動するわけではありません。それに、無意識あるいは本人が認めないような動機への洞察を排除するとしたら、これは、わざと片目を閉じて仕事をするようなものです。にもかかわらず、これぞ歴史家へのご忠告なのです。

ポイントはこういうことです。ジョン王の悪行の本質は、彼の強欲、愚鈍、暴君の野望であるとかいってあなたが満足しておられるとしたら、それは子ども部屋の物語のレヴェルでも分かる個人の資質といったお話です。しかし、かりにあなたがジョン王は、封建諸侯が権力をねらっているのに反対する既得権益の側の、無意識ながら手先だったと述べ始めますと、それはジョン王の悪行についての複合的で凝《こ》った見方をもち出しているだけではありません。それ以上に、歴史的な事象とは個人の意識的な行動によって決まるのではなく、外から無意識の意志を導く全能の力によって決まるのだと示唆しているかに見えます。この最後の点は、もちろんナンセンスです。わたしに限って「神の摂理」とか、「世界精神」とか、「明白な天命」とか、「大文字の歴史」といった、世の事象を導くとされてきたような抽象観念は、信じておりません[笑]。むしろ、次のようなマルクスの言を留保なしで支持いたします。

(21)　H. R. Trevor-Roper, *Historical Essays* (1957), p. 281.
＊22　二九頁、補註a。

歴史はなにもしない。歴史は膨大な富を所有しているわけでもなく、戦争をするわけでもない。むしろあらゆることを行ない、所有し、たたかうのは人間、現実に生きている人間なのだ。[22]

この問題につき二点を申し述べますが、それは抽象的な歴史観とは全然関係なく、純粋に経験的な観察にもとづくものです。

一つ目は、歴史とは、かなりの程度まで数の問題だということです。カーライルは「歴史とは偉人の伝記である」といった不適切な主張をした責任があります。しかし、彼の一番雄弁な傑作『フランス革命史』のこの部分をお聞きください。

飢餓とボロ、偽善の抑圧が[*23]二五〇〇万の人民に重くのしかかっていた。これこそが、啓蒙的法律家や金持ち商店主や地方の貴族たちの虚栄心が傷ついたとか、思想が相反したとかでなく、これこそがフランス革命の原動力であった。将来のあらゆる国のあらゆる革命について も、ことは同様であろう。[23]

あるいはレーニンの表現ですと、こうなります。「政治は大衆のいるところで始まる。それも何千人ではなく、何百何千万人がいるところで真剣な政治が始まるのだ。(24)」

カーライルやレーニンの何百何千万人というのは、何百何千万の個人ということです。それについて非人格的なものは全然ありません。この問題を論じるとき、時に匿名性と非人格性が混同されます。名前が分からないからといって、人々は人々であること、個人は個人であることを止めるわけではありません。エリオット氏のいう「巨大な非人格的諸力」〔六八頁〕とは、大胆にして歯に衣《きぬ》きせぬ保守、クラレンドン〔王政復古期の伯爵〕が「汚《きたな》く名もない民」と形容した個々人でした。(25) こうした名もない何百何千万人が、個々人として多少とも無意識に行動し、一緒に社会的な力を構成したのです。歴史家はふつうの場合は、不満をもつ一人の農民とか不満のたまった

(22) Marx-Engels, *Gesamtausgabe*, I, iii, 625.〔「聖家族」『マルクス・エンゲルス全集』第二巻、大月書店、一九六〇〕

(23) 〔Carlyle,〕*The French Revolution: A History*, III, iii, chap. 1.

(24) Lenin, *Selected Works*, VII, 295.〔「ロシア共産党第七回大会／戦争と講和についての報告（一九一八年三月七日）」『レーニン全集』第二七巻、大月書店、一九五八〕

(25) Clarendon, *A Brief View & Survey of the Dangerous & Pernicious Errors to Church & State in Mr. Hobbes' Book entitled Leviathan* (1676), p. 320.

＊23　M二〇〇一版、P二〇一八版に従う。P一九八七版では「悪夢の抑圧」。

一村とかを考慮するわけではありません。しかし、幾千の村に何百何千万の不満農民がいるなら、これは歴史家が無視できる要因ではありません。一人のジョーンズという男が結婚をためらう理由なぞ、歴史家は関心ありませんが、ただジョーンズと同じ世代の幾千人が結婚をためらい、婚姻率がかなり下がるとなると、その理由は歴史的に重要となります。[*24] さらに何であれ運動は少数で始まるのがふつうですが、そんなことでうろたえる必要はありません。有効な運動はすべて指導者はわずかで、ついて行く者が多数なのですし、また、ついて行く多数が運動の成功にとって本質的に大事なのです。歴史においては数が問題です。

二つ目の観察は容易に証明できます。考えの異なるさまざまの学派の所見が一致しているのですが、個々の人間の行動が、結果として本人のまたは他のいかなる個人の意図にも願望にもないことを引き起こすことがしばしばあります。クリスチャンの信仰によれば、個人が時に利己的な目的を意識して行動したとしても、それは大いなる神の意図の無意識の行為主体《エイジェント》なのだと諒解されるでしょう。マンドヴィルの「私悪は公益なり」はこうした認識の初期の、そして巧みに逆説的な表現でした。[*25] アダム・スミスの「見えざる手」、そしてヘーゲルの「理性の狡知《こうち》」は、あまりにも周知で引用註を付けるまでもありませんが、個人が勝手に自分の欲望をみたすために動いたつもりでも、それぞれ究極の目的に資する働きをさせてしまう「人知を超えた」しくみです。マルクスの『経済学批判』の序言によれば、「生産手段の社会的生産において、人間は各個の意志とは別の一定の必然的な関係にはいる」のです。トルストイは『戦争と平和』で、アダム・スミスのこだまのように「人は自分のために生きていると意識しているが、しかし、無意識ながら、人は人類の歴史的で普遍的な目的を達成するための道具なのである(26)」と述べました。このへんで、名言の抜粋がすでに長くなりましたので、最後にとりとしてバタフィールド教授に登場していただきますが［笑］、「歴史的事象には、ことの本質として、だれが意図したわけでもない方向に歴史のコースをねじまげる何かが存在する(27)」というのです。

［ナポレオン戦争の後］一九一四年までローカルな小戦争の散発する一〇〇年が続きましたが、その後、わたしたちは二つの世界大戦を経験しました。このことの説明として、二〇世紀の前半には一八二五年以後の七五年ほどと比較して、戦争を望んだ個人が多く、平和を望んだ個人が少な

(26)　L. Tolstoy, *War and Peace*, IX, chap. 1.［『戦争と平和』通巻第九篇、藤沼貴訳、岩波文庫、二〇〇六では第四冊、第三部第一篇の１］

(27)　Butterfield, *The Englishman and His History*, p. 103.

＊24　この後、一九六四年にケインブリッジ人口・社会構造史グループが設立され、歴史的人口動態（家族構成）研究がめざましい成果をあげる。その中心にいたＰ・ラスレットはトリニティ学寮のフェローである。

＊25　Ｂ・マンドヴィル『蜂の寓話――私悪は公益』（一七一四、二三）は私利私欲、虚栄心、贅沢《ぜいたく》といった悪徳こそ、回り回って消費と需要を喚起し、公益をもたらすと論じた。近代経済学の早い先駆である。

かったというのは、当たらないでしょう。また一九三〇年代の世界大不況のことを望んだり願ったりした人がいたとは信じがたい。にもかかわらず、まちがいなくそれぞれ意識的に全然別の目的を追求した諸個人の行動によって、大不況はもたらされたのです。しかも個人の意図とその行動の結果とのズレを診断するには、かならずしも後から振りかえる歴史家を待たねばならないわけでもありません。一九一七年三月に〔アメリカ大統領〕ウッドロー・ウィルソンについて〔上院議員〕ロッジが記したところによると、「大統領は参戦するつもりはない。だが、ことと次第では押し流されるだろうとわたしは思う[28]」というのでした[*26]。

歴史は「人の意図したことの説明／事情[29]」をもとに書くことができるというのは、あらゆる証拠に違《たが》うものです[*27]。また、行為者自身の口にする動機の説明や、何故《なにゆえ》「みずから見積って実際の行動をしたのか」といった説明〔ウェジウッド〕をもとに書くことができるというのも、あらゆる証拠に違います。歴史的事実とはたしかに個々人をめぐる事実ですが、それは孤立した個々人の行動をめぐるものではないし、個々人本人がそのため行動したと考える現実的ないし想像上の動機をめぐるものでもありません。歴史的事実とは、むしろ社会をなす個人と個人のあいだの相互関係をめぐる事実であり、当人たちが意図した結果とはズレて時には相反する結果を生じるような社会諸力をめぐる事実であります。

第一講でお話しましたコリンウッドの歴史観について、重大な過ちの一つは、歴史家が探究すべしとされた行為の背後にある思考として、個々の行為者の思考が想定されていたことです。この想定はまちがっています。歴史家が探究すべきは、行為の背後に何があるかでして、このことと個々の行為者の意識した考えや動機は関係ないのかもしれないのです。

ここで歴史における反逆者や異論派《ディシデント》の役割について一言申しておきましょう。社会に反逆する個人といったよくあるイメージを仕立てあげるなら、例の社会と個人のあいだの偽りの対立をふたたびもちこむことになります。いかなる社会も完全に均質ではありません。あらゆる社会は社会的対立の闘技場《アリーナ》であり、既存の権威に反対する個人たちは、その権威を支えている連中と同じくらい、その社会の産物であり反映です。リチャード二世は一四世紀イングランドの、エカチェリーナ大帝は一八世紀ロシアの、強力な社会勢力を代表していました。とはいえ、その時代の農

(28) B. W. Tuchman, *The Zimmermann Telegram* (N.Y., 1958), p. 180 の引用より。[『決定的瞬間——暗号が世界を変えた』町野武訳、ちくま学芸文庫、二〇〇八]

(29) この文言は Berlin, *Historical Inevitability*, p. 7 [*Liberty* (2002), p. 98] からの引用である。そこではこうした歴史の書き方が推奨されているように見える。

＊26 合衆国は四月六日に対ドイツ宣戦布告、参戦した。H・C・ロッジは共和党上院議員、後に外交委員長。

＊27 引用符のなかの断片はI・バーリンの文章からの引用だが、引用が恣意的だとしてバーリンから抗議があった。なお第四講で本格的に論じられる。

民反乱のリーダー、ウォト・タイラ［一四世紀］も、プガチョフ［一八世紀］も同じように強力な社会勢力を代表していたのです。君主も反乱農民も、それぞれの時代と国の特定の情況の産物だった点は同じです。ウォト・タイラやプガチョフを社会に反逆した個人として描くのは、単純化しすぎで誤解をまねきます。もしただ社会に反逆した個人にすぎなかったのなら、歴史家の耳には入らなかったでしょう。歴史における彼らの役割は、大勢が後についてきたおかげで、社会現象として意味があったのです。さもなければ、まったく意味がなかったでしょう。

あるいは、傑出した反抗者で個人主義者という例を、はるかに知的なレヴェルで挙げてみましょう。同時代の社会と国にたいして強力にラディカルに反逆したという点で、F・ニーチェ［一八四四—一九〇〇］ほどの人はほとんどいません。とはいえ、ニーチェはヨーロッパ社会、もっと特定すればドイツ社会の直接の産物であって、中国やペルーでは生まれようもなかった逸材です。ニーチェの同時代人には十分に認識されていなかったことですが、彼の死後一世代が経過してようやく、ヨーロッパの、特定すればドイツの社会諸力がどれだけ強くニーチェ個人に体現されていたかが明らかになってきました。ニーチェは同世代よりも後の世代にとって意味のある人物となりました。

歴史における反逆者の役割は、偉人の役割と似ているところがあります。偉人史観——「善玉エリザベス女王」史観の同類です——は近年は流行《はや》らず、ときおりぎこちなく頭をもたげる程度です。第二次世界大戦後に始まった、よく売れる歴史の教科書のシリーズの〔出版社の〕編集長は、執筆者宛の依頼状に「重要な歴史のテーマの最初は偉人の伝記という形で説き始めてください」としたためています。そしてA・J・P・テイラ氏は一つの短編で、「ヨーロッパ近現代史は三人の巨人、ナポレオン、ビスマルク、レーニンで書ける」と宣言なさいました。(30) ただし、彼のもっと本格的な著作では、そんなに軽率なまねはなさっていませんが〔笑〕。

歴史における偉人の役割とは何でしょう。偉人とは個人であり、傑出した個人ですので、傑出して重要な社会現象でもあります。ギボンの考察ですが、「時代のほうで傑出した人物に合わせていたに違いないというのは、自明の理である。〔一七世紀の〕クロムウェルやレス〔枢機卿〕のような逸材も、*28 今日であれば命運なく消え去るしかないであろう。(31)」マルクスは『ルイ・ボナパルトのブリュメール一八日』で正反対の現象を診断して、「フランスにおける階級闘争の生んだ事情と情況は、紛れもなく凡庸な男〔ナポレオン・ボナパルトの甥〕が英雄の衣装を身に着けて、気取っ

(30) A. J. P. Taylor, *From Napoleon to Stalin* (1950), p. 74.
(31) Gibbon, *Decline and Fall of the Roman Empire*, chap. 70. 〔『ローマ帝国衰亡史』第一〇巻、中野好之訳、ちくま学芸文庫、一九九六〕
＊28　クロムウェルは一七世紀半ばイギリスのピューリタン。レス(レー)は一七世紀半ばフランスのカトリック。ギボンは一七七〇年代、ヨーロッパ啓蒙のただなかに執筆している。

て歩きまわることを可能にした」と記しました。もしビスマルクが一八世紀に生まれていたなら——おかしな仮定ですね、かりにそうした場合はビスマルクではないのですから——彼はドイツを統一しなかったでしょうし、全然偉人ではなかったかもしれないのです。とはいえ、トルストイと一緒になって、偉人とは「出来事に付ける名札」であり、それ以上ではないなどと、けなすまでもないかと思います。もちろん、ときに偉人の崇拝《カルト》は不幸な結果を産むことがあります。ニーチェの「超人」は忌まわしい人物です。ヒトラーの例やソ連における「個人崇拝」の恐ろしい結果については、わたしから想い起こしていただくよう申すまでもないでしょう。

　とはいえ、偉人の偉大さを削《そ》ごうというのがわたしの狙いではありませんし、また「偉人とはほとんどかならず悪いヤツだ」といった説に賛同署名するつもりもありません[笑]。わたしが反対しているのは、偉人を歴史の外において、その偉大さゆえに歴史の上から威圧するような存在と見なす、たとえば「びっくり箱の人形のようにどこからか奇蹟のように出現して、歴史の本当の連続性を妨害してしまう[32]」ような存在と見なす見方です。今日にいたっても、ヘーゲルの古典的な表現に優るものを知りません。

> 時代の偉人とは、時代の意志を言葉にできる者、時代にその意志は何かを告げて、それを実現できる者のことである。偉人のなすことはその時代の心であり本質である。偉人はその時

代を現実にする。(33)

リーヴィス博士の次の言は、これに通じることを言っています。偉大な著者が「重要なのは、彼らが推進している人類の自覚という意味でのことである」(34)。偉人はつねに現存の諸力を代表しているか、または現存の権威に挑むことによって創り出そうとしている諸力を代表しているかのどちらかです。とはいえ、クロムウェルやレーニンのように偉大さにいたる諸力をみずから練りあげた人の創造力のほうが、ナポレオンやビスマルクのように既存の諸力の背に乗って偉大さへと上り詰めた人の創造力よりも、高次のものがあったのではないでしょうか。また時代よりもはるかに先駆けてしまったがゆえにその偉大さは後の世代の人々によってしか認識されなかった偉人たちのことも忘れてはなりません。大事なことは、偉人のなかに、歴史プロセスの産物であり同時に行為主体《エイジェント》であるような傑出した個性を認識することだと思われます。言いかえると、世界

(32) V. G. Childe, *History* (1947), p. 43.
(33) [Hegel,] *Philosophy of Right* (1942), p. 295. 〔『法の哲学』下巻、上妻精・佐藤康邦・山田忠彰訳、岩波文庫、二〇二一〕
(34) F. R. Leavis, *The Great Tradition* (1948), p. 2. 〔『偉大な伝統——ジョージ・エリオット、ヘンリー・ジェイムズ、ジョウゼフ・コンラッド』長岩寛・田中純蔵訳、英潮社、一九七二〕

の形を変え、人間の思考を変えるような社会諸力を代表し同時に創り出すような傑出した個性を認識することです。

現在と過去のあいだの対話

そういうわけで、歴史とは――歴史家のたずさわる調査探究と、その対象となる過去の事実という――その二つの意味〔二九頁〕のどちらも、社会的プロセスであり、これに個人は社会的存在としてかかわっています。社会と個人のあいだの対立関係とは幻《まぼろし》で、わたしたちの思考を混乱させるために通路にまかれた目眩《めくら》ましにすぎません。歴史家とその事実とのあいだの相互作用のプロセスは、第一講で申しましたように、現在と過去のあいだの対話ですが、これは抽象的で孤立した個々人のあいだの対話ではなく、今日の社会と過去の社会とのあいだの対話です。ブルクハルトの言では、歴史とは「ある時代が別の時代において、これは注目に値すると見なしたものの記録(35)」であります。

過去は現在の光に照らされて初めて知覚できるようになり、現在は過去の光に照らされて初めて十分に理解できるようになるのです。人が過去の社会を理解できるようにすること、人の現在の社会にたいする制御力《マスター》を増せるようにすること、これが歴史学の二重の働きです。

（35）J. Burckhardt, *Judgements on History and on Historians*（1959）, p. 158.

第三講
歴史・科学・倫理

　ほんの子どものころですが、姿は似ていても鯨《くじら》は魚ではないのだと知って、相当に感心したことがありました。最近のわたしは、こうした分類の問題にそれほど心を動かされることはありませんし、歴史学は科学《サイエンス》ではないと、どなたかが自信をもって言明なさっても、あまり悩みません[笑]。この用語の問題は、英語の特異現象なのです。他のヨーロッパ言語であれば「サイエンス」にあたる語は即、歴史学を含みます。[*1] ところが英語圏ではこの問題に長い来歴があります。ここから生じる論点は、歴史の方法という問題を考えるにあたって良い導入となります。

　一八世紀の終わりには、すでに科学が世界についての人間の知識にも、人体の特質についての人間の知識にも大いに寄与していたので、科学は社会についての人間の知識もまた促進できるのではないかと考える人が出てきました。社会科学という考え、そのなかの歴史学という考えが一九世紀を通じてゆっくりと発達して、自然界を研究した科学の方法が人間社会のもろもろの研究にも応用されました。その第一段階ではニュートン流の伝統が優勢で、社会は自然界と同じく機械装置《メカニズム》のように考えられました。ハーバート・スペンサの一八五一年の著書のタイトル『社会静態学《スタティクス》』は、今でも記憶されています。この伝統のなかに育ったバートランド・ラッセルが後に述懐していますが、ある時期「機械の数学と同じくらい精密な人間の言動についての数学」がいずれ生まれてくると期待していたとのことです[1]。

それから［第二段階として］ダーウィンが次の科学革命を起こしたのです。社会科学者は生物学からヒントをえて、社会を有機体《オーガニズム》と考えるようになりました。とはいえダーウィン革命の本当のポイントは、地質学でC・ライエル[*2]がすでに始めていたことなのですが、科学に歴史をもちこんだことです。これにより科学は、それまでのように静態的で時間のないものではなく[2]、変化し発達するプロセスにかかわるようになりました。科学における進化の概念により、歴史における進歩が確認され、補足されました。とはいえ、第一講でお話した歴史学の帰納的方法論は変わらないままでした。すなわち、まず事実を収集する、次にそれを解釈するというものです［九頁］。なんの疑問もなしに、こうした帰納法が科学の方法でもあると考えられていました。明らかにこうした見方が念頭にあってこそ、ベリは一九〇三年一月の欽定《きんてい》講座就任講義［五四頁］の結びに、歴史とは「科学であり、それ以上でもそれ以下でもない」と述べたのです。

ベリの就任講義のあと五〇年間に、こうした歴史の見方にたいする強い反動がありました。すでにコリンウッドは一九三〇年代に、科学的究明の対象となる自然の世界と歴史の世界とのあいだに、シャープな線引きをしようと切望していました。この五〇年間、上のようなベリの言が引用されるのは、物笑いのため以外には稀でした［笑］。ところが、歴史家は認識していないようですが、この間に科学そのものが深い革命を経過していたのです。その結果、ベリの言はわたしたちが以前に思っていたよりずっと正しいのかもしれないと思われるような事態になっています。ただ、その理由は違うのですが。かつてライエルが地質学について、ダーウィンが生物学についてしたことが、今や天文学について行なわれて、宇宙はいかにして現在のように成ったのかという学問［宇宙物理学］になりました。今日の物理学者がつねに口になさるのは、物理学者が研究しているのは事実ではない、事象《イヴェント》だということです。[*3] 歴史家は、一〇〇年前に比べると今日の科学の世界においてずっとアットホームな感じでいられますが、それには理由があります。

（1）　B. Russell, *Portraits from Memory* (1958), p. 20.［『自伝的回想』中村秀吉訳、みすず書房、一九五九］

（2）　一八七四年になってもまだブラッドリは、科学は時間のない「不変のもの」に問題関心をもつので、歴史とは違うとしていた。F. H. Bradley, *Collected Essays* (1935), I, 36.

＊1　英語では日本語と同じように科学と学問を区別するが、他のヨーロッパ言語では事情が違う。補註ⅰ。

＊2　チャールズ・ライエル（一七九七―一八七五）は近代地質学の父。「現在は過去を解明する鍵である」という言を残した。ダーウィンの師の一人でもあった。

まず最初に、法則という概念について考えてみましょう。一八・一九世紀を通じて、科学者たちは自然の法則――ニュートンの運動法則、重力の法則、ボイルの法則、進化の法則など――が発見され、しっかり立証されてきたと考え、したがって科学者たちの仕事はといえば、事実観察と帰納のプロセスにより、こうした法則をもっと発見し、立証することだと考えていました。

「法則」という語は、ガリレオおよびニュートンから連なる栄光の雲から降臨していました。社会の研究者は意識してか無意識でか、自分の研究の科学的なステータスがほしくて、同じ用語を使い、同じ手続きに従っていると自任しました。そうした領域に最初に登場したのが政治経済学で、グレシャムの法則〔悪貨が良貨を駆逐する〕、アダム・スミスの市場法則などがそれです。E・バークも「商業の法則は自然法であり、したがって神の法である」ととなえていました。(3) T・R・マルサスは人口法則をとなえ、F・ラサールは賃金の鉄則をとなえ、マルクスは『資本論』の序で「近代社会の経済的な運動法則」を発見したと主張していました。H・T・バックルは『文明史』[*4]の結びに、人間社会のもろもろの道行《みちゆき》には「一つの輝かしい普遍的で確固たる規則性の原則」が浸透しているという確信を表明していました。今日ではこうした言葉づかいは古めかしく、かつ傲慢《ごうまん》に聞こえます。しかし、古めかしく聞こえるのは、社会科学者にとっても物理学者にとっても同様なのです。

ベリがケインブリッジで教授就任講義を行なった前の年〔一九〇二〕にフランスの数学者アン

リ・ポアンカレが『科学と仮説』という小さな本を出版しましたが、これが科学的思考の革命の始まりです。ポアンカレの主張の要は、科学者が表明する一般的命題とは、(それがただの定義や言葉づかいの慣例でないかぎり)さらに考えを具体化したり整えたりするための仮説なのであって、検証、修正、反駁される定めであるというものでした。これはすべて、今では常識となっています。ニュートンの「われ仮説をこしらえるにあらず」という誇らしげな言は、今日では空虚に響きます。科学者も社会科学者も、まだ昔の流儀でいわゆる法則を口にすることはありますが、だからといって一八・一九世紀の科学者ならだれでも信じていたような法則が存在すると今も信じているわけではありません。科学者の発見や新しい知見は、かつてのような精確で包括的

(3) *Thoughts and Details on Scarcity* (1795), in *The Works of Edmund Burke* (1846), IV, 270.［「穀物不足にかんする思索と詳論」永井義雄訳、『世界大思想全集』第二期第一一、河出書房、一九五七］［一七九五年の飢饉にさいして］バークの結論は、「貧民に生活必需品を供給することは、政府の統治権限にもなく、富裕者の富ゆえの権能にもない。生活必需品は神の摂理により一時的に貧民に与えられず留め置かれた」というのであった。

＊3　イベントは日本語では催し・行事だが、ラテン語由来の英語で event はことの成りゆき・出来事であり、哲学や物理学・数学では事象である。

＊4　バックル『イングランド文明史』(一八五七―六一)。影響は福澤諭吉など明治の開明派にもおよんだ。

な法則の立証によってではなく、新しい研究の展望を開くような仮説の表明によってなされると認識されているのです。アメリカの二人の哲学者の著した科学の方法についての標準的な教科書が、科学の方法は「本質的に循環的である」と述べています。

わたしたちは経験的な材料、すなわち「事実」とされるものに依拠して原理の証拠《エヴィデンス》を手にする。そして、原理を基礎にして経験的な材料を選別し、分析し、解釈するのである。(4)

この「循環的」という語は、むしろ「相互作用的」といったほうがよろしいかもしれません。と申しますのは、結果的に同じところに回帰するのではなく、この原理と事実のあいだ、理論と実践のあいだの交互作用のプロセスによって、新しい発見へと進むからです。あらかじめの前提があってこそ科学的思考は可能ですが、すべての思考は、観察にもとづく一定の前提を受けいれて初めて成り立ちます。しかし、その前提も思考によって修正される定めです。こうした仮説は、ある文脈のなかで、ある目的のために有効だとしても、その文脈や目的が変われば無効でしょう。テストはあらゆる場合に経験的なもので、実際に新しい洞察を促し、わたしたちの知識を増すのに有効かどうかにかかっています。

E・ラザフォード［化学・物理学者］の方法について、最近、彼のもっとも優秀な弟子で同僚だった一人が、こう紹介しています。

ラザフォードは原子核反応について、台所でやっていることを説明するのと同じように分かりたいという衝動に駆られていました。彼が求めていたのは、なにか基本法則を用いて理論的に説明するといった古典的なやり方ではなかったと思います。何が起こっているのかが分かれば、良かったのです。[5]

このことは歴史家にもピタリと当てはまります。歴史家はすでに基本法則を追い求めることは断念していますし、ことがどう働くのかを究明できれば十分なのです。

歴史家が究明のプロセスで用いる仮説のステータスは、科学者が用いる仮説のステータスとそっくりに見えます。たとえばマックス・ヴェーバーがプロテスタンティズムと資本主義のあいだの関係を分析した有名な説を見てみましょう。初めはこれを法則と受けとめて歓迎した人もいたかもしれませんが、今日、これを法則と呼ぶ人はいないでしょう。これは仮説であり、「ヴェー

（4）　M. R. Cohen & E. Nagel, *Introduction to Logic and Scientific Method* (1934), p. 596.

（5）　Sir Charles Ellis in *Trinity Review*［トリニティ学寮の学内誌］(Cambridge, Lent Term, 1960), p. 14.

バーが」インスピレーションをえて究明する途中にいくらか修正されて、プロテスタンティズムおよび資本主義という二つの運動についてのわたしたちの理解を確実に広げてくれました。あるいはまた、マルクスの言を例にとりますと、「手まわしの粉ひき場は封建領主のいる社会を生じ、蒸気力の工場は産業資本家のいる社会を生じる」というのがあります。(6) これをマルクス本人はきっと「法則」と言いたかったでしょうが、現代の言葉づかいでは法則ではなく、むしろ研究を深め新しい理解へと導いてくれる実のある仮説です。こうした仮説は思考の道具《ツール》として必要不可欠です。一九〇〇年代初めのよく知られたドイツの経済学者ヴェルナ・ゾンバルト[*5]ですが、マルクス主義を放棄した学者たちを襲った「困惑の感覚」を告白しています。これによると、

かつてわれわれの道案内《ガイド》であった居心地のよい公式を喪失してしまうと、複雑な現実のただなかにあって……事実の大海原のなかで溺《おぼ》れているような感覚である。新しい足場をみつけるか、泳ぎ方を覚えるかするまでは。(7)

歴史における時代区分をめぐる論争が、このカテゴリーに属します。歴史を時代に分けるのは事実ではなく、必要な仮説あるいは思考の道具です。それが有効なのはことに光をあてるかぎりであり、解釈に有効かどうかにかかっています。中世はいつ終わったのかという点で意見を異に

する歴史家は、なにかの事象の解釈が異なるのです。問題は事実の問題ではありませんが、だからといって無意味な問題ではありません。同様にして、歴史を地域史に分けるのは事実ではなく、仮説です。ヨーロッパ史という区分は、ある文脈では有効で実りある仮説でしょうが、別の文脈では過ちをまねき有害です。多くの歴史家がロシアはヨーロッパの一部だと想定していますが、これを強く否認する歴史家もいます。[*6]

歴史家の特別の関心《バイアス》は、その仮説で判断できます。ここで社会科学の方法についてのある全般的な宣言を引用しましょう。それは物理学の教育を受けた偉大な社会科学者、ジョルジュ・ソレル[*7]の言です。ソレルは技術者としての実務経験があり、四〇代になってから社会問題について執

(6) *Marx-Engels Gesamtausgabe*, I, vi, 179.［「哲学の貧困」『マルクス・エンゲルス全集』第四巻、一九六〇］
(7) W. Sombart, *The Quintessence of Capitalism* (1915), p. 354.［『ブルジョワ――近代経済人の精神史』金森誠也訳、講談社学術文庫、二〇一六］
*5　一八六三―一九四一年、ドイツの歴史学派経済学者。近代資本主義、ブルジョワ、労働組合について研究、イギリスの社会主義者とも交流した。
*6　カー自身の議論は、Carr, "Russia and Europe" as a theme of Russian history', in *Essays presented to Sir Lewis Namier* (1956).
*7　一八四七―一九二二年、フランスの社会思想家、社会革命をめざしたサンディカリスト。

筆するようになりましたが、その際には情況のなかの特定の要素を分離する必要を強調しました。単純化しすぎる危険を冒してまでも、です。彼によると、

人は手探りをしながら進むしかない。完璧ではない、部分的な仮説により、暫定的な近似値で可《よし》としながら、試験してみるしかない。それもつねに次から次に修正を容れるドアを開けたままである。(8)

思えば、一九世紀から遥か遠くまで来たものです。一九世紀には科学者もアクトンのような歴史家も、いつしか十分に試験を重ねて立証した事実の集積により、知の総合的体系を確立し、論争の的となっていた問題をきっぱり解決する日を期していたのです。

最近では科学者も歴史家もこれよりずっと謙虚に構えていて、一つの断片的仮説から別の断片的仮説へと少しずつ進み、解釈を介して自分の事実を分離し、その事実によって自分の解釈を検証するのです。こうした仕事の進め方は「科学者も歴史家も」本質的に同じと見えます。第一講で引用しましたバラクラフ教授の言では、歴史とは「じつは事実などころか、むしろ一連の承認されてきた判断《ジャジメント》にすぎないのである」[一六―一七頁]ということでした。わたしがこの講演を準備している折に、ケインブリッジ大学の物理学者がBBCの放送で、科学的真実とは「専門家たち

によって公《おおやけ》に承認されてきた所説《ステイトメント》なのである」と定義されました。[9] この二つの定式はどちらも完璧に十分というわけにはゆかず、その理由は後に客観性の問題を論じるときに述べます。ですが、歴史家と物理学者がそれぞれ別の場面で、同じ問題についてほとんど異口同音に定式化しておられるのは印象的でした。

とはいえ、類比論《アナロジー》はぼんやりさんにとって悪名たかきだましの罠《わな》です[笑]。そこで、たしかに数理科学と自然科学との違い、また数理・自然諸科学の各専門のあいだの違いは大きいのですが、以下ではこうした諸科学と歴史学とのあいだには基本的な違いがあり、この違いゆえに歴史を科学という名で呼ぶことは過ちをまねくといった議論について、十分に敬意を払いつつ考察したいと存じます。またいわゆる社会科学についても同様の議論がありますので、これも考察いたしましょう。それぞれ[科学と歴史を類比することへの]反対論は説得力の強弱はいろいろですが、要点は次のとおりです。⑴歴史は独特《ユニーク》なことを対象とし、科学は一般的なことを対象とする。⑵歴史は教訓を垂《た》れない。⑶歴史は予見不可能である。⑷歴史は人間が人間を考察するものだから、必然的に主観的である。⑸歴史は科学と違って、信仰と倫理の問題と密接に関係している。こ

---

(8)　G. Sorel, *Matériaux d'une théorie du prolétariat* (1919), p. 7.

(9)　Dr. J. Ziman, in *The Listener*, 18 August 1960.

れらの点を順に点検してまいりましょう。

ユニークか、一般か

第一点ですが、歴史は独特《ユニーク》で特殊なことを対象とし、科学は一般的で普遍なことを対象とすると言われています。こうした説はアリストテレスから始まるといってよいでしょう。アリストテレスによれば、詩は歴史よりも「哲学的」で「本格的」である、なぜなら詩は一般的真理にかかわり、歴史は特殊にかかわるものだから、というのでした。[10] その後の一群の著者たちは、はてはコリンウッドにいたるまで、[11] 科学と歴史について類似の区別をしてきました。これは誤解にもとづくと思われます。［むしろ］ホッブズの有名な言が今も有効で、「この世のなかで普遍的なのは名称だけである。というのは、名付けられた事物はといえば、一つ一つすべて個別で独特なのだから」というのです。[12] このことは物理諸科学でもしっかり当てはまります。どんな地質学的地層も、同種のどんな動物も、どんな原子も、同一のものは二つとないのです。同様にして、歴史的事象で同一のものは二つとないのです。しかし、歴史的事象はあくまでユニークだと言いはると、「あらゆるものはそれ自身であり、別ものではない」といったありきたりの決まり文句と同じようなマヒ効果があります。この決まり文句は［一八世紀の］バトラ主教から［二〇世紀の］G・E・ム

[*8]ーアに継承され、一時はとりわけ言語哲学者のごひいきでした。この道行を進むと、やがて哲学的な涅槃《ねはん》の境地、大事なことはなにも言葉にはならないといった境地に到達します。

言葉を使うこと自体が、歴史家の場合も科学者の場合も、一般化に身をゆだねることになります。ペロポネソス戦争と第二次世界大戦はまったく別もので、それぞれユニークでした。それでも歴史家は両方を戦争と呼びます。それに異をとなえるのは屁理屈者《へりくつ》だけでしょう。ギボンはコンスタンティヌス帝によるキリスト教の公認とイスラームの興隆の両方を革命と呼びましたが、[13]そのとき彼は二つのユニークな出来事を一般化したのです。近現代史家はイギリス革命、フランス革命、ロシア革命、中国革命について述べるときに同じことをやっています。本当のところ、歴史家はユニークなこと自体に興味関心があるのではなく、ユニークのなかの一般性に興味関心

(10) [Aristotle,] *Poetics*, ch. ix.［「詩学」朴一功訳、『新版 アリストテレス全集』第一八巻、岩波書店、二〇一七］

(11) R. G. Collingwood, *Historical Imagination* (1935), p. 5.

(12) [Hobbes,] *Leviathan*, I, chap. 4.［『リヴァイアサン』第一巻、水田洋訳、岩波文庫、一九九二］

(13) [Gibbon,] *Decline and Fall of the Roman Empire*, chap. 20, chap. 50.［『ローマ帝国衰亡史』第三巻、中野好夫訳、第八巻、中野好之訳］

＊8　カーもよく知るトリニティ学寮の倫理学者・分析哲学者。「自叙伝」三一六頁を参照。

があるのです。

第一次世界大戦の原因についての歴史家の議論は、一九二〇年代にはたいてい、外交官が世論に制約されずに進めた秘密外交の不始末か、世界が領域主権国家に分立していた不幸か、そのどちらかの想定によって行なわれました。一九三〇年代になると、衰退する資本主義の矛盾をかかえて世界分割へと駆られていった帝国主義列強のあいだの対立によるという想定にもとづいて議論されました。どの議論もすべて戦争原因についての一般化、あるいはせいぜい二〇世紀の諸条件のもとの戦争原因についての一般化をともないます。歴史家はつねに一般化によって証拠を検証します。もし［一四八三年に］リチャード三世がロンドン塔の王子たちを謀殺したかどうか明らかな証拠がないならば、歴史家は――意識的でなく無意識にかもしれませんが――中世の権力者にとって、王位の継承資格をもつライヴァルを消すことが習性となっていたかどうか自問するでしょう。その判断は、当然ながらこの一般化に影響されます。

歴史の読み手は、歴史の書き手と同じように、くりかえし一般化して、歴史家の考察を他のよく知っている歴史的文脈に当てはめたり、あるいは自分の事情に当てはめたりしています。カーライルの『フランス革命史』を読むときに、わたしは彼のコメントをくりかえし一般化して、自分のロシア革命についての専門的関心に当てはめているのに気付きます。たとえば恐怖政治《テロル》については、従来、公正な裁きの行なわれていた地においては恐ろしいことだが、公正な裁きの行なわれたことのない地においては異常というほどでもない。

あるいはもっと重大ですが、こうです。

この時期の歴史が概してヒステリックに書かれてきたのはまことに自然かもしれないが、不幸なことである。誇張、ののしり、悲嘆が一杯で、全体に暗さが支配する。(14)

いま一つ、ブルクハルトが一六世紀における近世国家の成長について述べているところですが、

権力の樹立から間もなければ間もないほど、権力は安定しがたい。その理由は第一に、その権力を樹立した者はすみやかに次の動きに移ることに習熟していて、本質的な革新者であり続けるだろうから。第二に、その権力者が呼び起こした兵力、あるいは服従させた兵力を雇

(14)　[Carlyle,] *The French Revolution*, I, v, chap. 9; III, i, chap. 1.

用するには、さらなる実力行使に移るしかないからである。(15)

一般化は歴史とは異質で馴染まないというのは、ナンセンスです。歴史は一般化によって育ち栄えるのです。『新版 ケインブリッジ近代史』の第二巻でエルトン氏[*9]が上手に表現しておられますが、「歴史家と歴史的事実の収集家《コレクター》との違いは、歴史家が一般化する点にある。(16)」さらに、もし自然科学者と、博物愛好家や標本収集家との違いについても同様であると加筆していれば、完璧だったでしょうに。とはいえ、一般化により壮大な歴史の構造体《スキーム》がつくられて、そこに個々の事象が当てはめられるとかいうことを想定してはなりません。マルクスはしばしばこうした構造体をつくったとか、信じていたといって責められる一人ですが、要約のために、彼の手紙の一つから引用して、問題を正しい見通し図のなかに位置づけておきましょう。

きわめて類似する事象が別々の歴史的な環境《ミリュ》で起きて、まったく違う結果を生じることがある。こうしたことの経過はそれぞれ別個に研究し、それから両者を比較することにより、この類似現象を理解する鍵を見つけることが容易となる。しかしながら、なにか歴史を超越してそそり立つ歴史=哲学理論のマスターキーのようなものを用いてそうした理解に到達しようとしても、絶対に不可能である。(17)

歴史学の問題関心は、ユニークと一般との関係です。いやしくも歴史家であれば、二つを引き離したり、どちらかが他方より優位だと考えたりはできません。それは、事実と解釈を引き離すのが不可能なのと同じです。

ここで歴史学と社会学の関係について一言申しておきましょうか。現在の社会学は二つの対照的な危険、一つは超理論的になる危険、もう一つは超経験的になる危険に直面しています。第一は、自己を見失って、社会一般についての抽象的で無意味な一般化に陥る危険です。大文字の社

(15)　Burckhardt, *Judgements on History and Historians* (1959), p. 34.
(16)　[G. Elton in] *Cambridge Modern History*, II (1958), 20.
(17)　Marx and Engles, *Works* (ロシア語版), XV, 378. 初出は一八七七年、ロシアの雑誌『祖国雑記』。[『マルクス・エンゲルス全集』第一九巻、一九六八年、一一七頁、補註n] ポパー教授は彼のいわゆる「歴史主義の中心的な誤り」とマルクスを結びつけたいようである。*The Poverty of Historicism* (1957), pp. 128–9. [『歴史主義の貧困』久野収・市井三郎訳、中央公論社、一九六一] この中心的な誤りとは、歴史的傾向や動向は「即、普遍的法則だけから直接に派生しうる」という信念のことらしいが、これぞまさしくマルクスが否認したことである。
＊9　ジェフリ・エルトン(一九二一—九四)はドイツの学者一家エーレンベルクの子で、ナチスに追われイギリスに移住し、改名した自由保守主義の歴史家。後にケインブリッジ大学の歴史学欽定講座教授。

会という誤謬《ごびゅう》は、大文字の歴史という誤謬と同じくらい危うい。こうした危険は、歴史に記録されたユニークな事象から一般化することだけを社会学の任務と考えるような学者によって、今にも完成しそうです。社会学は「法則」をもっている点で歴史学とは異なると示唆する説さえあります[18]。第二の危険については、カール・マンハイムがすでに一世代前に予見したことで、今ではほとんど現状になってしまいましたが、社会学が社会の立て直しにともなう個々ばらばらのテクニカルな諸問題へと分裂してしまった状態です[19]。社会学の問題関心は歴史的な社会、すなわち特定の歴史的先行形態および条件によって形成されたユニークな社会にあります。しかし、みずからいわゆる「テクニカル」な数値の集計と分析に自己限定して、一般化と解釈を回避するならば、それは静態的な社会を無意識のうちに弁護する御用学者になることに他なりません。

　社会学は、実りある研究領域となるためには、歴史学と同じようにユニークと一般の関係にかかわらねばなりません。また同時に動態的《ダイナミック》にならねばなりません。——静止した社会(そんなものは実在しません)ではなく、社会の変動と発達を研究することです。付け加えるなら、歴史学は社会学的になればなるほど、社会学は歴史学的になればなるほど、両者にとって良いことでしょう。歴史学と社会学のあいだの境界領域《フロンティア》は、双方向の交通のために広く開けておきましょう。

歴史の教訓

さて、一般化の問題は、第二の問題、歴史の教訓と密接につながっています。一般化の本当のポイントは、一般化によって歴史から学び、一連の事象の教訓を次の一連の事象に応用しようと試みることです。一般化するとき、意識してか無意識にか、わたしたちはそうしようとしていま

(18)　これがポパー教授の見解と見える。*The Open Society* [*and its Enemies*] (2nd ed., 1952), II, 322. 〔『開かれた社会とその敵　第二部　予言の大潮――ヘーゲル、マルクスとその余波』内田詔夫・小河原誠訳、未來社、一九八〇〕不運なことに、彼が例示している社会学的な法則は、「思想の自由、思想の往来の自由が法制度および公共の討論を保障する諸制度によって有効に守られているところでは、科学的進歩が見られる」というのであった。これは一九四二・四三年に執筆され、明らかに西側の民主主義国がその制度的優位ゆえに科学的進歩の先頭に立ち続けるだろうといった信念からインスピレーションをえていた。こうした信念はその後ソ連における発展により一掃されたか、重大な修正をこうむることになった。法則どころか、一般化としてさえ無効であった。〔一九五〇年代には核兵器開発に続くスプートニク打ち上げなど、科学技術におけるソ連の進捗は著しい。〕

(19)　K. Mannheim, *Ideology and Utopia* (1936), p. 228. 〔『イデオロギーとユートピア』高橋徹・徳永恂訳、中央公論新社、二〇〇六〕

す。一般化を拒絶し、歴史学とはユニークなことだけにかかわるのだと言いはる方々は、論理的な結論として、歴史から学べることはないと言っておられるのです。しかし、人は歴史から何も学ばないという言い草は、数多《あまた》の現実に反しています。歴史から学ぶという経験ほどありふれた経験はありません。

一九一九年のことですが、わたしはパリの講和会議にイギリス代表団の下級職員として出席しておりました。この代表団は全員、ウィーン会議[一八一四―一五]、あの一〇〇年前のヨーロッパの大講和会議の教訓から学べると信じていました。当時は陸軍省勤務のウェブスタ大尉、現在はサー・チャールズ・ウェブスタ[*10]で立派な歴史家ですが、その彼がウィーン会議の教訓は何かという文章をまとめて、わたしたちに伝授されました。そのうち二点を記憶しております。一つは、ヨーロッパの国境線を書き換えるとして当事者自決の原則をないがしろにするのは危険だということ。もう一つは、機密の案文をクズ箱に捨てるのは危険だということで、その紙クズはどこか他の代表団の諜報機関によって買い取られるに違いないというのでした。こうした歴史の教訓は福音のようにしっかり受けとめられ、わたしたちの言動は慎重になりました。この例は最近のことですし、些末ですかね[笑]。

しかし、もうすこし遠い歴史において、さらに遠隔の過去の教訓がおよぼした影響を明らかにすることは容易でしょう。古代ギリシアがローマにおよぼした強い影響については、だれでもご存知です。ですが、ローマ人がギリシア人の歴史から学んだ教訓、あるいは学んだと信じた教訓を精確に分析しようとした歴史家はいるのでしょうか。また西ヨーロッパの一七・一八・一九世紀において旧約聖書の歴史から引用された教訓の数々を精査したなら、かなり良い成果が得られるのではないでしょうか。イングランドのピューリタン革命を十分に理解するにはそのことは省けないでしょうし、「選ばれた民」という概念は近代ナショナリズムの興隆における重要な要因でした。古典教育の刻印は、一九世紀イギリスの新興の支配階級にしっかり刻まれていました。[*11] 先にも触れたグロート[五三頁]ですが、新しい民主主義の模範としてアテネを指し示しました。さらにはローマ帝国の歴史からイギリス帝国の建設者たちへと、意識的・無意識的に伝授された広汎で重要な教訓を明らかにした研究を見たいものです。わたしの専門領域ですと、ロシア革命を担った人々は、フランス革命、一八四八年の諸革命、一八七一年のパリ＝コミューンの教訓から深く影響をうけていました。というより、その教訓がほとんど強迫観念になっていたと申すべ

＊10　チャールズ・ウェブスタは講和会議後にウェールズ大学の国際政治学教授(一九二二―三二)、そしてカーの教授選考委員会(一九三五―三六)の委員であった。

＊11　古典学ではギリシア・ローマのテクストを読み、その哲学・歴史・文学を学んだ。「長い一九世紀」の首相R・ピール、W・グラッドストン、H・アスクィスはいずれも貴族でなく、ブルジョワ出身、オクスフォード大学で古典学を修め首席で卒業した。ピールとグラッドストンは数学も首席であった。

きでしょうか。

とはいえ、ここでは歴史学の二重の性格によって課される属性を想い起こしておきましょう。歴史から学ぶというのは、けっして単純に一方向のプロセスではありません。過去の光に照らして現在について学ぶというのは、同時に現在の光に照らして過去について学ぶということです。歴史学の働きとは、過去と現在の相互関係を通して、過去と現在の両方の理解をさらに深めてゆく促進作用なのです［八六頁］。

歴史と予言

第三点は、歴史における予言という役割です。歴史から教訓を学べない理由は、科学と違って未来を予測できないからだと言われています。この問題は、入り組んだ誤解の経糸《たて》緯糸《よこ》に織りこまれています。すでに見ましたとおり、今日の科学者はかつてほど熱心には自然の法則について語りません。わたしたちの日常生活にかかわる、いわゆる科学の法則とは、じつのところ、傾向性についての所説、「他の条件が一定なら、あるいは実験室の条件においてなら、次に何が起こるだろう」という所説なのです。その所説は、具体的な場面で次に何が起こるかを予言するものではありません。重力の法則があるからといって、他ならぬあのリンゴが地面に落ちることが立証されるわけではありません。だれかが籠《かご》で受けとめるかもしれませんしね［笑］。光学の法則で光はまっすぐ進むといっても、特定の光線が、中間の何かで屈折したり分散したりしないと立証するわけではありません。しかし、だからといって、こうした法則に価値がないとか、原理として無効だとかいうことにはなりません。現代の物理学理論があつかうのはただ事象の起こる蓋然《がいぜん》性だけである、と伺っています。今日の科学は、帰納法が論理的に導けるのは蓋然性あるいは合理的な信念までにすぎない、と心に留める傾向にあり、またある命題を表明するとしても、それは一般的なルールないし道案内《ガイド》としてあつかい、その有効性は特定の行動においてのみ検証される、というように考えます。「科学あってこその予測、予測あってこその行動」と［科学哲学者］コントも申しました[20]。

歴史における予言という問題の鍵は、この一般と特殊、普遍とユニークの区別にあります。見てきましたとおり、歴史家は一般化するほかないのですが、一般化して初めて歴史家は将来の行動に一般的な道案内をもたらします。これは特定の予言ではなくとも、有効で役立つのです。たしかに歴史家は特定の事象を予言することはできません。なぜなら特定のことはユニークですし、偶然の要素が入りこむからです。この区別は哲学者をわずらわせるかもしれませんが、ふつ

(20)　［Comte,］*Cours de philosophie positive*, I, 51.

うの人にはまったく明快です。かりに学校で二、三人の子どもが麻疹《はしか》にかかったとすると、この感染症が広がるだろうと人は推論するでしょう。これを予言と呼ぶなら、この予言は過去の経験からの一般化にもとづき、有効で役立つ行動の指針です。とはいえ、特定の子、チャールズとかメアリとかが麻疹にかかるかどうかの予言はできません。[*12] 歴史家は同じようなことをしているのです。

人が歴史家に期待しているのは、来月にルリタニア［ヨーロッパの仮想国］で革命が勃発するといった予言ではありません。人が期待するのは、ルリタニア事情の特定の知識、そして歴史の研究によって、ルリタニアの情況は緊迫しており、だれかが触発したならば、あるいは政府側でなにか対策を講じないならば、近い将来に革命が起こりそうだ、といった推論です。こうした推論に付随して、他の革命からの類推にもよりながら、住民の各セクターごとに示すだろうさまざまの反応についての予想もあるかもしれません。これを予言と言えるなら、ユニークなことの成りゆきによってのみ実現するのですが、そうしたユニークな成りゆき自体は予言できないのです。しかし、だからといって、歴史から引き出される未来についての推理は価値がないとか、そうした推理は行動の指針として、またことがどうなるかを理解する鍵として、条件つきの有効性さえないというわけではありません。

わたしは社会科学者や歴史家による推理が、精確さという点で物理科学者の推理とならぶほどだとか、あるいはこの点で社会科学者や歴史家が劣っているとしたら、それはただ社会科学の大いなる後進性のためだとか言いたいのではありません。人間とはいかなる観点から見ても、わたしたちの知るもっとも多くの要素の複合からなる存在であり、その言動の研究は、物理科学者が取り組んでいる難題とは異質の難題をともなうことでしょう。ただ、わたしがはっきりさせておきたいのは、両者の目的と方法は根本的にはあまり違わないということです。

主体と客体

第四点では、歴史を含む社会科学と物理諸科学のあいだに境界線を引こうとする、はるかに力強い議論について考えます。社会科学においては主体と客体は同じカテゴリーに属し、相互に作用しあうという議論です。人間とはもっとも複合的で多様な存在ですが、それだけでなく、その研究をするのは、種の違う別個の観察者ではなく同じ人間なのです。この場合、人間は生物科学におけるように人間の身体の構成や反応を研究するだけでは満足しません。社会学者も経済学者も歴史家も、意志が働いている人間の言動のいろいろな形に深く入りこんで、研究対象である人

＊12　二七七―二七八頁、火山噴火の予知についてのヴァイスコップ説を参照。

間がこのように行動しようと意欲したのはなぜか、突きとめないとなりません。これにより、歴史学および社会諸科学に特有のことですが、観察者と観察対象とのあいだの関係が立ちあがります。歴史家の観点が、考察のあらゆる局面で入りこみ消しようもありません。歴史には最初から最後まで相対性が付きまとうのです。あのカール・マンハイムも、「経験から組みこまれ、収集され、整序されたカテゴリーでさえ、観察者の社会的立場いかんによって異なるものである[21]」と述べています。

しかし、社会科学者の特別の関心《バイアス》がその観察のプロセスに必然的に入りこむというのは真実ですが、それには留まらず、さらに観察のプロセスが、観察対象に影響して修正を生じることもあります。しかもこれは二つの、逆の方向で生じる可能性があります。その言動が分析と予測の対象となった人間は、前もって不都合な結果が予測されると警告されたなら、それにより行動を修正するように誘導されて、その結果、いかに正確な分析にもとづくものだったとしても、予測が裏切られることもあります。歴史を意識している人々のあいだで歴史がめったにくりかえさない理由の一つは、登場人物たちが二回目の演技にあたって一回目の公演の大団円のことを意識して、それにより行動が影響をうけるからです[22]。［ロシア革命において］ボリシェヴィキはフランス革命がナポレオン［の軍人独裁］に結着したことをよく知っていて、ロシア革命も同じような結着にならないかと恐れていました。だからこそボリシェヴィキは、党の指導者のなかで一番ナポレオンに似ていたトロツキーに不信をいだき、ナポレオンのイメージから一番遠いスターリンに信をおいたのです。

とはいえ、このプロセスは反対の方向にも作用します。現実の経済状態について科学的に分析して好況や不況の到来を予測する経済学者が、もし大きな権威をもち議論が力強いならば、彼の予測だという事実によって、そのとおり好況や不況が生じる一因となるかもしれません。あるいは政治学者が歴史的考察を理由に専制政治は短命だという確信を募らせるならば、専制君主が失脚する一因となるかもしれません。みなさんご存じのとおり、選挙における候補者はみずからの勝利を予言して、意図的にその予言が実現しやすくなるようにふるまいます。あるいは、経済学者や政治学者や歴史家があえて予言する気になるのは、無意識のうちにその予言のすみやかな実現を願望してのことかもしれないとさえ疑われます。こうした多くの要素の複合からなる関係について確実に言えるのはせいぜい、観察者と観察される現象のあいだの相互作用、社会科学者とそのデータのあいだの相互作用、歴史家とその事実のあいだの相互作用は、連続的であり連続的

(21) Mannheim, *Ideology and Utopia* (1936), p. 130.

(22) この議論は[Carr,] *The Bolshevik Revolution, 1917–1923*, I (1950), 42で展開した。[『ボリシェヴィキ革命 一九一七―一九二三』第一巻、原田三郎・田中菊次・服部文男訳、みすず書房、一九六七]

に変化するということです。そしてこうした相互作用の連続性こそ、歴史学および社会科学の特徴のように見えます。

ここで指摘しておくべきかもしれませんが、近年の物理学者がその学問について、物理的宇宙と歴史家の世界との類似性をきわだたせるような口ぶりで語ることがあります。まず第一に、物理学の研究結果は不確実性、未確定性をはらむということです。歴史におけるいわゆる決定論の性格と限界については、次の第四講でお話しします。はたして現代物理学における未確定性なるものは、宇宙の本質に備わったものなのか、それともわたしたち自身の宇宙の理解が今のところ完全でないがゆえの指標にすぎないのか(この点は目下論争中です)。いずれにしてもわたしは、宇宙の未確定性といった点に、わたしたちの歴史的な予測能力との類似性をみようとする見方は疑わしいと思っていまして、これは、二、三年前に、さる熱狂的な人々が宇宙の未確定性は宇宙における自由意志の働きの証《あかし》であると見なそうとした試みが疑わしかったのと同じです。

第二に、現代物理学[の相対性理論]においては空間の距離と時間の経過は「観察者」の動きに応じて尺度が変わると伺っております。現代物理学においては「観察者」と「観察対象」のあいだに一定不変の関係を確定することが不可能なので、あらゆる計測は固有の変化に左右される。観察者と観察対象はともに――すなわち主体と客体はともに――観察の最終結果にまで入りこむのです。しかし、たしかにこうした叙述はほんの少し変更を加えれば、歴史家とその考察対象のあいだの関係にも当てはまるでしょうが、だからといって、こうした関係のエッセンスが本当の意味で物理学者とその宇宙との関係性と比較可能だとまでは得心しておりません。原則としてわたしの問題関心は、歴史家のアプローチと科学者のアプローチの違いを増幅するのでなく縮小させたいということなのですが、それにしても不完全な類比論によりその違いをごまかしてしまおうというのはよろしくありません。

たしかに社会科学者ないし歴史家とその研究対象の親密関係は、物理科学者の場合とは性格が異なるし、さらに主体と客体の関係によって生じる問題は無限に複雑ですが、それでことが尽きるのではありません。一七・一八・一九世紀を通じて支配的だった古典的な知の理論はすべて、知る主体と知られる客体のあいだの明白な二分論をとっていました。プロセスのいかんにかかわらず、哲学者の作ったモデルでは主体と客体、人間と外なる世界は別々でした。科学が誕生し発達した偉大な時代でしたから、知の理論も科学の先駆者たちの考え方に強く影響されたのです。人間は外なる世界とはっきり対立させられました。人間は外なる世界を御《ぎょ》しがたい、敵性の存在のようにあつかいました。御しがたいというのは理解が容易ではなかったから、敵性というのは意のままに支配できなかったからです。

現代科学の成功によって、こうした見解は根本的に修正されました。今日の科学者は自然の諸力を、戦うべき敵というよりは協力すべき相手、御して味方につけるべきものと考えています。

知の古典理論は新しい科学に適合せず、とりわけ物理科学には全然ダメです。この五〇年間ほど哲学者は知の古典理論を疑問に付し、知のプロセスは主体と客体を峻別するのでなく、ある程度、両者の相互関係、相互依存をともなうということを認め始めています。このことは社会科学にとりきわめて重要です。第一講で申しましたが、歴史研究は伝統的な知の経験論とうまく共存できませんでした。さらにここでは社会科学全体が、――人間が主体であり客体でもあり、同時に研究者であり研究対象でもあるものですから――主客を峻別するよう宣言するような知の理論とは全然両立できないということを論じることにしましょう。

社会学は、みずから一個の体系的な学問として確立すべく、「知の社会学」という分野を立ち上げました。じつに正当なことです。しかし、その確立は未《いま》だしです。思うにおもな理由は、伝統的な知の理論の檻《おり》のなかをぐるぐる巡っているだけだからです。もし哲学者が、まずは現代の物理科学のインパクトにより、ついで現代の社会科学のインパクトにより、いま伝統的な檻を打ち破り、与件が受け手の意識にインパクトを与えて云々《うんぬん》といった古い玉突き《ビリヤード》モデルではなく、最新の知のプロセスのモデルを構築し始めているとしたら、それは社会科学にとっても、とりわけ歴史学にとっても良い兆《きざ》しです。この点は重要ですので、のちに歴史における客観性について考えるときに戻ってくることにしましょう[第五講]。

信仰と倫理

第五点として論じるのは、これまで以上に重要な点かもしれません。歴史学は信仰および倫理という問題と密接不可分なので、それゆえ科学一般と、さらには他の社会科学とも違うという考え方です。歴史と信仰の関係について、わたし自身の立場をはっきりさせるのに必要な、わずかな点だけを申します。本格的な天文学者であることと、宇宙を創造し秩序づけた神を信じることとは、矛盾しません。しかし、その神が勝手気ままに介入して惑星の軌道を変え、日月食「の日時」を延期し、宇宙のゲーム規則を変えてしまうような神だとすると、矛盾します。これと同様に、次のように言われることもあります。本格的な歴史家は、歴史全体のコースを定め、意味を与えた神ならば信じてもよいが、しかし旧約聖書の神のように、アマレク人の殺戮に介入してきたり、ヨシュアの軍が有利になるように暦をあざむき日照時間を延伸してしまうような神を信じることは不可能である。[*13] ましてや、特定の歴史的事象の説明に神をもち出すといったことはできない、と。ダーシ神父［イエズス会士］が最近の本で、こうした区別を試みています。

＊13　旧約「出エジプト記」「ヨシュア記」などで語られる逸話。

研究者が歴史のあらゆる問いに答えるにあたって、それは神のみわざであったというのは、通用しない。世俗の出来事、人間のドラマを可能なかぎりまで説明し終わってようやく、より大きな［神の］熟慮をもち出すことが許される。(23)

こうした見解がやっかいなのは、信仰をあたかもトランプ・カードのジョーカーのように、ふだんは使ってはならず、最後の本当に重要な策まで取っておく札のようにあつかっている点です。ルター派の神学者カール・バルトのほうがまだましで、彼は神の歴史と世俗の歴史を全面的にはっきり区別して、世俗の歴史は世俗の人にゆだねたのです。バタフィールド教授もまた、もしわたしが理解できているならですが、「テクニカルな」歴史とおっしゃる場合には同じことを意味しておられるようです。[*14] いったいテクニカルでない類《たぐい》の歴史を、みなさんもわたしも書くことがあるのか、また教授ご本人も書いたことがおありなのか。むしろ、この［テクニカルな歴史という］奇妙な表現によって彼は深遠な摂理の歴史を信じる権利を保留なさっていまして、そこに入ってゆけないわたしたちは放念するほかないのでしょうか［笑］。ベルジャーエフ、ニーバー、マリタンといった方たちは、それぞれ歴史の自律性をとなえましたが、しかし彼らは歴史の目的やゴールは歴史の外にあると強く主張しました。[*15]

個人的に申しましてわたしの場合、歴史学の規範となんらか超歴史的な力を信じることの二つを矛盾なく両立させるのは難しい。その超歴史的な力とは、選ばれた［イスラエルの］民の神でも、クリスチャンの神でも、理神論の見えざる手でも、ヘーゲルの世界精神でも同じことで、そこに歴史の意味と重みがかかっているわけです。今回の連続講演の目的からしまして、歴史家は土壇場に突然現れる救世主《デウス・エクス・マキナ》の類に頼ることなく問題を解決すべし、つまり、歴史学とはいわばジョーカー札なしでやるカードゲームであるという前提でお話を進めてまいります［笑］。

さて、歴史と倫理の関係はもっと込み入っていて、この点の議論は、従来いろいろ曖昧《あいまい》なところを残しています。今日では、歴史家が話題にしている人物の私生活について倫理的判断をくだ

---

(23)　M. C. D'Arcy, *The Sense of History: Secular and Sacred* (1959), p. 164. ダーシ神父の二〇〇〇年前にはポリュビオスがこう述べていた。「出来事の原因を見いだすことが可能なかぎり、神々に頼ってはならない。」K. von Fritz, *The Theory of the Mixed Constitution in Antiquity* (N.Y., 1954), p. 390 からの重引。

＊14　バタフィールドは「歴史における神」を信じる福音主義者で、「学問的」歴史学を technical history と称した。K. C. Sewell, *Herbert Butterfield and the Interpretation of History* (2005), pp. 1–15.

＊15　N・A・ベルジャーエフはロシア生まれの宗教的実存主義者、革命後ベルリン、パリで活躍。ニーバー兄弟（ラインホルド、リチャード）は合衆国のプロテスタント神学者。ジャック・マリタンはフランスのカトリック神学者。いずれも歴史の究極に神を登場させる。第五講一八三頁。

す必要はないということは、論じるまでもないでしょう。歴史家の立場と道徳家の立場は異なります。［一六世紀の］ヘンリ八世が悪い夫で良い国王だったとして、歴史家がその悪い夫という側面に興味関心をもつのは、ただ歴史的事象に影響をおよぼしたかぎりでです。もしヘンリ八世の倫理的欠陥が、［一二世紀の］ヘンリ二世の欠陥と同じく、公事［政治］におよぼした影響がわずかであるなら、歴史家はそうした欠陥は考慮しなくてよいでしょう。[*16] これは欠陥についても長所についても同じことです。聞くところでは、パストゥールもアインシュタインも模範的な、聖者にも近い、私生活を送ったとのことです。しかし、かりに彼らが不実な夫、冷酷な父、破廉恥な同僚だったとして、その歴史的な業績は損なわれるのでしょうか。歴史家の心を捉えるのは歴史的業績のほうです。スターリンの二度目の妻にたいする態度は冷たく残虐だったと伝えられます。しかし、わたしはソヴィエト事情の歴史家ですから、そうしたことにあまり問題関心はありません。だからといって私生活の倫理はどうでもいいとか、倫理の歴史は歴史学の正当な領域ではないとかいうのではありません。むしろ、歴史家はその書物に登場する人物の私生活について、本題からそれてまで倫理的判断を公言したりはしない、歴史家には他になすべき仕事があるということです。[*17]

もっと深刻な錯誤は、公的な行動にたいする倫理的判断について生じます。登場人物にたいして倫理的な判断をくだすことが歴史家の責務だといった信念はずいぶん前から存在しましたが、これは一九世紀イギリスでとくに強くなりました。倫理的教訓を垂れたがる時代で、個人主義の崇拝《カルト》もきわまっていました。ローズベリ伯〔自由党の外相、首相〕によれば、イングランド人がナポレオンについて知りたかったのは、彼が「善人」だったかどうかでした。(24) アクトンがクライトン*18にあてた手紙で明らかにしたところでは、「倫理規範の厳しさこそが、〔大文字の〕歴史の権威、尊厳、有用性の秘訣であります。」アクトンはなお続けて、歴史は「論争の調停人、さまよう者の道案内となり、倫理基準の守護者となるべきであります。現世の権力、聖界の権力がともにこの倫理基準をたえず引き下げようとしている昨今であればこそ、なおさらであります(25)」というのでした。こうした見解は、アクトン自身が歴史的事実の客観性と優位性によせたほとんど神秘的な信念にもとづいておりましたし、これこそ一種の超歴史的な力としての大文字の歴史の名により、

---

(24) Rosebery, *Napoleon: The Last Phase* [1900], p. 364.

(25) Acton, *Historical Essays and Studies* (1907), p. 505.

＊16 中世のヘンリ二世も、近世のヘンリ八世も(妃、子どもを含めて)イングランド史・ヨーロッパ史においてきわめて重要な存在であった。『イギリス史10講』四六―五〇、八一―九〇頁。

＊17 カーがここで述べていることは、私生活を考えあわせると峻厳なものがある。補註m。

＊18 マンデル・クライトン(クレイトン)(一八四三―一九〇一)はケインブリッジ大学の教会史教授で、アクトンとともに一八八六年、専門誌 *The English Historical Review* の創刊に尽力した。のちにロンドン主教。

歴史の事象に参加する諸個人に倫理的判決を言いわたすよう歴史家に要請し、その資格を与えたのでしょう。

こうした姿勢は、今日でも時に予想外の形で再現します。トインビー教授は一九三五年、ムッソリーニのアビシニア侵略について「人格にかかわる故意の罪」であると述べました。[26] サー・アイザイア・バーリンは前にも引用しました論文『歴史的必然性』で、「シャルルマーニュも、ナポレオンも、チンギスカンも、ヒトラーも、スターリンも、それぞれの虐殺について裁くのが」歴史家の責務であると熱烈に主張されます。[27] こうした見解をすでに十分に論破なさっているのはノウルズ教授で、［一九五五年、ケインブリッジ大学の歴史学］欽定講座就任講演において［一九世紀の］歴史家Ｊ・Ｌ・モトリとＷ・スタッブズを引用して批判しています。モトリの場合は［一六世紀スペインの］フェリーペ二世について、「数ある悪行のうちフェリーペが逃れていたものがあるとしたら、その理由は、人間はその性行として悪行においても完璧にまで達することはかなわないからである」と非難したのでした。またスタッブズの場合は［一二・一三世紀イングランドの］ジョン王について「人間を汚しうるあらゆる罪にまみれていた」と形容したのでした。しかし、ノウルズ教授によれば、どちらも個人にたいする倫理的判定の例ですが、歴史家が言明すべき権限の外にあるとして、こう言います。「歴史家は裁判官ではない。ましてや絞首刑をくだす裁判官ではない。[28]」

[*19]

ところでクローチェもまたこの点について、みごとに表現していますので、引用しますと、

［歴史的人物への］非難は、今日の裁判（司法の法廷であれ、倫理の法廷であれ）と歴史的な裁判との大きな違いを忘れている。今日の裁判は生きて活動し危険な人物を裁くための法廷であり、歴史的な人物はすでにその時代の法廷に出廷したのだから、二度も罪を追及されたり

（26）［Toynbee in］*Survey of International Affairs*, 1935, II, 3.

（27）I. Berlin, *Historical Inevitability*, pp. 76–77.［*Liberty* (2002), pp. 20–21, 163.「歴史の必然性」『自由論』］サー・アイザイアの姿勢は、あの一九世紀の断乎たる保守の法学者フィッジェイムズ・スティーヴンの見解を想起させる。いわく「かくして刑法は犯罪者を憎むのが倫理的に正しいという原理のうえに成り立つ。……犯罪者が憎まれるのは大いに望ましいことで、彼らにたいする刑罰はそうした憎悪を表現すべく工夫され、健全な自然の感情を表現し充《み》たすべき公共の手段が憎悪を正当化し奨励するのが望ましい。」*A History of the Criminal Law of England* (1883), II, 81–82, quoted in L. Radzinowicz, *Sir James Fitzjames Stephen* (1957), p. 30. こうした見解は今では犯罪学者のあいだで広く共有されてはいない。しかしわたしがここで難じているのは、こうした見解が他の領域での有効・無効にかかわらず、歴史の審判としては不適格だからである。

（28）D. Knowles, *The Historian and Character* (1955), pp. 4–5, 12, 19.

＊19　オクスフォード大学歴史学欽定講座教授、のちに国教会主教。八—九頁に既出。

赦《ゆる》されたりはできない。彼らが今日のいかなる法廷でも責任追及されえない理由は、彼らが過去の人物であり、過去の平和秩序に属し、それゆえ歴史の題材であるから、彼らの行為の精神にまで入りこみ理解している判決以外のいかなるものにも服しえないからである。……歴史叙述にさいして裁判官然として、こちらは有罪宣告、あちらは罪の赦免といったぐあいに精を出すのが歴史家の職務だと考えているような人は……一般に歴史感覚を欠いていると認定される(29)。

わたしたち歴史家の仕事は、ヒトラーやスターリンにたいして——さらにお好みならマッカーシ上院議員[*20]にたいしても——倫理的判決をくだすことではないと申しましたら、そうした説をとがめる人があるかもしれません。その理由は、彼らはわたしたちの多くの同時代人であり、彼らの行動により直接間接に苦難をこうむった何十万という方々がまだ存命だからですし、まさしくそのために、歴史家として彼らにアプローチしつつ、彼らのやった行為について判決をくだす資格を放棄するのは難しいからです。これこそ現代史家を困惑させる一つの問題、いや第一の問題であります。シャルルマーニュやナポレオンについてであれば、彼らの罪をあげつらったところで、今日だれかが得をするでしょうか。

そのようなわけで、絞首刑判決をくだす裁判官としての歴史家といった考えは捨てて、もっと難しいがもっと有益な問題に移りましょう。すなわち倫理的判決をくだすにしても、過去の個人でなく、過去の事象、制度、政策にたいしてくだすのはどうかという問題です。これぞ歴史家の重要な判決なのです。そして個人にたいする倫理的非難を強く言いはる人々は、時に無意識に集団全体、社会全体にたいしてアリバイを与えてしまうことがあります。

フランスの歴史家G・ルフェーヴルはフランス革命と、ナポレオン戦争の惨禍、流血の責任とは別だと言うために、戦禍と流血は「一人の将軍の独裁」に起因するものであって、「彼の気性は……容易には平安や節度へと鎮《しず》まることがなかった」と述べました。(30) ヒトラー個人の邪悪さを公然と非難するなら、今日のドイツ人は、彼を産んだドイツ社会を問題にする歴史家の倫理的判定に代わる申し分のない代案として歓迎するでしょう。ロシア人もイギリス人もアメリカ人も、それぞれの国民的なまちがいの贖罪の山羊《スケープゴート》として、スターリン、ネヴィル・チェインバレン、*21 マ

(29) B. Croce, *History as the Story of Liberty*, p. 47.〔『思考としての歴史と行動としての歴史』上村忠男訳、未來社、一九八八年〕

(30) 〔G. Lefebvre,〕*Napoléon* (Peuples et civilisations, XIV)〔, 1935〕, p. 58.

＊20　ジョゼフ・マッカーシは合衆国共和党上院議員。一九五〇―五四年に反米活動特別委員会で「赤狩り」を推進した。政界・学界・映画界にもおよんだその旋風はマッカーシズムと呼ばれる。

＊21　イギリスの首相(在任一九三七―四〇年)、当時の多数派世論を代表し、対ドイツ宥和政策をとった。

ッカーシといった個人にたいする非難にすすんで加わります。それ以上に、個人の行状を倫理的に賞賛するのは、個人の行状を倫理的に非難するのと同じくらい過ちをまねき、有害です。奴隷所有者のうちには個人的に高貴な心の人もいたという認識が、奴隷制度は反倫理というわけではないとして非難しない口実に、くりかえし使われました。マックス・ヴェーバーは「資本主義が労働者を負債者として捕獲する、主人なき奴隷制度」に言及したうえで、歴史家が倫理的判断をくだすべきなのは制度にたいしてであって、それをつくった個人にたいしてではないと論じたのは、正当でした(31)。

歴史家はオリエントの専制君主個人にたいして判決をくだすべく［裁判官の］席についているわけではありません。とはいえ、歴史家はたとえばオリエントの専制政治とペリクレス期のアテネの諸制度とのあいだで、どちらも同じようなものだとひいきなしの態度でいなければならないのではありません。歴史家は奴隷所有者個人を裁くわけではない。だからといって、奴隷所有の社会にたいする非難を控えなければならないのではありません。見てきましたとおり、歴史的事実は一定の解釈を前提にしており、歴史解釈はつねに倫理的判断をともないます。これをもっと中立的な表現で言うなら、歴史解釈はつねに価値判断をともなう、と申しましょうか。

とはいえ、これはまだ難題の入口にすぎません。歴史とは戦いのプロセスで、善悪どちらであれ、その成果はある集団が直接間接に手にし、別の集団が――こちらはたいてい間接でなく直接の——犠牲になるのです。敗者が犠牲になる。歴史には受難がつきものです。歴史におけるあらゆる偉大な時代は、勝利だけでなく犠牲をともないます。これはきわめて複雑な問題です。というのは、ある人々の「相対的に大きな善」と他の人々の犠牲とのバランスをはかる尺度を、わたしたちはもちあわせないからですし、にもかかわらず、なんらかのバランスをとらなければならないからです。これは歴史だけの問題ではありません。日常生活においても、わたしたちは望まぬ情況に追い込まれて、「相対的に小さな悪」を選ばざるをえなかったり、良い結果を念じて悪をなすことを迫られたりといったことがあります。

歴史においてこうした問題は時に「進歩のコスト」や「革命の代償」といった見出しで語られることがありますが、これは誤解をまねきやすい。F・ベイコンが「新機軸《イノヴェイション》について」という文章で、「風俗習慣の御しがたき保持力は、新機軸と同じように凶暴である」と言っています。特権なき民衆にのしかかる保守維持のコストが重いのは、かつての特権を失った人々にのしかかる新機軸のコストが重いのと同じです。「ある者の善は他の者の犠牲を正当化する」という命題は、あらゆる政治に内在していて、また保守的で同時にラディカルな原理です。ジョンソン博士[*22]は率直に「相対的に小さな悪」の論理をもち出して、現存の不平等の維持を正当化しました。

---

(31)　*From Max Weber: Essays in Sociology* [ed. by H. H. Gerth & C. Wright Mills] (1947), p. 58.

全員が不幸であるよりは、一部の人が不幸であるほうがましである。全体が平等であるという状態の実情は、全員の不幸であろうから。(32)

とはいえ、ラディカルな変化の時代にこそ、問題はもっとも劇的な形で現れます。そしてここでこそ、歴史家のこの問題にたいする姿勢が容易に究明されるのです。

ここでイギリスの工業化、ほぼ一七八〇年から一八七〇年のあいだのことを考えてみましょう。ほとんどあらゆる歴史家が産業革命のことは、議論するまでもなく、偉大で進歩的な達成と見なしているのではないでしょうか。*23 貧農を土地から追放し、労働者を不健全な工場、不衛生な住宅に集積し、児童労働を搾取したことも、歴史家は描写するでしょう。さらにシステムの運用にあたって逸脱・乱用が生じたり、特別に冷酷な雇用主も、それほどではない雇用主もいたと述べたうえで、システムの安定したあとには人道的な良心がしだいに成長したといった慰めを長々と叙述する歴史家もいるでしょう。しかし、そうした歴史家も、言外にかもしれませんが、強制と搾取の策は、最初の段階ではとにかく工業化のコストとして不可避だったと想定しているでしょう。ましてや、これまでのところ、こうしたコストを考慮すると、進歩と工業化は思い止まればよかったのに、と言明した歴史家は聞いたことがありません。もしそうした歴史家がいたとしても、チェスタトンやベロックの仲間ということで、[*24] じつに当然ながら、本格的な歴史家にはまともに相手にされないでしょうね。

この例はわたしにとって特別の関心事なのです。と申しますのは、わたしのソヴィエト＝ロシアの歴史で、まもなく〔一九二〇年代の〕工業化のコストの一部として農民の集団化の問題にアプローチしたいと思っているからです。[*25] よく承知しているつもりですが、もしイギリス産業革命の

---

(32)　Boswell, *Life of Doctor Johnson*, [7 April] 1776 (Everyman ed., II, 20). 『サミュエル・ジョンソン伝』第二巻、中野好之訳、みすず書房、一九八二［ジョンソンは］じつに率直である。ブルクハルトの場合は、進歩の犠牲者の「沈黙のうめき声」に向かって「彼らが望んだのは概して財産を守ることでしかなかったのに」と落涙するが、しかし、アンシァンレジーム［旧体制］の犠牲者のうめき声については沈黙する。彼らは概して守るべきものを何ももたなかったからである。*Judgements on History and Historians*, p. 85.

＊22　サミュエル・ジョンソン（一七〇九―八四）は保守の文筆家。歴史的用例本位の『英語辞典』、助手ボズウェルによる浩瀚な『伝記』で知られる。

＊23　このあと一九六三年に *Economic History Review* でE・ホブズボームとR・M・ハートウェルが産業革命の功罪を論じ、また七〇年代からは大西洋・バルト海に広がる資本主義の広域システムが議論される。

＊24　G・K・チェスタトン（一八七四―一九三六）は反進歩主義の立場から社会批判をものした多作な作家、ジャーナリスト。H・P・R・ベロック（一八七〇―一九五三）も同様の伝記・旅行記・詩など多作。

＊25　補註l。

歴史家たちの例にならって、わたしが集団化の残酷さや乱用については悲しみつつも、このプロセスを工業化という望ましく必要な政策のコストとして避けがたいと見なして論じるならば、わたしはシニカルで悪事を容認するヤツだと非難されるのは必定ですね。

歴史家は一九世紀の西欧諸国民によるアジア・アフリカの植民地化を容認していますが、それは世界経済への直接的な効果という理由ばかりでなく、こうしたアジア・アフリカの後進諸民族にもたらした長期的な結果という理由からでもあります。結局のところ、近代インドはイギリス統治の産んだ子であり、近代中国は一九世紀西洋帝国主義が産み、ロシア革命の影響が交配した産物であると語られています。[*26] 不運なことに、条約開港地の西洋資本の工場で働いた中国人労働者も、南アフリカの鉱山で働いた苦力《クーリー》も、第一次世界大戦の西部前線に立った中国人も、［二〇世紀後半まで］生き延びて、中国革命によってなんらかの栄光や利益を手にしたわけではありません。コストを支払った者がその成果を手にすることはめったにありません。エンゲルスのよく知られた辛辣《しんらつ》な文は、人を不愉快にするほどことを言いあてています。

歴史の女神はすべての女神のうち一番残酷な類であろう。歴史の女神は、戦時においても「平和な」経済発展においても、勝利の車を死体の山をこえて導く。不運なことに、われわれは男も女もじつに愚かなので、常軌を逸した災難をこうむり行動に駆りたてられるまでは、

真の進歩へ向けて勇気を奮い起こすことはないのである。(33)

イヴァン・カラマーゾフのよく知られた挑戦的態度は英雄的ながら、まちがっています。わたしたちは社会のなかに産みこまれ、歴史のなかに産みこまれています。この世への「入場券」を見せられて、受けるか止《や》めるか選べるといった時機《とき》はないのです。*27 受難の問題について決定的な解答をもちあわせていないのは、歴史家も神学者も変わりません。歴史家もまた「相対的に小さな悪、相対的に大きな善」という命題に立ちかえるほかありません。

ところで、科学者と違って、歴史家はその史料の性格上、この倫理的判断という問題を避けて通れないのであり、この事実はそもそも歴史学が超歴史的な価値基準に服さざるをえないということを意味していないでしょうか。わたしはそうは考えません。たとえば、「善」「悪」といった

(33) Engels to Danielson, 24 February 1893: *Karl Marx & Friedrich Engels: Correspondence 1846–1895* (1934), p. 510.［『マルクス・エンゲルス全集』第三九巻、一九七五］

＊26　ここでカーはデリカシーに触れる発言をしている。三〇七―三一〇頁における加筆修正を参照。

＊27　ドストエフスキー『カラマーゾフの兄弟』第二部第五編四で二男イヴァンは、神の創った現世における残酷と悲惨を長々と列挙したあげくにこういう。「わたしは神を認めないわけじゃないんだ、アリョーシャ。ただこの世への入場券は返上し奉《たてまつ》るということなんだ。」

抽象的な概念、それらのさらに洗練され発達したものが歴史の制約をこえて存在すると仮定してみましょう。そうだとしても、こうした抽象概念が歴史的倫理の研究においてはたす役割は、数学や論理学の公式が物理科学においてはたす役割と同じです。思考の欠くべからざるカテゴリーですが、そこに具体的な内容がインプットされないかぎり、意味も応用もないのです。

別のたとえをお望みなら、歴史や日常生活においてわたしたちが用いている倫理的指針は、銀行の小切手のようなものです。印刷された部分と手書きの部分があって、印刷された部分は自由と平等、正義と民主主義といった抽象的な言葉で成っています。これらは必要不可欠のカテゴリーですが、さらに手書きの欄にだれに宛てて何ポンドの「自由」を割り当てるつもりなのか記入しないかぎり、小切手は無価値です[*28]。この手書きによりわたしたちは宛名の人のことを、何ポンドという限定つきで同等者と認めているわけですね［笑］。時と場合に応じて小切手に書きこむそのしかたが、歴史の問題なのです。抽象的な倫理概念に特定の歴史的内容が付与されるプロセスが、歴史的プロセスです。わたしたちの倫理判断はまさしく歴史が作った概念的枠組のなかで行なわれます。

倫理問題をめぐってよく行なわれる現代の国際的論争は、自由と民主主義についての対立する主張をめぐるものです。自由と民主主義といった概念は抽象的で普遍的です。ところが、そこにインプットされる内容は歴史的にさまざまであり、時により所により違います。その実際のありようをめぐる問題は、歴史的条件においてのみ理解され議論されるのです。やや人気のない例をとってお話しますと、「経済合理性」という概念を客観的で論争の余地のない基準として用い、経済政策の適不適をテストし判断しようとする企てがありました。この企てはあっというまに崩れます。古典派経済学の法則を学んで育った理論家たちは、計画とは原理的に合理的経済プロセスにたいする非合理な介入だとして難じます。たとえば、計画立案者は価格を決めるにあたって需要・供給の法則に縛られることを拒み、計画下の物価は合理的ベースをもちえないと申します。もちろん、計画立案者の行動が非合理で、愚かだということはしばしばありえます。しかし彼らを判断すべき基準は、古典派経済学の古き「経済合理性」ではありません。個人的に申しまして、わたしは逆の議論、すなわち本質的に非合理なのは制御も組織もされていない自由放任《レセフェール》の経済であって、計画こそそのプロセスに「経済合理性」を導き入れる企てだという議論のほうに共感しております。[*29] とはいえ、いま明らかにしておくべきポイントは、ただ一つ、歴史的行為を裁く抽象的で超歴史的な基準といったものを打ち立てるのは不可能だということです。そうした基準

＊28　銀行が発行する小切手(cheque)には当該銀行(店名、住所)における口座者氏名、口座番号などが印刷されている。その空欄に手書きで支払い相手、金額と年月日を書きこみ、署名する。
＊29　「自叙伝」三二五―三二六頁にも関連する記述がある。

［を打ち立てようとしたとたん］に、対立する両派がそれぞれの歴史的条件と願望に合わせて特定の内容を読みこむのは避けられません。

これぞ超歴史的な基準や尺度を打ち立てようとする人々による起訴状です。その基準や尺度は、神学者の立てたある神意とか、啓蒙哲学者の立てた動かぬ「理性」や「自然」から由来するとされ、それに照らしあわせて歴史的事象や情況に裁きをくだすとされます。問題は、こうした基準を適用するさいに不足が生じるとか、そもそも基準に欠点があるといったことではありません。こうした基準を打ち立てようという企て自体が非歴史的であり、歴史の真の本質と矛盾するのです。［かりに超歴史的な基準を立てれば、］歴史家が職業がらたえず問わざるをえない問題に断定《ドグマ》的な解答が用意されますが、前もってこうした解答を受けいれるような歴史家は、いわば両目に目隠しをして仕事に出かけるようなもので、みずから職業を放棄しています。歴史とは運動です。運動は当然ながら比較をともないます。だからこそ、歴史家は倫理的判断を表明するにあたって「善」「悪」といった妥協のない絶対的な言葉を避けて、「進歩的」「反動的」といった相対的な言葉を用いるのです。こうした用語法は、異なる社会や歴史的現象をある絶対的な基準からでなく、相互の関係から説明する企てです［第五講］。

さらには、絶対的で歴史外の価値観と見えたものをよく調べてみると、それらもじつは歴史に根を張っていることが分かります。ある特定の時と場に出現した特定の価値や理念は、その時と場の歴史的情況から説明できます。平等、自由、正義、自然法といった仮説上の絶対にしてもその実際の内容は、その時々によりさまざまで、また大陸ごとに異なります。あらゆる集団は固有の価値観をもちますが、それも歴史に根を張っています。あらゆる集団は外来の不都合な価値観の侵入にたいして自己防衛しますが、そのさいに不都合なものを非難して、「ブルジョワ」「資本家」とか、「反民主的」「全体主義的」とか、さらに粗っぽいですが、「非国民」といった焼き印を押すのです。抽象的な基準や価値は、社会からも歴史からも切り離されたならば、抽象的個人のような幻影にすぎません。本気の歴史家であれば、すべての価値観は歴史的に制約されていると認識していますので、自分の価値観が歴史をこえた客観性を有するなどとは申しません。自身の信念、みずからの判断基準といったものは歴史の一部分であり、人間の行動の他の局面と同様に、歴史的研究の対象となりえます。社会科学をはじめとして、今日の科学で全面的な自主独立を主張するものはほとんどないでしょう。しかしながら歴史学は、みずからの外側のなにかに根本を依拠しているのではありません。これは他のいかなる学問とも異なる特質です。

二つの文化をこえて

さて、第三講で述べてまいりましたこと、歴史学は諸科学と一緒に含めて考えようという主張について、まとめておきましょう。科学という語はいまや、かくも多くのさまざまな方法やテクニックを用いる、かくも多くのさまざまな知の分野をカバーしておりますので、立証責任は、歴史学は科学だとする側よりも、歴史学は科学ではないとする側にあるように見えます。科学ではないとする議論の出所が、その特権団体から歴史家を排除したいと望む科学者の側ではなく、むしろ歴史学のステータスは人文学の分野にありと熱心に主張する歴史家や哲学者の側であるのは重要なことです。

争いはかつての人文学と科学との分離、すなわち人文学は支配階級の幅広い文化を代表し象徴するし、科学は支配階級に仕える技術者《テクニシャン》の技能を代表し象徴するといった偏見を反映しています。「人文学」「人間学」という語は、この文脈で、長く伝統ある偏見の生き残りであり、また科学と歴史という対照が意味をなすのは英語だけであるという事実が、この偏見の島国的特性を示しています。[*30] 歴史を科学と呼ぶのを拒否することにわたしが反対する第一の理由は、その拒否が「後述するスノウの」いわゆる「二つの文化」の分裂を正当と見なし永続させるものだからです。この分裂は(そもそも過去のものである)イングランド社会の階級構造に基礎をもつ古くからの偏見の産物です。歴史家と地質学者をへだてる亀裂が、地質学者と物理学者をへだてる亀裂よりも深いとか越えがたいといった説に、わたしは納得しません。とはいえ、この分裂を修復する方策は、歴史家に基礎科学を教えるとか、科学者に基礎歴史学を教えるといったことではないと思います。

これでは混濁した思考によって迷い込んだ袋小路です。とにかく科学者自身はこうした言動をしておりません。エンジニアが植物学の基礎授業に出席するよう勧められたなど、聞いたこともありません［笑］。

わたしの提案したい一つの治療法は、わたしたちの［大学における］歴史学の水準を改良し、あえて言わせていただくなら、歴史学をもっと学問的にする、歴史学の履修要件をもっと厳格にするということです。ケインブリッジ大学における歴史学は、ときに専門学科として「古典学は難しすぎる、科学は本格的すぎる」と考える一般学生を受けとめる大きな網のように考えられています。今回の連続講演の印象としてお伝えしたい一つは、歴史学は古典学よりずっと難しく、どんな科学とも並ぶほど本格的な学問なのだということです。[*31] しかし、こうした治療法でまず必要なのは、歴史家自身のご自分の仕事にたいするもっと強い自信です。サー・チャールズ・スノウは最近の講演「二つの文化」でポイントを衝《つ》いて、科学者の側の「考えの浅い」楽天性と、いわ

＊30　八九頁、および補註i。かつて人文学や歴史学はジェントルマンの営みであった。

＊31　一九六一年冬の講演のあと、五月にはケインブリッジ大学歴史学部でカリキュラム改革にむけて発議があり、討論が始まったが、なかなか具体化しなかった。カーやキトスン＝クラークたち、そして経済史家が改革派、G・エルトンが保守派として発言した。後出、第六講。

ゆる「もの書き知識人」の側の「控えめな声」や「反社会的な感情」とを対照なさいました(34)。歴史学者でこの「もの書き知識人」のカテゴリーに属する方もおられますが、むしろ歴史学者ではなく歴史をめぐって書く文筆家のほうが多いでしょう。この方たちは歴史は科学ではないと公言してまわり、歴史は何であってはならぬ、何をしてはならぬ、と説いてまわるのに精を出しすぎて、歴史学の達成したこと、その可能性について語るお時間はないかのようです［笑］。

「二つの文化」の分裂を治療するもう一つの方策は、科学者と歴史家の目的が一緒だという理解を促し深めることです。この点で、最近、科学史・科学哲学への関心が増しているのは意義あることです。科学者、社会科学者、歴史家はみな、同じ学問の別の分野に従事しているのです。つまり、人間とその環境、人間が環境におよぼす影響、環境が人間におよぼす影響といったことを別の分野で研究しています。研究の目的は同じで、人間の環境にたいする理解を増し、環境にたいする制御力を増すことです。［たしかに］物理学者、地質学者、心理学者、歴史家の前提と方法は、詳細において大いに異なります。わたし自身が、科学的であらんがために歴史家は物理科学の方法にもっと近づき従わねばならぬといった提案に献身したいとか申しているわけではありません。しかし、歴史家も物理学者も、説明したいという基本的な目的において、また問いを立てて解答するという基本的な手続において、一致しています。歴史家も他の科学者も、「なぜ」としつこく問いかける動物です。

次の第四講では、歴史家の問いの立てかた、解答のしかたについて吟味することにいたしましょう。

(34)　C. P. Snow, *The Two Cultures and the Scientific Revolution* (1959), pp. 4–8.〔『二つの文化と科学革命』松井巻之助訳、みすず書房、一九六七〕

第四講　歴史における因果連関

ミルクを鍋に入れて沸騰させると、吹きこぼれてしまいます。なぜなのか、わたしは知りませんし、その理由を知りたいと思ったことも一度もありません。もし答えを迫られたら、ミルクには吹きこぼれる性質があるからと答えるかもしれません。これは誤りではないとしても、なにも説明したことにはなりません。ただし、この場合、わたしは自然科学者ではないのです。同じように、人は過去の事象について読んだり、さらには書いたりしながら、それが起こったのはなぜか知ろうと思わないこともあります。あるいは第二次世界大戦が起こったのはヒトラーが戦争を望んだから、といって済ませることもできます。これは誤りではないとしても、なにも説明したことになりません。ただし、この場合、ご自分は歴史専攻の学生だとか歴史家だとかムチャクチャを言ってはなりません［笑］。

歴史の研究とは原因の研究です。第三講のおしまいに申しましたように、歴史家は絶えまなく

「なぜ」と問い続けています。解答の望みがあるかぎり、歴史家は休めません。偉大な歴史家とは――もっと広く、偉大な考える人は、と言うべきでしょうか――、新しいことについて、また新しい文脈において、「なぜ」という問いを立てる人のことです。

歴史の父ヘロドトスは『歴史』の巻頭でその目的を明記して、ギリシア人と異邦人《バルバロイ》の数々の行動の記憶を保存するため、「また何よりも相互に戦った原因を示すため」であるとしたためました。古代世界においてヘロドトスの弟子といえる者はほとんどいませんでした。トゥキュディデスでさえ、因果ということについて明快な考えをもっていなかったと批判されてきました[1]。ようやく一八世紀に近代の歴史叙述の基礎がすえられ始めたころ、モンテスキューが『ローマ人の偉大さおよび衰退の諸原因考』〔一七三四〕を著しましたが、その出発点においた原理は、「あらゆる君主政において文化[*1]や自然にかかわる一般的な諸原因が働き、これが君主政を育て、維持し、あるいは転覆する」、そして「すべての出来事には、こうした諸原因がある」というものでした。その後『法の精神』〔一七四八〕でモンテスキューはこの考えを発展させ一般化しました。それによると、「世の中で目にする現象はすべて、目に見えぬ運命が産んだ結果である」と想像するのは愚かであって、人は「ただその幻想に支配されているのではない。」人の言動は「事物の本性」から生じた法則や原理に従う[2]、というのでした。

その一八世紀から二〇〇年近くのあいだ、歴史家も歴史哲学者も、歴史的事象の原因を、また事象を支配する法則を発見し、人類の過去の経験を整理して分かるようにしようと努力し精を出してきました。その原因と法則はときに機械的な、ときに生物的な枠組で考えられ、またときに形而上学的、ときに経済的、ときに心理的なものと考えられました。いずれにしても、歴史とは、過去の事象を並べて原因・結果のきれいな連鎖に整列させることだというのが通念でした。ヴォルテールは『百科全書』に寄稿した「歴史」〔一七六五〕という項目で、「かりにオクスス川とヤハルテス川の流域を支配した一蛮族が別の一蛮族にとって代わられたという以外に語るべきことがないなら、それがいったい何だというのか」[*2]と記しました。近年こうした歴史観はいくぶん修正

（1）　F. M. Cornford, *Thucydides Mythistoricus*, passim.〔『トゥーキューディデース――神話的歴史家』大沼忠弘・左近司祥子訳、みすず書房、一九七〇。ここでカーが依拠しているコーンフォード説（一九〇七）については以後批判され、研究者のあいだでは「むしろトゥキュディデスの鋭い慧眼が光ってみえる」とされる。桜井万里子『ヘロドトスとトゥキュディデス』山川出版社、二〇〇六、一五三―一五八頁〕

（2）　Montesquieu, *De l'esprit des lois* [1748], Preface and chap. 1.〔『法の精神』上巻、野田良之・稲本洋之助・上原行雄・田中治男・三辺博之・横田地弘訳、岩波文庫、一九八九〕

＊1　一八世紀に moral/morale という語は、倫理・道徳よりもその地の風俗習慣・文化にかかわる。

＊2　Voltaire, 'Histoire,' *l'Encyclopédie*, VIII (1765), 225.〔『哲学辞典』高橋安光訳、法政大学出版局、一九八八、に追補として所収〕

されています。最近は、第三講で述べましたような理由で、わたしたちは歴史の「法則」といったことを語らなくなりました。さらには「原因」という語も流行《はや》らなくなりました。これには、一方で哲学的に曖昧《あいまい》な問題があるからですが、この点は入りこむ必要はないでしょう。他方では決定論が連想されるからですが、この点はまもなくお話しします。

ということで、歴史における「原因」については語ることなく、むしろ「説明」や「解釈」、または「情況の論理」や「事象の内的論理」(A・V・ダイシの表現)を語るとか、あるいは因果連関のアプローチ(なぜ起こったか)でなく機能的アプローチ(いかに起《ハ》こったか《ウ》)のほうを好む人々もいます。ただし、こうした立場にも、ことが起こったのはいかにしてか、という問いがともなうのは避けられず、結局「なぜ」という問題に立ち戻ることになります。他方には、原因の種類を機械的、生物的、心理的、等々に区別したうえで、歴史的原因は独自のカテゴリーだと見なす人々もいます。たしかにこうした区別はある程度有効な場合もありますが、しかし現在の目的からしますと、諸原因の違いよりは、それらすべてに共通する点を重視するほうが有益なような気がします。わたし自身は、「原因」という語をふつうの意味で使い、上のような区別にこだわるのは止《や》めておくことにいたします。

そこで、歴史家が仕事中に事象の原因を定めねばならなくなったときにどうするかを考えてみましょう。歴史家が原因の問題にアプローチするときの第一の特徴ですが、たいていは一つの事象を複数の原因に帰します。経済学者マーシャルが述べたのは、「人はただ一つの原因にとらわれて……他の要因を考えに入れないといったことがないよう、あらゆる手段で備えなければならない。他の要因の効果もその一因と混じり合っているのだから」(3)というのでした。大学の修了試験に出席した学生が「一九一七年にロシアで革命が勃発したのはなぜか」という設問に答えてただ一つしか原因をあげなかったとしたら、運がよくても「可」がせいぜいでしょう［笑］。歴史家稼業であきなうのは諸原因の複合性です。ボリシェヴィキ革命の原因を考察せよとなったら、歴史家はロシア軍のあいつぐ敗戦、戦時下のロシア経済の崩壊、ボリシェヴィキのプロパガンダの効果、ツァーリ政府の土地問題をめぐる失政、ペトログラードの工場における貧しく搾取されたプロレタリアートの集中、レーニンが強い意志をもっていたのにたいして政府側にはそうした人物がいなかったという事実など、——要するに、経済的、政治的、イデオロギー的、人物的な諸原因で、長期的なもの、短期的なもののごたまぜを列挙するかもしれません。

しかし、このことからただちに、歴史家のアプローチの第二の特徴に行きあたります。修了試験に出席した学生が設問に答えて、ロシア革命の原因を次から次へ一ダースも列挙して、したり顔でいるとしますと、「良」かもしれませんが、「優」は無理です。試験官の評決意見は「よく知

(3) *Memorials of Alfred Marshall*, ed. by A. C. Pigou (1925), p. 428.

っている、しかし頭は悪い」といった程度でしょうか［笑］。

真の歴史家なら、こうした諸原因のリストを前にすると、それらを順序よく並べ替えて、一つ一つの原因のあいだの上下の秩序《ハイアラーキ》のようなものを定めたいという職業的衝動に駆られるものです。「結局のところ」または「分析の結果として」（こうしたフレーズが歴史家は好きなのです）、ある原因ないし一連の諸原因が、究極の原因、全原因の原因であると結論したいという衝動です。これが当該テーマの歴史家ご本人の解釈であり、歴史家の人となりは、どんな諸原因を引き出すかに現れます。ギボンはローマ帝国の衰亡の原因は［ゲルマン人の］野蛮と［キリスト教会の］信仰の勝利だと考えました。一九世紀イングランドのホウィッグ史家はイギリスの力と繁栄の原因を、自由な憲政の原理を具体化する政治制度の発展にあると考えました。ギボンも一九世紀イングランドの史家も今日では古めかしく見えますが、それは現代の歴史家なら前面におく経済的原因を見逃しているからです。あらゆる歴史学の論争は、諸原因の優先順位いかんをめぐって転回しているのです。

アンリ・ポアンカレは第三講でも引用しました『科学と仮説』で、科学とは一方で「多様性と複雑さに向かって」、他方で「統一性と単純さに向かって」同時に進歩していると指摘したうえで、この二方向的で矛盾して見えるプロセスこそ、知の必要条件なのだと申しました(4)。これは歴史学についても同じことです。歴史家は研究を進め深めるのにともない、「なぜ」という問いにたいする解答を次から次に積み重ねています。近年の経済史、社会史、文化史、法制史の繁栄によって——さらに政治史の複雑さに入りこむ鮮やかな洞察、また心理学や統計学の新しいテクニックは言うにおよばず——、わたしたちの解答の数も広がりも非常に増大しました。バートランド・ラッセルは「科学におけるあらゆる進歩とは、始めに一つと見えた生《なま》の状態から、さらに［論理学でいう］前件と後件[*3]の大きな分化へと、そしてますます広範囲の前件が関連しているのだという認識へとわたしたちを連れて行くものである」と考察していますが[(5)]、これは歴史学の情況を的確に描写したかのようです。

ただし、歴史家は過去を理解しようという衝動ゆえに、あの科学者［ポアンカレ］と同じように、同時に解答の複雑さを単純にしたいという気持にも駆られます。つまり一つ一つの解答に上下の順を定め、諸事件のカオスと諸原因のカオスになんらかの秩序とまとまりをもたらしたいという気持に駆られるのです。［桂冠詩人テニスンの］「一神、一法、一元素ありて、一つのはるけき神の

（4）H. Poincaré, *La Science et l'hypothèse* (1902), pp. 202–203.［『科学と仮説』伊藤邦武訳、岩波文庫、二〇二一］

（5）B. Russell, *Mysticism and Logic* (1918), p. 188.［『神秘主義と論理（新装版）』江森巳之助訳、みすず書房、二〇〇八］

＊3　命題「PならばQである」のPが前件、Qが後件である。

業なり」[*4]、あるいは〔アメリカの文人〕ヘンリ・アダムズの「教育をうける欲求を完成にいたらしめる大いなる一般概念」(6)を求めての希求――こういった表現は今日では大時代物のジョークのようにも聞こえますね〔笑〕。とはいえ、歴史家は諸原因の複雑さばかりでなく、単純化へといたらねばなりません。歴史学は、科学と同じように、こうした二方向の、矛盾するように見えるプロセスを通りぬけて前進するのです。

ポパーとバーリン

ここで気が重いとはいえ、二つのはでな目眩《めくら》ましが道をさえぎっておりますので、これに対処しておかねばなりません。その一つ目は「歴史における決定論、またはヘーゲルの邪悪」、二つ目は「歴史における偶然、またはクレオパトラの鼻」というラベルが付いております。まずは、なぜこの二つがここに登場するのか、一言二言事情を述べておかねばなりません。

カール・ポパー教授[*5]は一九三〇年代にウィーンで新しい科学観について重厚な仕事をまとめ、最近その英訳が『科学的発見の論理』〔一九五九〕という題で出ました。また第二次大戦中には英語で二冊の比較的広い読者向けの本、『開かれた社会とその敵』〔一九四五〕と『歴史主義の貧困』を著しました(7)。この二冊は、ヘーゲルとマルクス主義に反対する強い感情に動かされて執筆されています。ヘーゲルはプラトンとともにナチズムの精神的祖先と見なされており、マルクス主義といっても一九三〇年代のイギリス左翼の知的風土でしたが、いささか浅薄なマルクス主義です。おもな標的は、ヘーゲルとマルクスの決定論的な歴史哲学とされ、その二つは「歴史主義」という侮辱的な名称で一緒にされています。(8)

一九五四年にはサー・アイザイア・バーリンが『歴史的必然性』を刊行されました。*6 彼は「ポパーのような」プラトン攻撃は控えておられますが、それはオクスフォードの知的伝統の柱石への

（6） *The Education of Henry Adams* (Boston, 1928)［初版は 1907］, p. 224.［『ヘンリー・アダムズの教育』刈田元司訳、八潮出版社、一九七一］

（7）『歴史主義の貧困』は一九五七年に本として公刊されたが、元は一九四四・四五年の発表論文からなる。

＊4　追悼長詩 *In Memoriam*（一八五〇刊）の最後に近い二行。カーは典拠を示さないが、テニスンのこの詩は広く愛唱されていた。アメリカ議会図書館（LC）の閲覧室天井にも、この句の金文字碑がある。

＊5　カーのポパー批判は第三講原註(17)・(18)あたりから始まっている。ポパーは一九〇二年ウィーン生まれ、三七年にニュージーランドに亡命、就職し、四六年にF・ハイエクの招誘でロンドン大学（LSE）に職をえた。『果てしなき探究――知的自伝』(初版一九七四)(岩波書店、一九七八)がある。

＊6　『歴史的必然性』はLSEにおける招待講演にもとづく出版。カーは講演に一聴衆として出席した。アイザイア・バーリンについて、補註k。

敬意の名残りかもしれません。(9) サー・アイザイアの場合は、ポパーにはない論理ですが、告発にあたってヘーゲルとマルクスの「歴史主義」が忌まわしい理由として、人間の行為を因果論で説明することによって、人間の自由意志の否定につながり、歴史家にはその想定されている義務を回避するよう促すことになるというのです。この歴史家の義務とは、第三講でお話ししましたが、歴史におけるシャルルマーニュやナポレオンやスターリンのような人物にたいして倫理的有罪を宣告する義務のことです。この点以外では二人はあまり違いません。それにしても、サー・アイザイア・バーリンは当然ながら人気もあり、その著書は広く読まれています。この五、六年のあいだ、このイギリスでも合衆国でも歴史について評論を著した人、あるいは歴史書について本格的な書評を書いた人のほとんどは、ヘーゲルやマルクスや決定論についてわけ知り顔にあしらい、歴史における偶然の役割を認めないのは愚かだと指摘しています。こういった弟子筋についてまでサー・アイザイア先生の責任を問うのは公正ではないかもしれません。先生の場合はナンセンスを語っても、人を惹きつける魅力的な語り口なので、赦《ゆる》されます[笑]。しかし、弟子筋は同じナンセンスをくりかえして、おもしろくもおかしくもない。いずれにしても、こうしたことすべてになに一つ新しいことはないのです。

チャールズ・キングズリはケインブリッジの歴史学欽定《きんてい》講座の教授[在任一八六〇—六九]のなかでとくに傑出していたわけでもなく、おそらく全然ヘーゲルを読んだこともマルクスの名を聞いたこともなかったでしょう。そのキングズリが一八六〇年に就任講演で、人が「みずからの存在の法則をやぶる不思議な能力」について語り、これが歴史においては「必然の連鎖」など存在し

---

(8) わたしは「歴史主義」(historicism)という語は避けてきたが、精確さが求められていない一、二箇所では用いたことがある。というのは、このテーマについてのポパー教授の文章がすでに広く読まれて、「歴史主義」という語の精確な意味は空虚になってしまい、その定義にいつでもこだわるのは衒学者風《ペダンティク》だからである。とはいえ、何が問題なのかはっきりさせなくてはならない。ポパー教授の「歴史主義」とは、歴史に関するどんな意見でも、教授のお嫌いなものすべてを一緒くたにした名称であり、なかには健全と見える意見も、今日のまともな著者ならだれも考えもしない意見も含まれている。ご自身も認めるとおり、『歴史主義の貧困』(原著三頁)では既知の「歴史主義者」ならだれも用いたことのない「歴史主義」の議論が新規に考案されている。彼の文章によると、歴史主義とは歴史学を科学に融合する教理かと思えば、歴史学と科学を鋭く区分する教理でもある。『開かれた社会とその敵』では、予言を避けていたヘーゲルが歴史主義の大祭司とされるが、『歴史主義の貧困』の序では歴史主義とは「歴史的予言こそ主要な目的であると見なす類《たぐい》の社会科学のアプローチ」であるとされる。従来「歴史主義」とは一般にドイツ語 Historismus の英訳として用いられていたのだが、いまやポパー教授は historicism と historism とを区別して、すでに混乱している用語法をさらに混乱させている。なお M. C. D'Arcy, *The Sense of History: Secular and Sacred* (1959), p. 11 は「歴史主義」という語を「歴史哲学と同一の意味で」用いている。

(9) とはいえ、プラトンがファシストの元祖だという攻撃の始まりは、やはりオクスフォード大学のクロスマンによる一連のラジオ放送であった。R. H. Crossman, *Plato Today* (1937).

ないことの証《あかし》だとしました。[10] 幸いにもわたしたちはキングズリのことなど、とっくに忘れておりました［笑］。このとっくに死んだ馬にむち打って、生きているかのような姿をもたらしたのは、ポパー教授とサー・アイザイア・バーリンのお二人の尽力です。この混濁がきれいになるまで、すこし忍耐が必要でしょう。

決定論と自由意志

ではまず、決定論をとりあげましょう。決定論の定義は——異議なく行きたいものですが——、出来事にはみな単数か複数の原因があり、その原因が異なっていないかぎり、出来事は同じように生起する、という信念であるとしましょう。[11] 決定論は歴史の問題ではなく、人間の言動すべての問題です。その行動になんの原因もなく、したがって不確定的な人間というのがあるとして、それは第二講でお話した「社会の外の個人」に等しい抽象です。

ポパー教授の主張なさる「人間社会のもろもろにおいてはあらゆることが可能である」[12] とは、無意味かまちがいか、どちらかです。ふつうの生活をしている人なら、だれもこんなことは信じないし、信じようとしてもできません。あらゆることには原因があるという公理は、わたしたちの周囲で生起していることを理解する能力の一条件です。[13] カフカの小説の悪夢のような特質は、起こることのすべてに目に見える原因も確実な原因もなく、その結果として人間の人格が全面的に崩壊してしまうことにあります。人間の人格とは、事象には諸原因があるという想定のうえに、その諸原因から人間の頭のなかに行動の道案内として役立つくらいには筋が通る過去と現在のパターンを組み立てることができるという想定のうえに、成り立っているのですから。人間の言動は原則として確かめられる諸原因によって規定されている、と前提しないかぎり、日常生活は不可能となるでしょう。昔むかしには、自然現象は神の意志の統《す》べるものとされていましたので、その諸原因を究明しようとするのは冒瀆《ぼうとく》行為とされました。サー・アイ

(10) C. Kingsley, *The Limits of Exact Science as applied to History* (1860), p. 22.

(11) 「決定論が意味するのは……与件がこれこれであれば確定的にある現象が起こり、別様ではありえないということである。別様に現象するとしたら、それは与件が異なった場合だけのことである。」S. W. Alexander in *Philosophy and History: Essays presented to Ernst Cassirer* (1936), p. 18.

(12) K. R. Popper, *The Open Society* (2nd ed., 1952), II, 197.〔『開かれた社会とその敵 第二部』〕

(13) 「因果律とは、世界がわたしたちに押しつけているものではなく、……むしろわたしたち自身を世界に適合させる一番便利な方法なのかもしれない。」J. Rueff, *From the Physical to the Social Sciences* (Baltimore, 1929), p. 52. ポパー教授自身は、因果律を信じるのは「正当な方法論的ルールの形而上学的な実体化である」とする。*The Logic of Scientific Discovery*, p. 248.〔『科学的発見の論理』下巻、大内義一・森博訳、恒星社厚生閣、一九七二〕

ザイア・バーリンが、人間行動を統べるのは人間の意志だからという理由で、なぜ人間がこれこれの行動をとったのかについてのわたしたちの説明に反対しておられますが、これも同じような思想の筋道にあります。また彼のこうした反対は、今日の社会科学が、かつて自然科学が同じような反対論にさらされていたのと同じ発達段階にあるということを示しているのでしょうか。

こうした問題をわたしたちは日常生活でどう処理しているのでしょうか。毎日のことですが、あなたはスミスと顔を合わせます。挨拶として、天気について、または学寮や大学のことについて、にこやかに、当たりさわりのない言葉を発します。彼もまたにこやかに天気や仕事のことについて当たりさわりのない言葉を返します［笑］。ところが、かりにある朝、スミスがあなたの挨拶にいつものように返答するのでなく、突然、あなたの服装や性格についてすごい剣幕で攻撃し始めたとします。あなたは肩をすくめて、これはスミスの自由意志の表明であり、人間社会のもろもろにおいては、たしかにどんなこともありうると納得して凌《しの》ぐでしょうか。おそらく、そうではないのではないでしょうか。むしろ逆に、たとえば「気の毒に。そういえば、スミスの親父は精神病院で亡くなったのだった」とか、「気の毒に。奥さんとの前からのトラブルが、またひどくなったに違いない」とかつぶやくかもしれません。別の表現で申しますと、あなたはスミスの一見して原因のない言動に、なにか原因があるに違いないという確信をもって突きとめようと試みるのではないでしょうか。そんなことをすると、恐らくはサー・アイザイア・バーリンの憤慨をまねいてしまい、あなたはスミスの言動に因果論的な説明を用意したことにより、ヘーゲルやマルクスの決定論的な考えをうのみにして、スミスは下劣な男だと宣告すべき責務から逃げてしまったと訴えられるでしょう[*7]［笑］。

　とはいえ、日常生活ではだれもこんな考え方をして、問題は決定論か倫理的責任かだなどとは申しません。現実生活においては、自由意志と決定論の論理的ディレンマは生じないのです。これは、自由な人間行動と、決定された人間行動が別々に存在するからではありません。むしろ事実は、すべての人間行動は同時に自由であり決定されていて、違いはそれを見る観点によるのです。実際的な問題はやはり異なります。スミスの行動は単数か複数の原因から生じましたが、もしなにか外的な衝動でなく彼の人格的な衝動によって生じたのであれば、彼自身が倫理的に責任ありということになります。というのは、通常の大人ならば倫理的に自分の人格について責任を負うというのが社会生活の条件だからです。スミスの先の特定の事例について彼の責任を問うかどうかは、あなたの実際的な判断にかかっています。もし彼の責任を問うとしても、だからとい

＊7　バーリンからカーへの私信（一九六一年七月三日）にはこうある。「ちょっとした戯れ（caricature）は気にしません。しかし、あまりバカみたいに（too foolish）見られたくありません。」

って、彼の行動には原因がないと見なしたわけではありません。[*8] 原因と倫理責任とは別のカテゴリーです。最近、ケインブリッジ大学に犯罪学研究所とその教授ポストが創設されました。だからといって、わたしは確信しておりますが、犯罪の諸原因を研究している方はどなたも、この研究所の創設により犯罪者の倫理的責任が免除されるのは必至だ、などとは夢にも思われないでしょう［笑］。

さて、歴史家の場合はどうでしょうか。ふつうの人と同じく、歴史家は人間の行動には諸原因があって、それは原則的に確定できると考えています。日常生活と同じように、歴史もこの前提がなくては成り立ちません。こうした諸原因を究明することが歴史家の特別の職務です。これゆえに、歴史家は人の言動の決定論的な局面に特別の関心をもつと考えられてきたのでしょうか。しかし、自発的行為には原因はないとかいった、おかしな仮説をもってくるなら別ですが、歴史家は自由意志を拒んでいるわけではありません。また歴史家は必然性の問題で困惑しているわけでもありません。［たしかに］歴史家は一般の人々と同じく、時に言葉のあやで、なにかが「必然だ」と言ってしまうこともありますが、それはただことにいたる諸要素の巡りあわせが圧倒的に強いと感じられたというにすぎません。

最近わたしは自分の著作を再読して、この「必然」という落ち着かない語があるか探してみましたところ、完全にシロではありませんでした。一九一七年の革命後、ボリシェヴィキと正教会とが衝突するのは「必然であった」と一箇所で書いておりました。たしかにここは「非常に蓋然性が高かった」とでも言っておけば賢明だったのでしょう〔笑〕。ただし、この箇所を訂正するのはちょっと衒学者風《ペダンティク》ではないでしょうか。実際のところ歴史家は、ことが起こるより前には必然とは見なさないものです。歴史家が叙述のなかでアクターたちに可能な選択肢について討論することはしばしばあります。選択がオープンだったかのような仮定で論じるのですが、さらに叙述が進むと、やがて他ならぬ一つのコースが選択された理由を説明することになります。歴史において必然とは、公式の意味で、もし別の事象が起きたとしたら、〔論理学でいう〕前件である諸原因が異なっていたはずであるという意味で、それ以外はありません。歴史家としてわたしは「必然」「不可避」「逃れられない」「免れられない」といった語を用いないでやってゆく用意は完璧にできていますが、〔用いない場合には〕人生は地味になるでしょうね〔笑〕。それにしても、こうしたことは、詩人や形而上学者にまかせておくことにしましょう。

この必然性にたいする告発はあまりに不毛で無意味に見えますし、また近年の議論の激しさはあまりにすごいので、その背景にどんな事情が隠れているのか見ておく必要があると思います。

＊8　後年バーリンは、カーのこの箇所へのコメントから反論を展開している。I. Berlin, *Liberty*, ed. by H. Hardy (Oxford, 2002), pp. 10–30.（初出は一九六九。「序論」小川晃一・小池銈訳、『自由論』）

思うにその一番の源泉は、「たら・れば一派」とでも呼ぶべき思想の一派、いやむしろ感情の一派です。[＊9] これはほとんど現代史限定のようです。昨学期のことですが、ケインブリッジで一つの会合の公告に「ロシア革命は不可避だったのか」というタイトルの報告[＊10]があるのを見ました。完全にまじめな研究報告として企画されたのでしょう。しかし、もし公告で見た報告のタイトルが「バラ戦争〔一四五五―八七〕は不可避だったのか」だったとしたら、すぐに冗談のようなものを嗅ぎとったことでしょう。歴史家はノルマン征服〔一〇六六〕やアメリカ独立戦争〔一七七五―八三〕について述べるときには、あたかもことは起こるべくして起き、あたかも歴史家の仕事はただ起きたことを説明しその理由を述べるだけのようです。その場合、だれもその歴史家が決定論者だとか、あるいは、ウィリアム征服王やアメリカの反乱者たちが敗北してしまったらという別の可能性について討論しないまま過ごしているといって非難したりしませんね〔笑〕。

ところがです。わたしが一九一七年のロシア革命について述べるときに、まさしくこの作法《さくほう》でするのですが――これが歴史家には唯一の適切な作法です――、批判者たちからの攻撃にさらされます。つまり、わたしが、言外にですが、実際の出来事を起こるべくして起きたかのように叙述し、起きていたかもしれない他のあらゆることについて検証を怠っているといった攻撃です。かりに、ストルイピン首相が農地改革を完成するまで時間があったら、あるいはロシアが参戦しなかったら、革命は起きなかったかもしれない。またもしケレンスキーの〔臨時〕政府がうまくやれば、また革命のリーダーシップを掌握したのがボリシェヴィキでなく、メンシェヴィキか社会主義者＝革命家党［エスエル］であれば……。こうした仮定は理論的には考えられます。こうした歴史上の「たら・れば」を談話室の戯れ《ゲーム》として遊ぶことは、いつでもできます。しかし、「たら・れば」は決定論とまるで関係ありません。決定論者であればきっと、こうしたもろもろの［非現実の］仮定が実現するためには、諸原因もまた異ならねばならなかった、と答えるでしょう。またこうしたもろもろの仮定は、歴史とは関係ないのです。

ポイントは、今となれば、本気でノルマン征服やアメリカ独立の結果をくつがえしたり、そうした事象に抗議の思いをぶつけようという人はいないということ、そうした事象について歴史家が「けりがついた」という処遇をしても反対する人はいないということです。ところが、ボリシェヴィキの勝利の結果から直接・間接に被害をうけた人、さらに今後にもたらされる結果を恐れる人は多数いて、異議申し立ての声をあげたがっています。こうしたわけで、彼らが歴史書を読

＊9　The ‘might-have-been’ school of thought—or rather of emotion. 清水幾太郎の名訳では「「未練」学派」となっていた。「学派」というより、一群の人々である。

＊10　学期中に学寮や学部のセミナーや会合でしばしば夕刻に報告・討論会が催され、その公告が学内報に載ったり、掲示板に貼り出されたりする。

むときに現実よりも心地よい「たら・れば」の奔放な想像力を膨《ふく》らませるわけですし、これにたいして歴史家は、実際の経過についても、見果てぬ夢の非現実性についても、静かに淡々と説明を続けるという態度なので、憤慨してしまうわけです。現代史が問題なのは、まだすべての選択肢が開かれていたころを覚えている人々がいて、その人々には、歴史家のように事実経過とともに選択肢は閉じてけりがついてしまったといった態度をとるのは困難だからです。これはじつに感情的で非歴史的な反応ですが、「歴史的必然性」の教理とされるものに反対する近年のキャンペーンに燃料を提供してきました。こうした目眩まし論議はもう、きっぱりおしまいにしたいものです。

クレオパトラの鼻、またはレーニンの死

もう一つの攻撃の源泉は、あのクレオパトラの鼻という有名な難問です。これによれば、歴史とは多かれ少なかれ不測の事態のつらなる一章であり、巡りあわせによって生じた一連の事象であり、歴史はその場かぎりの原因だけに帰することができる、といった考え方です。アクティウムの戦い［紀元前三一］の結果は、ふつう歴史家がとなえるような諸原因の類ではなく、むしろアントニウスがクレオパトラに夢中になってしまったせいだというわけです。雷光バヤジト一世が

痛風の発作でヨーロッパ中央まで攻め込むことができなくなったことについて、[*11] ギボンは「きつい体液が一人の男の神経線維にしたたった発作により［進軍は妨げられ、キリスト教］諸国民の悲惨が予防されたり中止されたりすることもあった」と考察しています。[14] 一九二〇年秋にギリシアのアレクサンドロス王[*12]がペットの猿に咬まれた傷が原因で死ぬと、この不測の事態に触発されて一連の出来事が続いたのですが、これについてサー・ウィンストン・チャーチルの言では、「この猿の一咬みが原因で、二五万という死者が出た」となります。[15] あるいはまた、一九二三年秋にトロツキーは野鴨《のがも》猟に出かけて熱病に感染し、ちょうどジノヴィエフ、カーメネフ、スターリンと

(14)　Gibbon, *Decline and Fall of the Roman Empire*, chap. 64.［『ローマ帝国衰亡史』第一〇巻］
(15)　W. Churchill, *The World Crisis: The Aftermath* (1929), p. 386.
＊11　オスマン帝国のスルタン・バヤジト一世（在位一三八九―一四〇二）は、一三九六年（現ブルガリア）ニコポリスの戦いでハンガリー王ジギスムントの率いるキリスト教連合軍（ニコポリス十字軍）を撃破、そのまま中欧へ攻め込む勢いであったが、痛風の悪化により進軍をあきらめた。
＊12　アレクサンドロス一世は在位一九一七―二〇年。第一次世界大戦中に父王コンスタンディノス（親ドイツ）が廃位され、代わって即位した。ギリシア・トルコ戦争中に猿に咬まれて敗血症で死去。亡命していた父王が復位して、トルコに惨敗、以後ギリシアは混乱した。他方のオスマン帝国は解体し、トルコ共和国の独立にいたる。

の党内抗争の決定的時点で動けなくなってしまったのですが、そのことについてトロツキーはこう述懐しています。「革命や戦争なら予見できるが、秋の野鴨の狩猟旅行の帰結まで予見することはできない(16)」と。

最初に明らかにしておかねばなりませんが、ここでの論点は決定論の問題とはまったく関係ありません。アントニウスがクレオパトラに夢中になったのも、バヤジトの痛風の発作も、トロツキーの発熱悪寒も、それぞれ他の出来事と同じく、原因あってこその結果でした。アントニウスが夢中になったのに理由はないなどと申しましては、クレオパトラの美しさにたいしてあまりに非礼というものです［笑］。女性の美しさに男性が夢中になってしまうのは、日常生活においてじつによく観察される因果連関の一つではないでしょうか。こうした歴史におけるいわゆる偶然[*13]とは、歴史家が一番に究明したいと思っている連続性を中断したり、それと衝突したりする類の、原因・結果の連鎖のことです。J・B・ベリが「別々の二つの因果連関の鎖の衝突(17)」と表現したのは巧みでした。サー・アイザイア・バーリンは『歴史的必然性』の巻頭で、バーナード・ベレンソンの評論「偶然から見た歴史」を引用し賞賛していますが、そうすることによって、彼もまたこの場合の偶然と「因果連関の決定の不在」とを混同しているのです。この混同は別にしましても、ここでわたしたちは本当の問題に直面します。すなわち、人はいかにして歴史における原因と結果の連鎖の筋道を発見できるのか。もしその連鎖が、今にも他の、関連なさそうに見える筋によって破られたり曲折されたりするのだとすると――わたしたちは歴史における意味を見いだすことはできるのか、といった問題です。

ここでちょっと立ち止まって、最近、歴史における運不運の役割を強く主張する動きが広く見られますが、その起源について注意しておきましょう。[紀元前二世紀ギリシアの]ポリュビオスは、運についていくらかでも体系的に考えた最初の歴史家と見えますが、ギボンはその理由を易々《やすやす》と暴露しました。彼によると「ギリシア人は自国が属州の地位まで貶《おとし》められたときに、ローマの勝利の根拠は、その国の長所でなく幸運にあるとした(18)」というのでした。タキトゥスもまた自国の

---

(16) L. Trotsky, *My Life* (English transl., 1930), p. 425.［『わが生涯』下巻、志田昇訳、岩波文庫、二〇〇一］

(17) この点についてのベリの議論は[Bury,] *The Idea of Progress* (1920), pp. 303-304.［『進歩の観念』高里良恭訳、創元文庫、一九五三］

(18) Gibbon, *Decline and Fall of the Roman Empire*, chap. 38.［『ローマ帝国衰亡史』第五巻、朱牟田夏雄訳］

ギリシア人がローマに征服された後に、やはり「たら・れば」史観のゲーム――敗者の慰み――に身をゆだねていたというのは興味深い。もしアレクサンドロス大王が早死にしなかったら、「彼は西方を征服して、ローマはギリシア王の支配に服することになったであろうに」というのが、ギリシア人のつぶやきであった。K. von Fritz, *The Theory of the Mixed Constitution in Antiquity*, p. 395.

＊13　カーによるaccident（偶然、不測の事態）、chance（運不運、巡りあわせ）、contingency（不確定性、情況しだいのこと）といった語の用法は、引用元にも影響されて微妙である。

衰退の歴史を書いた史家［古代ローマ、一二〇年？‐没］ですが、他の古代の史家たちと同じように、運についての長い省察に身をゆだねました。

イギリスの文筆家たちがふたたび歴史における偶然の重要性にこだわるようになるのは、不確実性と不安のムードが増進したころから、つまり二〇世紀とともに始まり、一九一四年以降に顕著になった傾向です。長い空白のあとにこうした調子の声をあげた最初のイギリスの歴史家はベリのようで、一九〇九年に「歴史におけるダーウィン主義」という論文で「偶然の一致という要素」が大いに「社会進化における事象の決定を助長する」ことに注意するよう喚起しました。さらに一九一六年にベリは別の論文「クレオパトラの鼻」で、もっぱらこのテーマを論じたのです(19)。第二講でも言及しました一節で、H・A・L・フィッシャは第一次世界大戦後、リベラルな夢がやぶれたことへの自身の幻滅を省察していますが、そこで歴史における「不確定要素《コンティンジェント》および予見しがたき要素の働き」を認めるように読者に求めています(20)。

イギリスで歴史とは不測の事態がつらなる一章だと見なす考えに人気があったのと同じ時代に、フランスでは――サルトルの有名な『存在と無』［一九四三］から引用しますと――実存には「原因も理由も必然性もない」という［実存主義］哲学が起こりました。ドイツではかの老歴史家マイネッケが、すでに第二講で触れたとおり、年齢を重ねるにしたがって歴史における偶然に感銘をうけるようになりました。彼はランケのことを、偶然の問題に十分注意を向けなかったと難じていたのですが、第二次世界大戦後になりますと、過去四〇年間のドイツ国民の惨状を、皇帝［ヴィルヘルム二世］の虚栄心、ヒンデンブルクのワイマル共和国大統領への選出、ヒトラーの強迫観念、等々といった一連の偶発性に帰することになりました。――自国の不幸の連続というストレス下に、偉大な歴史家マイネッケの思考力は破《は》綻《たん》したのであります。[21] 歴史的事象の稜線ではなく谷間をゆく集団や国民においては、歴史における運不運や偶然を強調する理論が流行《はや》りやすいのです。試験の結果なんてすべてくじ運みたいなもんさといった見方は、「可」ばかりの学生たちのあい

---

(19) 両論文ともにJ. B. Bury, *Selected Essays* (1930) に所収。ベリの見解をめぐるコリンウッドのコメントは［Collingwood,］*The Idea of History*, pp. 148–150.［『歴史の観念』］

(20) フィッシャの前出の一節は、六五頁参照。なおトインビーによるフィッシャの言の引用には完全な無理解が露呈している。Toynbee, *A Study of History*, V, 414.［『歴史の研究』第一〇巻、「歴史の研究」刊行会訳、経済往来社、一九七〇］トインビーはフィッシャの言を「運不運の万能性によせた近代西洋人の信念」の産物であり、これが自由放任《レセフェール》「を産んだ」と見なしている。［だが、］自由放任の理論家たちは運不運を信じたのではなく、見えざる手が、人間の言動の多様性のうえに恵みふかき規則性を課すると信じたのである。またフィッシャの言は自由放任リベラリズムの産物ではなく、一九二〇年代、三〇年代におけるその解体の産物であった。

(21) F. Meinecke, *Machiavellism* (1957), pp. xxxv-xxxvi. 関連する文は、W・スタークの序文に引用されている。［原註(28)も参照］

だでいつも広まっていますね［笑］。
とはいえ、一つの信念の源泉をあばいたとて、それを始末したことにはなりません。わたしたちはまだ正確には、クレオパトラの鼻が歴史の局面においていかなる働きをしているのか、明らかにできておりません。モンテスキューはこうした偶然の闖入《ちんにゅう》にたいして歴史の法則を擁護しようとした第一人者と見られます。彼は『ローマ人の偉大さおよび衰退の諸原因考』で「もし一つの戦いの偶然の勝敗のような特定の原因が一国を滅ぼしたというのであれば、……その前にただ一つの戦いの結果がその国家の崩壊をまねき寄せるほどの全般的な原因があったのである」と述べました。この問題については、マルクス主義者もまた困難を覚えていました。マルクスはこの点につきただ一度だけ、しかも書簡［クーゲルマン宛一八七一年四月一七日］でのみ述べています。

もし運不運の働く余地がないとすると、世界史はまことに神秘的な性格を帯びてしまうだろう。当然ながら、この運不運自体が全般的な発展動向の一部となり、他の形の運不運によって相殺される。促進も停滞もこうした「偶発的要素」しだいであり、その偶発的要素には運動が始まるときに先頭にたつ個々人の性格という「運不運」も含まれる。(22)

マルクスはこうして、歴史における運不運の弁論を三点にわたって呈示しました。一、運不運はあまり重要ではない。運は促進したり停滞させたりするけれども、含意のとおり、事象のコースを根本的に変えたりしない。二、一つの運不運は別の運不運によって埋め合わせられるので、結局のところ、運はみずからを帳消しにする。三、運不運は具体的にはとりわけ個々人の性格に現れる、というのでした。(23)トロツキーは、複数の偶然が埋め合わせ、帳消しにするという理論を補強するのに、次のように巧妙な類比論《アナロジー》を用いました。

歴史の全過程は、歴史の法則の偶発的要素による屈折作用である。生物学の用語でいえば、歴史の法則は、偶然を自然淘汰することによって実現するのである。(24)

率直に申しますと、わたしはこうした理論には不満でして、納得しません。歴史における偶然の役割は、最近、その重要性を強調したい人たちによって誇張されすぎです。たしかに偶然は存

(22) Marx and Engels, *Works* (Russian ed.), XXVI, 108.［『マルクス・エンゲルス全集』第三三巻、一九七三］

(23) トルストイは『戦争と平和』エピローグの一［岩波文庫では第六冊］で「運不運」と「天才」という語はともに、そもそも人間は究極の原因を理解できないということを表す点で同等であるとした。

(24) L. Trotsky, *My Life* (1930), p. 422.［『わが生涯』下巻］

在します。それは促進したり停滞させたりするだけで変更はしない、というのは、言葉の手品です。さらには、偶発的な事態――たとえばレーニンの[満]五三歳での早すぎる死――は自動的に他の偶然によって埋め合わされ、歴史プロセスのバランスは回復される、といった説を信じるべき理由もありません。

同じように不適切なのは、歴史における偶然とはわたしたちの無知の証にすぎず、要するにわたしたちの理解できないことをさす言葉にすぎないという見方です(25)。たしかに時にこうしたことは生じます。「惑星」という名は、天空を「惑《まど》いゆく星」と想定され、その動きの規則性がまだ理解されていなかったころに命名されたものです。ことを不運だったとして片付けるのは、その原因を究明する手間のかかる責務から自分を免除するのによく使われる方途《ほうと》です。どなたかが歴史って不測の事態が次々につらなる一章ですねとかおっしゃる場合は、その方は知的に怠慢なのか、知的活力が低いのか、どちらかなのだろうと思ってしまいそうです[笑]。本格的な歴史家の場合によくあることですが、かつて偶発的と見なされてきたことがまるで偶発ではなく、むしろ合理的に説明可能で、もっと広い事象のパターンにピタリとはまることだったと指摘なさることがあります。しかしこれもまた、わたしたちの問いへの完璧な解答ではありません。偶然とは、わたしたちの理解できないものなのではありません。歴史における偶然という問題の解決は、思うに、まったく別の思考法で追求せねばなりません。

第一講において、歴史とは歴史家が事実を選択して整列させ、歴史的事実にすることで始まると申しました。すべての事実が歴史的事実なのではありません。とはいえ、歴史的事実と非歴史的事実との区別は厳格でも不変でもなく、いかなる事実も、その関連性と意義さえ明らかになれば、歴史的事実のステータスまでいわば昇格することがあるのです。これと同じようなプロセスが、歴史家が原因にアプローチするときにも働いていることが分かります。歴史家の原因にたいする関係は、歴史家の事実にたいする関係と同じように、二方向的で相互作用的なものです。歴史のプロセスを歴史家がどう解釈するかを決めるのは原因で、原因をどう選択し整列させるかを決めるのは歴史家の解釈です。諸原因の上下秩序、すなわち一原因あるいは一連の諸原因の、また別の原因の相対的な重要性のいかんこそが、歴史家の解釈のエッセンスです。そしてこれが歴史における偶発的要素という問題を解く糸口を与えてくれます。クレオパトラの鼻の美しさ、バヤジトの痛風の発作、アレクサンドロス王を殺した猿の一咬み、レーニンの死――こうしたことは歴史のコースを修正する不測の事態です。これらをこっそり隠したり、なにも実効はなかった

（25）トルストイがこの見解をとっていた。「非合理な事象、すなわち、とても合理的とは受けとめられない事象の説明としては、われわれは宿命論に立ち戻るしかない。」『戦争と平和』通巻第九篇［岩波文庫では第四冊、第三部第一篇］の1。また一六九頁の原註（23）に引用した句を参照。

といってごまかそうとしても無駄です。他方で、そうした不測の事態は偶発的であるかぎり、歴史の合理的な解釈に入りこめないし、歴史家による重要な諸原因の上下秩序のなかに占める席もないのです。

ここでポパー教授とバーリン教授ですが――またもや登場願うのは、この学派を代表するもっとも傑出した学者で、読者も多いからです――、お二人とも想定なさっているのは、まず歴史家が歴史プロセスに意義を認め、そこから結論を導き出す企ては、「経験の総体」を均整のとれた秩序へと整形しようとする試みに等しい。そして歴史には偶然が存在するのだから、このような試みは挫折する宿命である、ということです。しかしながら、正気の歴史家ならだれも「経験の総体」を受けとめて何かしようなどと夢のようなことは考えません。歴史家が受けとめられるのは、その選択した歴史の部門や局面の諸事実のうち、ごく微少な部分にすぎません。

歴史家の世界とは、科学者の世界と似ていて、現実世界の写真コピーではなく、むしろ現実世界を理解し制御《マスター》するのが多少とも効果的になるようにした作業用の模型《モデル》なのです。歴史家は過去の経験から、しかも過去の経験のうち自分の手に収まるだけを蒸留して、合理的説明や解釈にかなうと考える部分を抽出し、そこから行動の指針として役立ちそうな結論を引き出します。近年、科学の達成したことについて語る人気のライターが、人間の思考のプロセスについて生き生きと述べています。これによると、人間の思考は、観察した「事実」を詰めこんだ袋のなかのあれこれをかき回しながら、事実のうち関連するものを選び、つなぎ合わせ、意匠《パターン》を作り、関連ないものを捨てて、やがてついには論理的で合理的な「知」のキルトを刺し縫いで作りあげてゆく[26]。

いささか主体性が強調されすぎているきらいがあり、その点は留保するとしても、これは歴史家の思考の働く様子を描いたイメージとして受けとめ認めたいと思います。

こうした作法には、哲学者も、さらには一部の歴史家も、当惑し、衝撃をうけるかもしれません。しかし、実際的な生活を営んでいるふつうの人でしたら、じつに見覚えのあることでしょう。たとえ話をします。ジョーンズがパーティでふだんの量よりも多くアルコールを飲んで、車を運転して帰るのですが[*14]、その車のブレーキには欠陥があり、見通しのきわめて悪いコーナーにさしかかりました。ちょうどその角にある店にタバコを買いに来たロビンスンが道を渡っていて、ジョーンズの車にぶつけられ、死にました。混乱が収拾したあと、たとえば警察署でわたしたちは

(26)　L. Paul, *The Annihilation of Man* (1944), p. 147.

＊14　このころのイギリスでは飲酒運転自体は、酩酊していないかぎり、違法ではなかった。

顔を合わせて、この事故の原因について究明することになります。事故は運転手の半酩酊状態のせいでしょうか――その場合は刑事訴追となるでしょうか。あるいは、ブレーキの故障のせいでしょうか――この場合は、たった一週間前にオーバーホールの点検修理をした業者にも責任がありそうです。あるいは、見通しの悪いコーナーがいけないのでしょうか――この場合は、道路管理当局が呼ばれ、この件についての対応処置がうながされるでしょう。

こうした実際的な問題をわたしたちが討論している部屋へ、二人の立派な紳士が――お名前まではあえて申しませんが［笑］――闖入してきて、きわめて流暢《りゅうちょう》に力強く、「もしその晩にロビンスンがタバコを切らさなければ、彼は道を横切ることはなかったであろうし、交通事故で死ぬこともなかったであろう。」「したがって、ロビンスンのタバコ嗜好が彼の死の原因である。」「この原因を無視するような調査究明は時間の無駄であり、そこから引き出される結論は無意味でむなしい」とか説諭なさいます。さて、どういたしましょうか。流れるような雄弁の隙になんとか付けこんで、わたしたちは丁重に、しかし毅然と二紳士に迫り、入口のほうに押しやります。門衛には、いかなる理由でも今後このお二人は中に入れないように告げて、中断された調査究明に戻りましょう［笑］。とはいえ、この闖入二紳士にたいしてはどんな回答があるのでしょう。たしかにロビンスンは喫煙者だったから、車にはねられ死んだのです。歴史における運不運と不確定性を信奉する方々の発言は、いちいち完璧に正しく論理的です。ちょうど『不思議の国のアリス』

や『鏡の国のアリス』に見られるような容赦ない論理を備えています。こうしたオクスフォードの学識の成熟した例を讃える点で人後に落ちないわたしではありますが〔笑〕、しかし、それとは違う別領域の論理のモードを守りたいと存じます。ドジスン先生のモードは、歴史のモードではありません。[*15]

というわけで、歴史とは歴史的意義という観点からする選択のプロセスです。タルコット・パーソンズの表現〔一二頁〕をもう一度拝借しますと、歴史とは現実にたいする認知の方向定位においても、因果の方向定位においても「選択的なシステム」なのです。ちょうど無限の事実の大海原からその目的にかなうものを選択するのと同じように、歴史家は数多《あまた》の因果の連鎖から歴史的に意義あることを、それだけを抽出します。その歴史的意義なるものの基準は、歴史家がその因果の連鎖を自分の合理的な説明と解釈のパターンへと合わせてゆく能力のことです。歴史的な意義のない因果の連鎖は偶発的なものとして捨てられねばなりませんが、その理由は原因・結果の関係が違うからではなく、その連鎖自体が関係ないからです。こうしたことにつき、歴史家には

＊15　『不思議の国のアリス』（一八六五）や『鏡の国のアリス』（一八七二）の作者ルイス・キャロルの本名はＣ・Ｌ・ドジスン。オクスフォード大学クライストチャーチ学寮の数学講師で、学寮長の家族、とくに娘アリスと親しかった。

どうしようもありません。合理的解釈にはなじまず、過去にとっても現在にとっても無意味です。たしかにクレオパトラの鼻も、バヤジトの痛風も、アレクサンドロス王の猿の一咬みも、レーニンの死も、あるいはロビンスンの喫煙も、それぞれの結果を生じました。しかし、一般的な命題として、将軍が戦闘に敗れるのは美しい女王に夢中だからとか、戦争が起こるのは国王が猿をペットに飼うからだとか、人が道路で車に轢《ひ》かれて死ぬのは喫煙するからだとかいうとしたら、それはナンセンスです。

他方で、ふつうの人に向かって、ロビンスンが交通事故で死んだのは運転者が酔っぱらっていたから、あるいはブレーキが故障していたから、あるいは道路のコーナーが死角になっていたからと話すなら、これは完璧に分別のある合理的な説明として受けいれられるでしょう。もしその人が違いをはっきりさせたい男なら、ロビンスンのタバコ嗜好でなく特定のこのことが、彼の死の「現実《リアル》の」原因だと言うかもしれません。同じように、歴史専攻の学生に向かって、一九二〇年代のソヴィエト連邦における権力闘争は、工業化の速度についての議論や、農民を都市への供出のための穀物生産にしむける最善の方策をめぐっての議論に由来するとか、さらに党のライヴァル指導者間の個人的野心に由来するとか語るならば、その学生は合理的で歴史的に意味のある説明だと受けとめるでしょう。合理的で歴史的に意味のある説明とは、その説明を他の歴史情況にも応用しようと思えば可能だということです。さらに学生は、「党内の議論や政敵間の野心が」実際に生じたことの「現実の」原因で、レーニンの不測の早い死はそうではないと受けとめるでしょう[*16]。もし、こうしたことを熟慮するタイプの学生なら、ヘーゲルの『法の哲学』〔一八二一〕の序言における、よく引用され、よく誤解されている名言「合理的なものは現実的であり、現実的なものは合理的である」を想い起こすかもしれません。

いますこしだけロビンスンの死の諸原因を考えましょう。諸原因のうちいくつかが合理的にして「現実的」で、他は非合理的で偶発的でした。しかし、その区別の基準はどこにあったのでしょう。理性の力はふつうなんらかの目的のために行使されます。知識人は時に自分が理性を働かせるのは楽しみのためだ、などと理屈をこねるかもしれません。しかし、広く言って、人間が理性を働かせるのはなにかの目的のためです。わたしたちがある説明が合理的で他の説明は非合理だと認識するとしたら、わたしたちはなにかの目的に役立つ説明と、役立たない説明とを区別したわけです。ここで討論している問題の場合、運転者の飲酒癖の抑制や、ブレーキ動作の検査の強化や、道路の見通しの改善などは、交通事故死者数の減少という目的に役立つことでしょう。しかし、喫煙の予防という手段によって交通事故死者数を減らせると想定するのは、まったくナンセンスです。わたしたちが区別した基準は、これです。

---

*16　ここではこう言い切ったカーも、刊行後に再考し修正している。二八〇、二八六―二八八頁。

同じことが、歴史における諸原因についての心構えにも当てはまります。ここでもわたしたちは合理的原因と偶発的原因を区別します。合理的原因のほうは、他の国、他の時代、他の諸条件にも応用可能で、実のある一般化にいたり、教訓を学べるでしょう。わたしたちの理解を広げ深めるという目的に資するものです。(27) 偶発的原因のほうは一般化できません。その語の完全な意味で独特《ユニーク》ですから、教訓をもたらさず、いかなる結論にもいたりません。しかし、ここでもう一つ別のポイントを指摘しないとなりません。

過去・現在・未来

この目的を見とおすという考えこそ、歴史における因果連関のあつかいの鍵《キー》となるものです。そしてこのことは、かならず価値判断をともないます。第三講で見ましたとおり、歴史における解釈はつねに価値判断と結びついていて、因果連関は解釈と結びついています。マイネッケ——かの偉大なマイネッケ、すなわち一九二〇年代のマイネッケ——の言ですが、「歴史における因果連関を追究するなら、価値観に触れないわけにゆかない。……因果連関の追究の裏にはつねに直接・間接の価値観の探究がある」(28) というのでした。この言で想い起こされるのは、先に「第二講、第三講で」申しました歴史学の二方向的な相互作用の働きのこと——すなわち現在の光で照らして過去の理解を促進する、過去の光で照らして現在の理解を促進するということです。アントニウスがクレオパトラの鼻に夢中になったという類の説明は、こうした二重の目的に資するものではなく、歴史家の観点からすると、不毛でむなしい。

さて、今ここにいたりまして、わたしはこれまでみなさん相手に卑しい策《トリック》を弄しておりましたことを告白いたします［笑］。とはいえ、すでにお見透かしでしたでしょうか。このトリックによって申しあげたいことを短く簡単に何度も言えましたので、便利な簡略法のようなものと見して寛大にも宥《ゆる》してくださっていたのかもしれません。［と申しますのは、］ここまでわたしは何度も「過去と現在」という慣用のフレーズを使ってまいりました。ところが、どなたもご存知のとおり、現在とは、過去と未来を分ける想像上の区分線といった概念的存在でしかありません。現

（27）　ポパー教授は一瞬この点でつまずきながら自覚がない。「解釈の複数性は、基本的に示唆性と恣意性の両者と同じレヴェルにある」（この二つの語が正確に何を意味しているかは問わない）と仮定したうえで、括弧に入れて、「その豊かな多産性――一つの重要な点――で際《きわ》だつものもあるかもしれない」と加筆する。*The Poverty of Historicism*, p. 151.［『歴史主義の貧困』］これは一つの重要な点どころか、これこそがポイントで、「歴史主義」なるものが（この語のいくらかの意味では）実のところ貧困ではないという証である。

（28）［Meinecke,］*Kausalitäten und Werte in der Geschichte*（1928）, in *Varieties of History*, ed. & transl. by F. Stern（1957）, pp. 268, 273.［カーはここで最晩年でなく、戦間期の知的マイネッケを復権させている。］

在について語るとき、わたしは話にもう一つ別の時間次元を密輸入していたのです。過去と未来は、同じ時間軸の延長ですから、過去への関心と未来への関心は互いに結びついていると明らかにするのは容易です。先史時代と歴史時代を画する線を人類が越えたのは、現在のみに生きることを止め、みずからの過去と未来の両方に興味関心をもっていると自覚したときでした。伝統の継承により、歴史は始まります。伝統とは、過去の習慣や教訓を未来へと運びこむことです。過去の記録が、未来の幾世代のために保存され始めます。

「歴史的思考とは、つねに目的論である[29]」と述べたのは、オランダの歴史家ホイジンガです。サー・チャールズ・スノウの最近の文章によりますと、ラザフォードは「すべての科学者と同じように……未来のことが骨髄に徹していた。そのことの意味まで考えいたることはほとんどなかった[30]」ということです。思うに、良き歴史家は、意識するかどうかは別にして、未来のことが骨髄に徹しています。「なぜ」という問いとともに、また歴史家は「どこへ」と問いかけるのです。

（29）　J. Huizinga in *Varieties of History*, ed. & transl. by F. Stern（1957）, p. 293.

（30）　[Snow in] *The Baldwin Age*, ed. John Raymonnd（1960）, p. 246.

第五講　進歩としての歴史

今日ははじめに、三〇年前にオクスフォードでパウイック教授[*1]がなさった歴史学欽定《きんてい》講座の教授就任講演から一節を引用いたしましょう。

歴史の解釈への渇望にはたいへん根の深いものがある。そのため、過去を見わたす建設的な見通しをもちあわせないかぎり、わたしたちは神秘主義か冷笑主義《シニシズム》のいずれかに引きずり込まれてしまう。(1)

ここで「神秘主義」とは、歴史の意味は歴史の外のどこか、神学や終末論の領域あたりに隠れているといった見方、N・ベルジャーエフやR・ニーバーやA・トインビーといった方々[*2]の見方のことでしょう。(2)また「冷笑主義」とは、すでに幾度となく例をあげましたが、歴史に意味はないとか、歴史はあれこれ有効だったり無効だったりの数多《あまた》の意味があるとか、あるいは人は好き勝手な意味を歴史に付与できるといった見方のことでしょう。この二つが今日、非常に広く支持されている歴史観ではないでしょうか。しかしわたしは、この二つの見方をきっぱり却下します。この却下により、わたしたちのもとに残るのは「過去を見わたす建設的な見通し」というおかしな、でもなかなか含蓄のある表現ということになります。パウイック教授がこの表現をとられたときに何を考えておられたか、知るよしはないので、これについてわたし自身の解釈を申し述べようと思います。

アジアの古代文明もそうだったように、ギリシア・ローマの古典文明は基本的に非歴史的なものでした。先にも見ましたとおり［一四四頁］、歴史の父ヘロドトスには弟子といえる存在がほとんどありません。古典古代の著者たちは、全体的に、過去にも未来にも関心をもっていませんでした。トゥキュディデスが確信していたのは、彼の叙述した事象より前にはなにも重要なことは生起せず、またその後にもなにも重要なことは生起しそうもない、ということでした。［紀元前一世紀、ローマの詩人］ルクレティウスは人が未来に関心がないのは、過去に関心がないことに由来するとして、こう申しました。

われらの誕生より前の過去、すなわち永遠の時なるものが、いかにわれらの関心の外にあっ

たか、考えてもみよ。これぞわれらの死後に来たる未来の時につき、自然の女神がわれらに示す鏡なり。(3)

今より明るい未来という詩人のイメージは、過去の黄金時代への回帰というイメージで表現されました。これは循環的な見方ですが、歴史のプロセスを自然のプロセスになぞらえたものです。歴史はどこか［別のところ］へ行ってしまうのではありません。過去という感覚がなかったのですから、同じように未来という感覚もなかったのです。ウェルギリウス*3だけは違いました。彼もかつて『牧歌・第四歌』においては黄金時代への回帰という古典的イメージを表現していたのです

---

(1) F. M. Powicke, *Modern Historians and the Study of History* (1955), p. 174.

(2) 「歴史は進んでいった先には神学となる」とは、トインビーの勝ち誇ったような主張である。［Toynbee,］*Civilization on Trial* (1948), Preface.［『試練に立つ文明』深瀬基寛訳、現代教養文庫、一九七三］

(3) ［Lucretius,］*De Rerum Natura*, III, 972–975.［『物の本質について』樋口勝彦訳、岩波文庫、一九六一］

*1 一八七九—一九六三年。マンチェスタ大学およびオクスフォード大学で中世史研究を指導した泰斗。

*2 ベルジャーエフ、ニーバーは一二〇頁で既出。トインビーも五六頁で既出だが、カーは、その文明史は究極的に神学に行きつくと批判的である。

*3 ローマの詩人、前七〇—前一九年。初期の『牧歌』で牧歌的理想郷《アルカディア》をうたいあげた。

が、叙事詩『アエネイス』[4]においては特別の霊感に導かれて循環的な発想を突き抜けました。［そこでのユピテルの言］「われ［ローマに］終わりなき統治権《インペリウム》を与えけり」とは、じつに非古典的な思考法であって、それゆえ後の時代に、ウェルギリウスはほとんどキリスト教の預言者であったという評判までえることになります。

ユダヤ教徒、またその後のキリスト教徒が、歴史のプロセスの行く先のゴールを前提することによって、まったく新しい要素、すなわち歴史における目的論をもちこんだのでした。こうして歴史は意味と目的を獲得しましたが、その代償に世俗性を失いました。[5] 歴史のゴールの達成とは、そのまま歴史の終わりを意味します。歴史は神義論[6]になったのです。これが中世の歴史観でした。ルネサンスになると人間中心の世界観と理性の優位という古典的な見方が復活しましたが、このとき未来についての古典的な悲観論は、ユダヤ＝キリスト教的な伝統に由来する楽天的な見解がとって代わりました。かつては敵対的で腐食性であった「時間」が、ルネサンス期には友好的で創造性のものに転じました。ホラティウス［ローマの詩人］の頌歌「非道なる時に害されぬものは、いずこにかある」と、F・ベイコンの言「真実は時の娘なり」を比べてください。[7]［一八世紀］啓蒙の合理主義者になると、彼らは近代の歴史叙述の創始者なのですが［一四四頁］、ユダヤ＝キリスト教的な目的論の見方は保ちながらも、そのゴールの宗教性をとり除きました。そうすることによって歴史のプロセス自体の合理性を回復することが可能となったのです。歴史は、地上における人間の状態の完成というゴールに向かう進歩となりました。啓蒙の歴史家のうちもっとも偉大なギボンは［ローマ帝国の衰亡という］重いテーマにも動じることなく、彼の自説、「すなわち世界のあらゆる時代は人類の本当の富、幸福、知識を、あるいはまた美徳をも増進させてきたし、これからもなお増進させるものであるという、愉快な結論」(4)をしっかり記したのです。

進歩の崇拝《カルト》は、イギリスの繁栄、権力、自信が高みにあったときに絶頂に達しました。そしてイギリスの文筆家や歴史家は、この崇拝のもっとも熱心な唱道者であったのです。この現象はよく知られていて具体例を出すまでもないでしょうが、ただ一節か二節をあげますと、いかに最近

＊4　ウェルギリウス畢生の叙事詩『アエネイス』は、トロイア落城後アエネアス王子が流浪したはてに、ローマを建国するという創世神話による。時のアウグストゥス帝の統治権力を正当化する物語でもある。

＊5　英語の secular は定訳により「世俗」と訳すが、「教会と異なる」「脱宗教の」「現世の」という意味であり、「俗悪」「卑しい」という含意はない。

＊6　この世に悪が存在することと、全能の神が存在することとは矛盾しないと弁じる。

＊7　古代はホラティウス『頌歌』第三巻第六歌におけるネガティヴな時間観と、近世はベイコン（一五六一―一六二六）における時の経過への肯定が対照されている。カーは後者の典拠をベイコンとしているが、同時代のシェイクスピアをはじめ、一六世紀ヨーロッパに流布した表象である。cf. Soji Iwasaki, '*Veritas filia temporis* and Shakespeare', *English Literary Renaissance*, 3 (1973), 249–263.

にいたっても進歩の信念がわたしたち皆の思考法の前提条件であり続けているかが分かります。第一講で引用いたしましたアクトンは、『ケインブリッジ近代史』の企画についての一八九六年の報告書で、歴史学のことを「進歩の学問」と呼んでいましたし、さらに『ケインブリッジ近代史』第一巻〔一九〇二〕の序説では「われわれは歴史が執筆される前提の学問的仮説として、人間社会のもろもろの進歩を想定しないわけにはゆかない」と書いています。その第一二巻の刊行は一九一〇年ですが、そこに寄稿した〔科学史家〕ダンピアは「未来の時代には、自然資源にたいする人間の力は限りなく増進し、人類の福祉のためのその知的な利用も限りなく増進するであろう(5)」といったことに疑いをはさまなかったのです。ちなみにこのダンピアは、わたしが大学生のころトリニティ学寮の指導教員《テューター》の一人でした。このあとすぐに申します観点からも、ダンピアの言こそまさしくわたしの学生時代の雰囲気だったと率直に認めます。わたしの二〇歳年長であるバートランド・ラッセルの言で、「わたしはヴィクトリア時代のあふれるほどの楽天観のなかで育ち、……そのころの希望に満ちた何分《なにぶん》かは今もわたしのなかに生きている(6)」というのがありますが、これにも留保なしに同意できます〔笑〕。

一九二〇年にJ・B・ベリが『進歩の理念』を執筆したころには、すでに相対的に暗い空気が支配的でしたが、その原因は時の流行のまま「現今のロシアにおける恐怖の体制を樹立した主義者たち」のせいとされています。とはいえ、ベリはまだ進歩のことを「西洋文明の活気あり制御力ある理念である」と述べていました。(7) この後、この響きは鳴りをひそめます。ロシアのニコライ一世*8は「進歩」という語を禁止する勅令を発したと言われていますが、今日では哲学者も歴史家も、西ヨーロッパだけでなく合衆国でも、遅まきながらニコライに同調していますね[笑]。進歩の仮説は論破されてしまったのです。「西洋の没落」という表現は、近ごろはあまりにふつう

(4) Gibbon, *Decline and Fall of the Roman Empire*, chap. 38.［『ローマ帝国衰亡史』第五巻］ギボンがこの所感をしたためたのは、西ローマ帝国の滅亡を最後に総括した箇所であった。『タイムズ文芸誌』(*TLS*)の一九六〇年一一月一八日号で一批評子がこの一節を引用して、ギボンは本気でこう考えたのだろうかと問うている。もちろん本気であった。著者の観点は、書いている対象の時代でなく、本人の生きている時代を反映するのである。この真理は他ならぬこの批評子がご自分の二〇世紀半ばの懐疑心を一八世紀後半のギボンに転嫁しようとしていることに、よく例示されているではないか。

(5) *Cambridge Modern History: An Account* (1907), p. 13; *Cambridge Modern History*, I (1902), 4; XII (1910), 791.［補註e］

(6) B. Russell, *Portraits from Memory* (1956), p. 17.［『自伝的回想』］［ラッセルもトリニティ学寮の学生・フェローであった。xiv、三一六頁をも参照。］

(7) J. B. Bury, *The Idea of Progress* (1920), pp. vii-viii.［『進歩の観念』］

＊8　ロシア皇帝、在位一八二五―五五年。デカブリスト鎮圧に始まる専制の強化を特徴とする「ヨーロッパの憲兵」。クリミア戦争に突入して敗北。

になってしまったので、カギ括弧は必要なくなりました。とはいえ、大きな声は別にして、本当のところいったい何が起きているのでしょう。だれがこの新説を流行させたのでしょう。

先日のことですが、バートランド・ラッセルの、めずらしく階級的感覚の鈍い発言に遭遇してびっくりしました。「概していうと、現在の世界に存在する自由は、一〇〇年前に存在した自由よりもずっと少ない」というのです(8)。わたしは自由をはかる計測尺《ものさし》をもっているわけではありませんし、また少数者の小さな自由と多数者の大きな自由をどう天秤《てんびん》にかけるべきか知りません。とはいえ、いかなる計測の基準に照らしても、ラッセルの発言はまったくもって誤りと考えざるをえません。それに比べて魅力的なのは、A・J・P・テイラ氏の冴えわたる寸評です。氏は時にオクスフォードの学者生活に立ち入った寸評をしたためますが、この文明の没落とかいうお話のすべては、「じつのところ何を意味しているかというと、昔の大学教授は家事使用人を雇っていたが、今や自分で[台所に立って]洗い物をしているというのにすぎない」というのです(9)[笑]。たしかに、かつて家事使用人だった人から見れば、教授が洗い物をするのは進歩のシンボルかもしれません[笑]。

アフリカにおける白人支配の喪失とは、帝国忠誠派、アフリカーナ共和主義者、*9 金や銅の株式に投資している人たちを困惑させる事柄ですが、それ以外の人々にとっては進歩と見えます。この進歩という問題自体について、一八九〇年代の意見よりも一九五〇年代の意見のほうを採るべし、あるいはロシア・アジア・アフリカの意見よりも英語圏の意見のほうを採るべし、また街頭の庶民の意見よりも中産階級知識人の意見のほうを採るべしという理由があるとは思えません。ちなみに街頭の庶民についてですが、マクミラン首相〔在任一九五七―六三〕によれば「今が絶好調」という状態だそうです[*10]〔笑〕。そこで、現在わたしたちが生きているのは進歩の時代なのか、衰退の時代なのかという問題の判断はちょっと棚上げにしまして、進歩という概念について、これが何を意味しているのか、背後にどのような前提が隠れているのか、そしてこの前提が今ではどれほど成り立たなくなっているのか、すこし詳しく検討することにいたしましょう。

（8）　Russell, *Portraits from Memory*, p. 124.

（9）　[A. J. P. Taylor in] *The Observer*, 21 June 1959.

＊9　南アフリカはアパルトヘイト政策を推進するフェルヴルト首相のもと一九六一年に独立共和国となり、女王を統合の象徴とする英連邦から離脱した。

＊10　ハロルド・マクミランは書店＝出版社の御曹司で、保守党党首。首相就任時に好況で「今が最高／絶好調」と公言し、旧植民地の独立を次々に承認し、ヨーロッパ経済共同体（EEC）に加盟申請し、順調な滑り出しだった。『イギリス史10講』二八七頁以下。そのマクミラン社はカー『ソヴィエト＝ロシアの歴史』を刊行中。本書『歴史とは何か』も初版はマクミラン社刊。

進歩と歴史のゴール

まず第一に、進歩と進化についての混乱を片付けておきましょう。啓蒙の思想家たちは一見して矛盾しそうな二つの見解を採っていました。彼らは［一方で］人間の自然界における立場を擁護すべく、歴史の法則と自然の法則を等号で結びました。他方では進歩を信じていたのです。しかし、自然を進歩する存在、あるゴールに向かってつねに前進する存在と見なす根拠はどこにあったのでしょう。［啓蒙以後の］ヘーゲルは進歩する歴史と進歩しない自然を峻別することで、この困難を処理しました。ダーウィン革命は進化と進歩を等しいとすることによって、障害をとり除いたように見えました。自然もついに歴史と同じように進歩することになったのです。

しかし、これにより、さらに深刻な誤解への道が開かれました。つまり、生物的な遺伝（すなわち進化の源）と、社会的な習得（すなわち歴史的進歩の源）との混同による誤解です。この二つの区別はよく知られていて明白です。ヨーロッパ人の幼児を中国人家庭に入れて育てると、その子は成長して、肌は白く中国語を話す人になります。肌の色は生物的な遺伝であり、言語は人の脳の働きにより伝えられる社会的な習得です。遺伝による進化は何千年の、あるいは何百万年のスパンで計測するほかないものです。文字文明の始まって以来、人間が生物として有意の変化をこうむったとは知られていません。習得による進歩は数世代［数十年］のスパンで計測されています。理性的存在としての人間の本質は、過去の何世代かの経験を蓄積して潜在的な能力を発達させる点にあります。現代人の脳の大きさは五〇〇〇年前の祖先の脳と比べて変化はないし、また先天的な思考能力も増しているわけではない、ということです。しかしながら、人間の思考の実効性という点では、この間の何世代かの経験を学習し吸収することによって、何倍にも増していいます。習得した特性［獲得形質］の遺伝については生物学者が否定するところですが、これは社会的進歩の基礎に他なりません。歴史とは、習得した技能を世代から世代へ伝承することによる進歩なのです。

第二は、進歩には定まった始点と終点があると考える必要はないし、またそう考えてはならないということです。文明は紀元前四〇〇〇年紀にナイル川流域で始まったという説は一般に広まってまだ五〇年も経っていませんが、今日その危うさは、天地創造を紀元前四〇〇四年としていた年代記と大差ありません。文明の誕生というと、わたしたちの進歩の仮説の出発点と受けとめそうですが、じつは文明とは発明や創作といったことではなく、むしろ無限にゆっくりした発達プロセスで、そこにときおり目覚ましい飛躍が起きるのです。わたしたちは進歩ないし文明はいつ始まったのか、という問いに煩《わずら》わされる必要はありません。

進歩のはっきりした終点という仮説は、より深刻な誤解を生じました。ヘーゲルが進歩の終点をプロイセン王国に見たというので非難されたのは当然です。これは、予言は不可能というヘーゲルの見解を過度に強調した解釈の結果でしょう。このヘーゲルの逸脱にさらに輪をかけたのは、あのヴィクトリア期のラグビ校のアーノルド、[*11]オクスフォードの歴史学欽定講座教授です。彼が一八四一年の就任講演で述べたところによると、近代史は人類の歴史の最終段階であり、「近代史は時の満ちた徴《しるし》を帯びているように見え、その先の未来に歴史は存在しないかのようである」[(10)]というのでした。マルクスによる、プロレタリア革命は階級なき社会という究極の目的を実現するという予言は、これより論理的にも倫理的にも力強いものでしたが、しかし［究極の目的の実現、すなわち］歴史の終わりという想定は、歴史家よりも神学者にふさわしい終末論的な響きがありますし、歴史の外にゴールを想定する錯誤［第三講参照］へと立ち戻るものです。

たしかにはっきりした終点というのは、人間の精神を惹きつけます。アクトンのいう歴史の行進、すなわち自由に向けての終わりなき進歩といったイメージは、冷ややかで、曖昧《あいまい》です。とはいえ、歴史家は進歩の仮説を保持したいのなら、進歩とは各時代の要請や情況がおのおの固有の内容をもちこむことができるようなプロセスと見なす用意がなければならないと思います。そして、これこそアクトンの歴史は進歩の記録であるだけでなく、「進歩の学問である」という命題の意味です。言いかえますと、歴史はその二つの意味——つまり事象の経過、および事象の記録——のいずれにおいても進歩するということです。アクトンが歴史における自由の前進をどう描いていたか、想い起こしましょう。

四〇〇年間［ほぼ一五〇〇—一九〇〇年］の急速な変化と緩慢な進歩をとおして、自由が保全され確保され拡大され、ついに理解されるにいたったのは、じつに弱者がやむなく団結し努力してことにあたり、権力と日常の悪の支配に抵抗してきた、その賜物なのである。(11)

事象の経過としての歴史は、アクトンの考えによれば、自由に向けての進歩であり、事象の記録としての歴史は、自由の理解へ向けての進歩なのでした。この二つのプロセスは並行して前進しました。(12)哲学者ブラッドリは、進化論から類推することが流行していた時代の執筆ですが、「宗

(10)　T. Arnold, *An Inaugural Lecture on the Study of Modern History* (1841), p. 38.

(11)　Acton, *Lectures on Modern History* (1906), p. 51.

(12)　K. Mannheim, *Ideology and Utopia*, p. 236［『イデオロギーとユートピア』］もまた、人が「歴史を形成しようとする意志」と「歴史を理解する能力」を結びつけている。

＊11　トマス・アーノルド（一七九五—一八四二）はラグビ校の校長としてクリスチャン・ジェントルマン教育を指導し、オクスフォード大学の歴史学欽定講座の教授に就いた。その長男がマシュー・アーノルド、視学官にしてオクスフォード大学の詩学教授、『文化と無秩序』（一八六九）の著者である。

教的信仰にとって進化の終点は、……すでに進化の完成したものとして呈示されている」と述べました。[13]歴史家にとって進歩の終点はいまだ未完成です。それはまだはるかに遠い極にあり、それを指し示す星は、わたしたちが歩を先に進めてようやく視界に入ってくるのです。だからといってその重要性は減じるわけではなく、方位磁石《コンパス》は価値ある、じつに不可欠の道案内です。しかし、道筋の地図ではありません。歴史の内実は、わたしたちが経験することによってのみ分かってくるのです。

第三点は、正気の人ならみな、進歩といっても一直線に中断も反転も逸脱もなしに連続的に前に進むものではないと分かっていますので、したがって最大限の鋭い反転があったからといって、かならずしも進歩の信念が揺らぐわけではないということです。前進の時も後退の時もあるのは明らかです。さらには後退したあとにも、同じ地点から、あるいは同じラインに沿って前進が再開するだろうと想定するのは軽率でしょう。ヘーゲルやマルクスの想定した四大文明や三大文明、トインビーの二一の諸文明、興隆・衰退・滅亡をたどる文明の生涯サイクルという理論——こうした図式《スキーム》はそれ自体では意味をなしません。しかし、こうした図式は、次のようなよく知られている事実の徴候でもあります。すなわち、文明を前向きに推進するのに必要な強い力が一つの場では死滅し、後に別の場で再生するといった事実があり、歴史のなかでわたしたちが目にする進歩はどんなものでも、たしかに時間的にも場所的にも不連続なのです。

もしかりにわたしが「歴史の諸法則」を定式化する癖のあるタイプでしたら、その法則の一つは、まぁこんなものでしょうか。いわく、一つの時代に文明の前進を主導する役割をはたすグループ――その名は階級でも、国民でも、大陸でも、文明でもよろしいのですが、そのグループは次の時代にも同じような役割をはたすことはないでしょう。その理由はといえば、かつての主導グループは前の時代の伝統や利害関係やイデオロギーに深く染まりきっているので、次の時代の必要や情況に適応することができないからです。[14] こうして、一つのグループにとって衰退の時代であっても、別のグループにとっては新しい前進の始まりに見えることがある、といったことがよくあるのです。進歩とは、すべての人にとって平等で同時的な進歩であるわけではないし、そんなことはありえません。

意味深いことですが、今日の衰退を説く預言者、歴史に意味を認めず、進歩は死んだとか口に

(13)　F. H. Bradley, *Ethical Studies* (1876), p. 293.

(14)　こうした情況の診断についてはR. S. Lynd, *Knowledge for What?* (N.Y., 1939), p. 88を参照。「われわれの文化における老人はしばしば過去、すなわち彼らの元気と力が満ちていた時代に心を向けて、未来は脅威として抵抗する。相対的な力の喪失や崩壊の進んだ段階における文化は、全体として失われし黄金時代のほうに向かいながら、日常生活はのろのろと今あるがままをたどる、といったことが十分にありうる。」『何のための知識か――危機に立つ社会科学』小野修三訳、三一書房、一九七九］

する懐疑論者はほとんどすべて、かつて幾世代にもわたり文明の進歩を意気揚々と主導し支配していた世界の特定地域、社会の特定階級に属しています。[*12] 自分たちのグループがかつてはたしていた役割が今や別のグループの手に移るのだと告げられては、慰めにもならないでしょう。自分たちに向かってかくも忌まわしい策《トリック》を弄するような歴史は、意味あるプロセスでも合理的プロセスでもありえないのは明らかです。ですが、進歩の仮説を保持するためには、破線の［車線変更可という］条件を受けいれるほかありません。

最後に［第四に］、歴史的行動という観点から見て、進歩の本質的な内実とは何か、という問題があります。たとえば市民権を全員に拡張する、刑事罰を改正する、人種や貧富による不平等を撤廃するといったことのためにたたかっている人々は、具体的にそうしたことを達成しようと努めているのであって、「進歩」しようとか、進歩の歴史「法則」や「仮説」なるものを実現しようと意識して努めているのではありません。彼らの行動を見てそこに進歩の仮説を適用したり、進歩の行動であると解釈したりするのは、歴史家です。だからといって、これで進歩の概念が無効になるわけではありません。この点について、サー・アイザイア・バーリンは「進歩と反動、この二つの言葉はひどく乱用されてきたとはいえ、空虚な概念なのではない[15]」と述べておられまして、賛成できますのは嬉しいかぎりです［笑］。

人間は先行した人々の経験から学ぶことができるし（だからといってかならず得をするとはか

ぎらない)、また歴史における進歩とは、自然における進化と違って、獲得した資産の伝承にかかっているというのは、歴史の前提条件です。この場合の資産とは、物の所有も、また環境を制御し変更し利用する能力も含みます。じつにこの二つの要素は互いに関係し、相互に作用します。マルクスは人間労働こそすべての社会構造の基礎であると見なしていますが、「労働」という語に十分に広い意味が込められているなら、この式は成り立つでしょう。ただし、資源が蓄積しただけでは不十分です。資源の蓄積にともなって、技術的・社会的な知識と経験が増し、さらに広い意味での環境にたいする制御力の増進があるならば、という条件です。現在のところ、物的資源の蓄積においても、科学的知識の蓄積においても、また技術的な意味における環境の制御力においても、進歩の事実に疑いをかける人はわずかでしょう。問われているのは、はたして二〇世紀に社会の秩序における進歩があったのか、国内的・国際的な社会環境の制御力は進歩したのか、じつは明らかな退歩があったのではないかということです。社会的存在としての人間の進化は、技術の進歩にくらべて致命的に遅れているのではないでしょうか。

(15)　[I. Berlin in] *Foreign Affairs*, XXVIII, No. 3 (June 1950), p. 382.　[「二〇世紀の政治思想」福田歓一訳、『自由論』]

＊12　「第二版への序文」(xi—xii頁)にも関連する記述がある。

こうした疑問を促し生じさせる徴候は明らかです。しかしながら、問題の呈示のされ方は誤っていないでしょうか。歴史にはたくさんの転換点があり、これまでにも統率力《リーダーシップ》や主導権《イニシアティヴ》が一つのグループ、世界の一部分《セクター》から別のグループ、部分へと移行したことがありました。たとえば近世国家が興隆し、権力の中心が地中海地域から西ヨーロッパへ移った時代、そしてフランス革命の時代といった近代史の顕著な例があります。こうした時代はつねに力のぶつかりあう激動、権力闘争が見られます。古い権威が弱まり、古い境界線が消え、野心と憤りが激しく衝突するなかから新しい秩序が出現します。申しあげたいのは、わたしたちはまさしく今そうした時代を経過しているのではないか、ということです。

わたしたちの社会組織の問題の理解力や、そうした理解に照らして社会を組織する善き意志が後退したといった説は、はっきり誤りだと思われます。じつのところ、率直に申しますが、そうした理解力や意志は大いに増大しました。わたしたちの能力が減退したのでも、わたしたちの精神的資質が衰えたのでもありません。むしろ、わたしたちの生きているこの抗争と激動の時代に、――諸大陸のあいだ、諸国民のあいだ、諸階級のあいだの力のバランスの推移によって――こうした能力や資質のひずみが非常に増大し、そうした能力や資質を積極的な目的に向けて発揮する力は制約され、挫《くじ》かれてきたのです。わたしは一方で過去五〇年間に西洋世界において進歩の信念にたいして挑戦した力の強さを軽く見ているわけではありませんが、だからといって、歴史における進歩はすでに終わったとは心底《しんそこ》考えられません。それでは、わたしの信じる進歩の内実とはいかなるものなのか、述べてみよ、とみなさんが強く迫っていらっしゃるなら［笑］、お答えはせいぜいこんなところでしょうか。

歴史における進歩に、はっきり明白に定義できるゴールがあるという考えは、一九世紀の思想家たちがじつにしばしば前提としていたものですが、これは今や適用不可で不毛です。「わたしの申します」進歩への信念とは、自動的で必然的なプロセスの信念ではなく、人間の潜在能力が順次に発達することの信念です。進歩とは抽象的な言葉です。人類の追求する具体的な目的は時に応じて歴史の経過から生じるのであって、歴史の外のどこかから来るのではありません。

わたしは人間が完全性に到達すると信じているわけではありませんし、将来の地上の楽園も信じていません。このかぎりで「現世の」歴史において完全性は実現されえないととなえる神学者や神秘主義者と同じです。しかしながら、ゴールへ向けての限りない進歩の可能性については、そのゴールに近づいて初めて明白に見えてくるし、その達成途上で初めて本物だと確かめられるような進歩の可能性というので、わたしは可《よし》としたいのです。――この場合の限りない進歩とは、その限界を思い描くこともできず、その必要もないということです。かりにこの程度の進歩観もないとすると、どうやって社会は生き延びられるでしょう。あらゆる文明社会は、これから生まれてくる世代のために、現在の世代に犠牲を課します。こうした犠牲を正当化する「未来のより良き世界のために」という理由は、かつての神の目的のための犠牲に対応する世俗版です。あのベリの言ですと、「子孫のための義務という原理は、進歩の理念から直接に導かれる系である」(16)となります。ここでいう義務に理由は不要でしょう。もし必要なのだとしますと、どのような理由を示せばよいのでしょう。

歴史における客観性と絶対

さて、ようやく歴史における客観性という、例の難問までやってまいりました。客観性という言葉自体が誤解をまねき、問題をはらむものです。すでに第三講でお話しましたが〔一一三—一一八頁〕、社会科学、とりわけ歴史学は主体と客体をきっぱり分けて、観察者と観察対象を厳格に切り離すような知の理論とはうまく適合しません。主客のあいだの相互関係、相互作用の複合するプロセスをしっかり表せる新しいモデルが必要です。歴史的事実は純粋に客観的ではありえません。というのは、〔第一講で述べたとおり〕歴史的事実になるのはただ歴史家がその意義を認めた場合だけだからです。歴史における客観性とは——その慣習的な用語によるならですが——事実の客観性ではなく関係の客観性、すなわち事実と解釈の関係の、また過去・現在・未来の関係の客観性なのです。

ここで先にお話しました、歴史的事象を判断するにあたって歴史の外の、歴史から独立した絶対的な価値基準を打ち立てようという試みに反対する理由［一三三―一三七頁］にまで立ち戻る必要はないでしょう。ただし、絶対の真実という考えもまた歴史の世界には、――思うに学問の世界には、ふさわしくありません。「絶対に本当だ」「絶対にまちがいだ」と判定できるような歴史の所説は、もっとも単純な類《たぐい》のものだけです。それより高度な次元では、歴史家は先行研究の所見を批判する場合、ふつうはそれが絶対のまちがいとは断定しないものです。むしろ不適切である、一面的である、過ちをまねくとか、あるいは「近年の研究成果により廃《すた》れたか無意味になってしまった観点の産物である」といった批判をするものです。ロシア革命が起こったのは、ニコライ二世がバカだったから、あるいはレーニンが天才だったから、というのは、まったく不適切です。その不適切の度合いはまったく過ちをまねくほどです。だからといって、絶対のまちがいというほどではない［笑］。歴史家稼業ではこうした類の「絶対」はあきないません。

あのロビンスンの悲しい死亡事故に戻りましょう［一七三―一七七頁］。あの事件の調査究明の客観性がかかっていたのは、諸事実をはっきりさせることではなく――事実確定について争いはありませんでした――、むしろ現実的で重要な事実（こちらにわたしたちは関心をもちました）と

（16） Bury, *Idea of Progress* (1920), p. ix.

偶発的な事実（こちらは無視してよいと考えました）を区別することでした。この区別の線を引くのは容易で、それは重要性の基準もテストも明白で（これが客観性の基礎でした）、めざす目的、すなわち道路事故の死者数の減少にどれだけ関連しているかでした。しかしながら、歴史家は事故調査官よりは不遇です。というのは、調査官には交通事故犠牲者を減らすという単純ではっきりした目的があります。歴史家の場合もまた解釈という課題をはたすさいの重要性の基準、これは同時に客観性の基準ですが、それが必要で、これによって重要なものと偶発的なものを識別します。この時に歴史家にもまた、基準が見えてくるのは、ようやくめざす目標との関連においてだけなのです。このめざす目標とは必然的に進化とともに姿を現す目標であって、過去の解釈が進化するというのが歴史の必然的な働きなのです。

変化とはなにか確定して変わらないものを基準に説明できるはず、というのが伝統的な想定でしたが、これは歴史家の実際の経験に反します。「歴史家にとって……唯一の絶対とは変化である(17)」というのがバタフィールド教授の言です。もしや言外に歴史家たちに立ち入ってほしくないご自分だけの領域を留保しておきたいのでしょうか［笑］。歴史における絶対とは、過去に存在して、わたしたちの起点となるようなものではありません。また現在に存在するなにかでもありません。というのは、すべて現在の思考はどうしても相対的だからです。歴史における絶対とは、いまだ不完全で生成途上のもの、――わたしたちがそこに向かっている未来のなにかであり、そちらに近づいてこそようやく形がはっきりしてくるし、またその光に照らしてわたしたちの過去の解釈もやがて形をなしてくるといったものです。これはいわば、「歴史の意味は、最後の審判の日に顕《あらわ》れる」といった宗教的な語りの裏に隠れている世俗の真理です。

わたしたちの判断基準は、静態的な意味の絶対、すなわち昨日も今日も、そして永遠に同一であるなにかではありません。そのような絶対は、歴史の本質とは相容れません。そうではなくて、歴史における絶対は、過去の解釈に関してのものなのです。それは相対主義の見解、すなわちこの解釈もあの解釈も甲乙つけがたいとか、あらゆる解釈はおのおのの時と場において真理であるといった見解は却下して[*13]、わたしたちの過去の解釈を究極的に判断すべき試金石を提供します。歴史におけるこうした方向感覚によってのみ、過去の事象を整理して解釈することができ、未来

（17）　H. Butterfield, *The Whig Interpretation of History* (1931), p. 58.〔『ウィッグ史観批判』〕これよりもさらに入念な叙述が A. von Martin, *Sociology of the Renaissance* (Engl. transl., 1944), p. i にある。〔『ルネッサンス――その社会学的考察』山本新・野村純孝訳、創文社、一九五四〕いわく「慣性と運動、静態と動態は、歴史に社会学的なアプローチをするための基礎的なカテゴリーである。……歴史は慣性を相対的な意味でしか知らない。決定的な問いは、慣性と変化のどちらが優位を占めるかである。」歴史において変化はポジティヴで絶対的な要素であり、慣性は主観的で相対的な要素である。

＊13　三六―三九頁で、コリンウッドの主観主義、相対主義を批判していた。

を見定めつつ現在の人間のエネルギーを解放し組織化することができます。この過去を整理して解釈するのが歴史家の仕事で、人間のエネルギーを解放し組織化するのは政治家、経済学者、社会改良家の仕事です。このプロセス自体は進歩しダイナミックに変わります。わたしたちの方向感覚、わたしたちの過去の解釈は、進むにつれてつねに修正され進化するものなのです。

ヘーゲルの絶対は「世界精神」という神話的な姿に包まれていましたが、彼は歴史のコースの終点を未来でなく現在に置くという根本的な過ちを犯してしまいました。過去における持続的な進化のプロセスを認めながら、未来における進化はなぜか否定したのです。ヘーゲル以降、歴史の本質について非常に深く省察した人々は、そこに過去と未来の統合を見ました。トクヴィルの場合は、その時代の神学的な用語から完全には自由になっておらず、絶対の概念に込めた内実は乏しいのですが、にもかかわらず問題のエッセンスを捉えています。平等の発達は普遍的で永続する現象だと述べたうえで、彼は続けます。

今の時代の人が、かりにゆっくりと進む平等の発達を、みずからの歴史の過去であり、また未来でもあると見なすようになったときには、そうした悟りによって、平等の発達は、主なる神の意志のような神聖さを帯びることであろう(18)。

いまだ未完成の平等というテーマで、歴史の重要な一章が書かれたかもしれなかったわけです。マルクスはヘーゲルと同じように未来を見とおすことには慎重で、彼の教訓の根拠はおもに過去の歴史に求めていましたが、階級なき社会という彼の絶対を語るときには、そのテーマの性格からやむなく、未来に投影するほかありませんでした。ベリの場合は進歩の理念のことをやや不器用に、しかしはっきり同じ未来志向で、「過去の総合と未来の予言からなる理論である[19]」と述べています。ネイミアの場合は、よく考えられた逆説的な表現で、いつもながら豊かな例を示しながら述べています。歴史家は「過去を想像し、未来を忘れない[20]」と。未来だけが、過去の解釈に鍵を提供するのです。わたしたちが歴史における究極の客観性を語ることができるのは、この意味でだけです。過去が未来を照らし、未来が過去を照らすというのは、歴史の正当性の根拠であり、同時に歴史の真相であります。

　では、わたしたちがある歴史家は客観的だと賞賛したり、ある歴史家のほうが別の歴史家より

---

(18) de Tocqueville, Preface to *Democracy in America.*［『アメリカのデモクラシー』第一巻(上)、松本礼二訳、岩波文庫、二〇〇五］

(19) Bury, *Idea of Progress*, p. 5.

(20) L. B. Namier, *Conflicts* (1942), p. 70.

客観的だと評するのは、どういう意味でしょう。明らかなのは、その歴史家が事実を正しく扱っているというだけではなく、むしろ正しい事実を選んでいる、別の表現をするなら、重要性の正しい基準を適用しているということです。わたしたちがある歴史家を客観的だと評するとき、二つのことを意味しているのではないでしょうか。まず第一に、客観的な歴史家は自分のおかれた社会的・歴史的な立場に制約されたものの見方をこえて立ちあがる能力があるということです。これは第二講でも述べましたとおり[*14]、本人が情況にどれだけ拘束されているかを認識し、すなわち完全な客観性は不可能だと認識しているかどうかにもかかっている能力です。第二には、客観的な歴史家は未来に投影した自分のヴィジョンによって、過去への洞察を深く耐久性のあるものにする能力があるということです。これは自分の直接の情況に全面的に制約されたものの見方しかできない歴史家に比べると、より深くより耐久性のある洞察をもたらします。かつてアクトンが信じていた「究極の歴史」の見通しを今日にもそのまままくりかえそうという歴史家はいないでしょう。とはいえ、歴史家のうちには他の人々より長もちする歴史、究極性と客観性をそなえた歴史を書く人がいます。こうした長もちする歴史家こそ、いわば過去から未来にわたる長期のヴィジョンをもつ歴史家です。過去をあつかう歴史家が客観性に向かって接近できるのは、唯一、未来の理解に向かってアプローチするときだけです。

したがって、わたしは第一講で、歴史は過去と現在のあいだの対話であると申しましたが、むしろこれは、過去の事象とようやく姿を現しつつある未来の目的のあいだの対話であるとすべきでした。歴史家による過去の解釈も、その重要性や関連性の選択も、新しいゴールの姿が現れるのにしたがい、進化しながら見えてくるのです。一番分かりやすい例をあげるなら、主要なゴールが国制的な自由と政治的な権利の整備だと考えられていたかぎり、歴史家は過去を国制的・政治的な枠組で解釈しました。経済的・社会的な目的が国制的・政治的な目的にとって代わり始めると、歴史家は過去の経済的・社会的な解釈に取りかかりました。こうした経過について、疑い深い人ならば、「新しい解釈だからといって、古い解釈よりも真実だというわけではない、新旧どちらもそれぞれの時代には真実ではないか」とおっしゃるかもしれません。もっともです。ところがですね、経済的・社会的な目的への関心は、政治的・国制的な目的への関心よりも、人類の発達においてより広くより進んだ段階を表現していますので、経済的・社会的な歴史解釈のほうが、ただ政治的なだけの解釈よりは、歴史学のもっと進んだ段階を表現していると言えるのです。古い解釈が却下されたわけではなく、新しい解釈により吸収され乗り越えられたのです。

歴史学は進歩する学問ですが、その意味は、それ自体が進歩してゆく事象の経過について、歴史学がつねに拡大し深化する洞察力をもたらそうと努めているからです。まさしくここにこそ、

＊14　この点はさらに一一四、一九五、三三五頁でも、マンハイムの存在被拘束性に触れながら述べる。

「過去を見わたす建設的な見通し」が必要であるという［パウイックの］言の意味があるとわたしは考えます。

近現代の歴史学はこれまで［一八世紀半ばから］二世紀にわたって、この進歩の二重の意味を信じて成長してきましたが、[*15] これなしには生き延びられません。というのは、この進歩の確信があってこそ、歴史学は重要性の基準をもち、現実性と偶発性を区別する試金石をもつのです。ゲーテは晩年の対話で、ゴルディオス王の難問を思い悩むことなく、一刀両断としました。

> 時代が衰退に向かっている時には、すべての風潮が主観的になる。しかし逆に、新時代に向かって事態が熟している時には、すべての風潮は客観的になる。[(21)]

歴史の未来や社会の未来を信じなくてはならない義理は、だれにもありません［笑］。わたしたちの社会が破壊されたり、ゆっくり衰退して消えてしまったり、ということはありえます。そして歴史学は神学へと回帰する——すなわち人間の達成したことの研究ではなく神意の研究になる、あるいは文学へと回帰する——すなわち目的も意味もないお話や伝説の語りになる、ということもありえます。ただし、これらはこの二〇〇年間に営まれてきた歴史学とは別ものでしょう。

わたしたちはどこへ向かうのか

さて、歴史的判断の究極の基準を未来におくような理論にたいする反対は、どこにでもあって広く支持されていますが、わたしはまだこれに応対していませんでした。広く流布している説では、未来に基準をおく理論の究極の判断基準は成功にあって、現存するものすべてが正しいとまでは言わなくとも、将来に存在するものはすべて正しいということになります。過去二〇〇年にわたって、たいていの歴史家は歴史の向かう方向を想定していただけでなく、意識的・無意識的に、この方向は大体のところ正しく、人類は相対的に悪い情勢から良い情勢へ、相対的に低い状態から高い状態へ移行してゆく途上だと信じていました。歴史家はこうした方向を認知しただけでなく、裏付けたのです。歴史家が過去にアプローチするときに用いた重要性のテストは、歴史が動いてゆく進路の感覚だけでなく、歴史の進路にたいする歴史家本人の倫理的関与の感覚にも

(21) J. Huizinga, *Men and Ideas* (1959), p. 50［『文化史の課題』里見元一郎訳、東海大学出版会、一九七八］における引用より。

＊15　カーは近代歴史学の基礎を、ランケではなく一八世紀の啓蒙（モンテスキュー、ギボン）に見ている。

ありました。「存在《ザイン》」と「当為《ゾレン》」のあいだ、事実と価値とのあいだの二項対立なるものは解消していました。この楽天的な見方は、未来へのあふれるような確信の時代の産物でした。ホウィッグ党も自由党も、ヘーゲル主義者もマルクス主義者も、神学者も合理主義者も、それぞれ明示的にしっかりこの楽天的な見方に傾倒していました。二〇〇年間にわたって楽天主義は「歴史とは何か」という問いにたいする疑問の余地のない解答として受けいれられていたと申しても、たいした誇張ではありません。

これにたいする反動は、不安と悲観主義のムードとともにやってきて、歴史の意味を歴史の外に求める神学者や、歴史に全然意味を認めない懐疑主義者に場をゆずることになってしまいました。そして最大限に強い言葉で、「存在」と「当為」の二項対立は絶対であり解決不能である、「事実」から「価値」は生まれようがない、とだれもが請け合うのでした。思うに、これはそもそも筋が違います。こうした問題の立てかたについて、歴史家や歴史について書く文筆家の方々がどう感じて来られたのか、順不同ですが、見てみましょう。

ギボンは著書のかなりの紙幅をさいてイスラームの勝利について叙述した理由として、「ムハンマドの信奉者たちは今なおオリエント世界の政治的・宗教的な覇権を保持しているから」と述べます。が、さらに続けて、「だからといって、同じだけの労力を七世紀から一二世紀にかけてスキタイの原野から押し寄せた蛮族の群れにあてる価値はないであろう。」なぜなら「ビザンツの帝権がこうした秩序を乱す攻撃の波を退《しりぞ》け、生き延びたからである」[22]というのです。これは非合理ではないと思われます。歴史とは、多少とも人々が成し遂げたことの記録であり、不履行の記録ではありません。このかぎりで、歴史とは必然に成功《サクセス》の物語《ストーリ》です。

R・H・トーニ教授によれば、歴史家は「勝利した諸力を前面に引き出し、敗北した諸力を後景に押しやることによって」、現存の秩序に「必然といった容貌を与える」というのです。[23] これぞ、ある意味で歴史家の仕事のエッセンスではないでしょうか。歴史家はもちろん反対勢力を過小評価してはなりません。きわどい戦いを「楽勝」と表現してはなりません。時には戦いに敗れた者が、究極的には勝者にくらべても劣らぬ大きな貢献をしたこともあります。これはあらゆる歴史家が承知している教訓です。とはいえ、歴史家が多少とも関心をもつのは、勝者であれ敗者であれ、なにかを成し遂げた者です。わたしはクリケットの歴史の専門家ではありませんが、その歴史を紐解《ひもと》くなら、おそらく無打点でチームを去った者でなく、一〇〇打点をくりかえした選手が名を連ねているに違いありません。

ヘーゲルの有名な言ですが、歴史において「世に民族多しといえども、国家を形成した民族だ

---

(22) Gibbon, *Decline and Fall of the Roman Empire*, chap. 55.［『ローマ帝国衰亡史』第八巻］

(23) R. H. Tawney, *The Agrarian Problem in the Sixteenth Century* (1912), p. 177.

けがわれわれの注目を引くのである」(24)。これは「国家という」社会組織の一つの形だけに特別の価値を付与して、忌まわしい国家崇拝への道をととのえたというので、それ以来、当然ながら批判されてきました。しかし、原理的に申しまして、ヘーゲルの言いたかったことは正しく、よく知られている先史と有史のあいだの区別を反映しています。すなわち、みずからの社会をある程度まで組織するのに効を奏した民だけが原始的な蛮族であることを止めて、歴史に登場することができるのです。

カーライルは著書『フランス革命史』でルイ一五世のことを「まことの誤謬《ソレシズム》の世界の化身」と形容したのですが、これは自分でも気に入った表現だったようで、後段では潤色してすこし長い一節としています[*16]。

なんと新規に世界中が目眩《めまい》をもよおすほどの旋回であることか。制度も社会組織も個人の心も、かつてはうまく協調して働いていたものが、今やばらばらに転げまわり、ぶつかりあっている。それも必定。誤謬の世界が、ついに耐用年数をこえて壊れてしまったのだ(25)。

この基準もやはりまた歴史的です。一つの時代に合致していたものが次の時代には誤謬とされ、それゆえに断罪されているのです。

サー・アイザイア・バーリンでさえ、哲学的な抽象の高みから具体的な歴史情況を考えるところまで降りていらっしゃると、これと同じ考えをとられるようです。著書『歴史的必然性』の刊行のしばらくあと、［ラジオの］放送番組で彼はビスマルクのことを倫理的欠点はあるが「天才」であり、「一九世紀における最高級の政治判断力をそなえた政治家のうち一番偉大な例である」とほめ称えました。そのうえで、「それぞれのポジティヴな目的」の実現に挫折したオーストリアのヨーゼフ二世やロベスピエール、レーニン、ヒトラーなどと対照してみせたのです。この判定はおかしいと思いますが、今のわたしの関心は判断の基準にあります。サー・アイザイアによれば、ビスマルクは自分を取り巻く情況を理解していたのにたいして、他の人々は抽象的でうまくゆかない理論に引っ張られて自分を失っていた、というのです。その教訓は何かというと、「失敗は、一番うまくゆくはずのものに逆らって……普遍的に有効とされる体系的な方法や原理

(24)　[Hegel,] *Lectures on the Philosophy of History* (English transl., 1884), p. 40.［『歴史哲学講義』上、長谷川宏訳、岩波文庫、一九九四］

(25)　T. Carlyle, *The French Revolution*, I, i, chap. 4; I, iii, chap. 7.

＊16　T・カーライルは『フランス革命史』(一八三七)三巻本をルイ一五世(在位一七一五―七四)の死から説きおこし、その筆致はきびしい。本文の引用箇所の前後に Solecism(文法違反、誤謬)という特別な表現がくりかえされ、王権による改革の試みと貴族の抵抗と混乱が語られる。

を選んでしまったことから生じる」[26]。言い換えますと、歴史における判断の基準は「普遍的に有効とされる原理」などではなく、「一番うまくゆくもの」であるということになります。

申すまでもないことですが、この「一番うまくゆくもの」という基準を引き合いに出すのは、なにも過去を分析するときだけではありません。かりにだれかがあなたに、現今の情勢ではイギリスとアメリカ合衆国が合邦して一つの主権のもとの単一国家となるのが望ましいと考えていると告げたとします。あなたはなかなか気のきいた見方だと賛同するかもしれません。さらにその人が、立憲君主制のほうが大統領民主制よりも政治の形として望ましいと言って、あなたもそれはなかなか気がきいていると賛同するかもしれません。しかし、もし次に彼がイギリス王冠のもとの両国の再合邦のためのキャンペーンに一身を捧げるつもりだと申し出たなら、どうしますか。それは人生を無駄にすることになる、と反対するのではないでしょうか[笑]。なぜかを説明するには、こうした問題は一般に妥当する原理原則とかをベースに考慮するのではなく、所与の歴史的条件のもとで何がどう作用するかをベースに考慮すべきであると伝えないとならないでしょう。さらには罪深くも、大文字の歴史なるものを盾にして、「歴史は君に反対している」とまで告げなければならないかもしれません[笑]。

政治家の仕事は、何が倫理的・理論的に望ましいかを考えるだけでなく、世の中に存在する諸力のことも考え、そうした諸力をどのように導き操作してめざす目的を部分的にでも実現できるかを考えることです。わたしたちの歴史解釈に照らして行なう政治決定は、こうした妥協に根拠があります。しかし、わたしたちの歴史解釈もまた同じ妥協に根拠があるのです。なにか望ましいことの抽象的な基準を打ち立てて、それに照らして過去を断罪することほど、根本的にまちがったことはありません。「成功」という語ですが、嫉妬をまねく意味合いをもつようになってしまいましたので、是非これは中立の「一番うまくゆくもの」という表現に置き換えたいものです。この連続講演でわたしはサー・アイザイア・バーリンと幾度となく論争を構えてしまいましたが、とにもかくにもこの程度の合意には達することができまして嬉しい次第です［笑］。

とはいえ、「一番うまくゆくもの」という基準を受けいれたとしても、その適用は容易でも自明でもありません。これは即断の評決をうながすとか、存在するものは正しいといった見解に従順に従うといった類の基準ではないのです。中途で挫折した試みは歴史において知られていないわけではありません。歴史には「遅まきの成就」とでも呼ぶべきことがあって、今日の敗北と見えたことが、やがて明日の成就のための決定的な貢献となるかもしれません。――いわば時代に先んじて生まれた預言者、ですね。まさしくこの判断基準の一つの利点は、固定して普遍的な原理といった基準と違って、わたしたちの判断の延期とか、まだ生起していない事柄に照らして判

（26）［Berlin,］'Political Judgement', broadcast in the Third Programme of the BBC, 19 June 1957.

断の修正とかを求める余地があるということです。プルードンは抽象的なモラルの原理によって自由に語っていたのですが、ナポレオン三世のクーデタが成功したあとにはこれを容認しました。マルクスは抽象的なモラルの原理を基準とすることを拒み、プルードンがクーデタを容認したことを容赦しませんでした。長期的に歴史を見とおして振り返ると、プルードンはまちがい、マルクスが正しかったということで合意できるのではないでしょうか。

ビスマルクの成就したことは、この歴史的判断の問題を吟味するにあたって、非常によい出発点となります。わたしはたしかにサー・アイザイア・バーリンの「一番うまくゆくもの」という基準を受けいれるものですが、しかし、どうも彼はそれを狭く短期の範囲内で適用するのに甘んじておられるように見えて、困っております。ビスマルクが創りあげたものは本当にうまくいったのでしょうか。むしろ、計りしれないほどの災難を生じたのではないでしょうか。だからといってわたしは[一八七一年に]ドイツ帝国《ライヒ》を建設したビスマルクや、あるいは帝国を望み建設に助力したドイツ大衆を断罪しようというのではありません。ただ一個の歴史家として、問うべき論点はたくさんあります。その後[二〇世紀前半のドイツに]起こった災難は、ドイツ帝国の構造にすでに隠れて存在していたなんらかの欠陥ゆえに生じたのでしょうか。それとも、帝国を誕生させた国内のなんらかの情況が、そもそもドイツの強い自己主張と侵略を宿命としていたのでしょうか。それとも、帝国が建設されたときにはすでにヨーロッパの舞台、あるいは世界の舞台はあまりに混んでいて、また既存の列強諸国の拡大志向はすでに強く、新興ドイツがもう一つの拡大志向の列強として出現したことは十分に大きな衝突をもたらし、その結果、国際システム全体が瓦解したということでしょうか。

この最後の仮定については、ビスマルクとドイツ国民(だけ)に災難の責任ありとして追及するのはまちがいでしょう。最後の最後に引き金を引いたことを責めるようなものです。ビスマルクの達成したこと、およびそれがどう作用したかについての客観的な判断は、こうした問題と取り組む歴史家の解答が待たれるのですが、いったい問題すべてに確定的に答える用意のある歴史家がいらっしゃるのか、存じません。[*17] 今の時点で指摘できることは、一九二〇年代の歴史家のほうが一八八〇年代の歴史家よりも客観的な判断に近く、今日の歴史家のほうが一九二〇年代の歴史家よりも近くに位置しているということ、［さらに将来の］二〇〇〇年の歴史家のほうがなお客観的な判断に近いだろうということです［笑］。ここにわたしの命題が例示されていまして、すなわち歴史における客観性とは、今ここに存在するなにか固定して動かない判断基準にもとづくものではないし、そんなことはありえない。歴史における客観性は、むしろ未来に向けて貯《た》めおかれ、

＊17　近現代ドイツの特別の道(Sonderweg)をめぐって、ドイツでも英米でも一九六〇年代・七〇年代から盛んに議論されることになる。

歴史が進むにつれて見えてくる基準にもとづくもので、それ以外ではないということです〔二〇四―二〇九頁〕。歴史が意味と客観性を獲得するのは、ただ歴史が過去と未来のあいだに筋の通る関係を打ち立てたときだけなのです。

さらにここで、いわゆる事実と価値のあいだの二項対立について再検討しておきましょう。価値観は事実からは導き出せないという説は、半分正しく、半分まちがいです。任意の一時代、任意の一国における優勢な価値観を検討すれば、すぐに分かることですが、その価値観の大部分はまわりの事実によって形づくられています。第三講でもご注意を喚起しましたが、自由・平等・正義といった価値を表現する語は歴史的に内実が変わります。あるいはキリスト教会をおもに倫理的価値観の宣伝にかかわる制度として見てみましょう。初期キリスト教の価値観と中世〔ルネサンス〕教皇の価値観を対比してみてください。あるいは中世教皇の価値観と一九世紀プロテスタント諸教会の価値観を対比してみてください。あるいは同じ今日にあってもスペインのキリスト教会で広められている価値観と、合衆国のキリスト教諸教会で広められている価値観を対比してみてください。こうした価値観の違いは、歴史的事実の違いから生じています。あるいはまた、この一五〇年間に奴隷制や人種差別や児童労働の搾取といった事実について、すべてかつては倫理的に問題ないとか正しいとか許容されていたことが、今は広くモラルに反すると見なされています。価値観は事実からは導き出せないという命題は、控えめに申しましても、一面的で誤解をまねきます。

では、命題を逆にしてみましょう。事実は価値観からは導き出せない。これも半分正しいけれども、誤解をまねきますので、限定が必要です。事実を知ろうとするときにわたしたちが立てる問いは、したがってわたしたちが手にする解答は、わたしたちの価値体系によって誘導されています。環境についての事実のイメージは、価値観によって形づくられますが、これすなわち事実にアプローチするときのカテゴリーによって形づくられるのです。そしてこのイメージは考慮すべき一つの重要な事実なのです。価値観は事実に入りこみ、そのエッセンスを構成します。わたしたちの価値観は、わたしたちが人間であるための装備のエッセンスを構成するのです。わたしたちがみずから環境に適応する力をもち、環境を人間に適応させる力をもち、環境にたいする制御力を獲得する力をもち、それゆえ歴史が進歩の記録となったというのは、みなわたしたちの価値観あってこそのことです。だからといって、人間と環境の関係をドラマチックな闘いにしたてあげるために、事実と価値観のあいだに偽《いつわ》りの対立、偽りの隔離を設営してはなりません。歴史における進歩は、事実と価値観のあいだの相互依存、相互作用によって達成されるのです。客観的な歴史家とは、この相互応酬のプロセスに深く深く入りこむ歴史家のことです。

この事実と価値観という問題を解く一つの手がかりは、「真実／真理」(truth)という語のふだんの使用法にあります。真実とは事実の世界と価値の世界をまたぐ語で、両方の要素からできています。これは英語だけの特異現象ではありません。ラテン系の諸言語でも、ドイツ語のヴァールハイトも、ロシア語のプラウダも、(27)すべてこの二重性をそなえています。どの言語でもこの真実という語、ただの事実の言明でなく、ただの価値判断でもなく、両方の要素を包みこむ語を必要としているようです。

先週わたしはロンドンに行ったというのは事実かもしれませんが、ふつうの物言いでは、それが真実だとは申しません。このセンテンスには価値の内容がないからです。他方で、アメリカ合衆国の建国の父たちは独立宣言で、人がみな平等に創られたのは自明の真理であると申し立てましたが、あなたはこの言説について価値の内容のほうが事実の内容を圧倒していると感じるかもしれません。それが理由で、この言説を真理と見なしてよいか、疑義をとなえるかもしれませんね。北の極には価値なしの事実が、南にはまだ事実へと変身する前の価値判断の極があって、この二つの極のあいだのどこかに歴史的真実の領域が存在するのです。

第一講で申しましたように、歴史家は事実と解釈のあいだ、事実と価値のあいだでバランスをとります。この二つを分断することはできないのです。[変化のない]静態的な世界ですと、事実と価値は別だとはっきり言えと迫られるかもしれません。しかし、静態的な世界では歴史は無意味であります。歴史とは本質的に変化であり、運動であり、また――古めかしい語だからといって文句をつけないなら――進歩なのです。

というわけで、［第五講の］結語としてアクトンに戻りますと、彼は進歩のことを「歴史が執筆される前提の学問的仮説」と述べていました。お好みなら歴史を神学に転じて、過去の意味は歴史の外の力、超理性の力にかかっているとするのは可能です。お好みなら歴史を文学に転じて、意味も重要性もない過去についてのお話と伝説のコレクションにしてしまうのも可能です［二一〇頁］。［しかし、］歴史と呼ぶにふさわしい歴史を書くことができるのは、歴史自体における方向感覚を見いだし受けとめている人だけです。わたしたちがどこかから来たという確信は、わたしたちがどこかへ向かって行くという確信と切り離せません。未来に向けて進歩する能力に自信をもてなくなった社会は、過去における社会の進歩についての関心もすみやかに失うでしょう。第一講の最初にも申しましたが、わたしたちの歴史観にはわたしたちの社会観が反映しています。社会の未来への、そして歴史の未来へのわたしの信条を言明することにより、また出発点に戻ってまいりました。

---

(27)　ロシア語のプラウダがとりわけ興味深いのは、もう一つ古くからのロシア語で真理を表すイスチナという語があるからである。この二つの違いは「事実としての真実」と「価値としての真実」ということではない。むしろプラウダは両局面における人間的な真実であり、イスチナは——神をめぐる真理と神が啓示する真理といった——両局面における神の真理なのである。

第六講　地平の広がり

この連続講演「歴史とは何か」では、歴史とはつねに動いているプロセスであり、歴史家もそのなかで動いている存在であるという考えを前面に出していますので、最後に今の時代における歴史と歴史家の立ち位置について、すこし省察を加える必要があろうかと存じます。

わたしたちが生きている時代は——史上これが初めてというわけではないのですが——世界の破局という予言が拡散し、全員に重苦しくのしかかっている時代です。こうした予言は正しいともまちがっているとも証明できません。しかし、世界の破局という予言は、われわれはみな死ぬ運命だという予言に比べると、確実性ははるかに劣ります。またたとえそうした予言が確かであっても、わたしたちが自分の将来の計画を立てる障害にはなりませんし、この国は——あるいは、もしこの国がダメとなっても世界の半分以上は——人類を脅かしている危険を生きのびて、歴史は持続するであろうと仮定いたしまして［笑］、わたしたちの社会の現在と未来について論じることにしたいと存じます。[*1]

二〇世紀の半ばの世界は、かつて一五・一六世紀に中世世界が粉々に解体し、近代世界の基礎が据《す》えられて以来なかったほどに深く、徹底的な変化のプロセスにあります。この変化は疑いもなく、究極的には科学革命と発明の結果であり、そのますます広汎な応用の結果であり、その直接・間接の展開の結果であります。この変化のうちでも一番顕著なのは社会革命ですが、これと比肩できるのは、かつて一五・一六世紀に金融や商業に基礎をもつ新階級が、後の世紀には工業[*2]に基礎をもつ新階級が興隆して権力をとり新時代を切り開いた社会革命くらいのものです。産業の新しい構造、社会の新しい構造が提起した諸問題は、ここでわたしが取り組むには巨大すぎます。しかし、この変化にはわたしのテーマに直接に関連する二つの局面――すなわち深部における変化、そして地理的な広がりにおける変化とでも呼ぶべき局面があります。この二つに順次、簡単にでも触れてまいりましょう。

深部における変化

歴史が始まるのは、人間が時間の経過を、自然のプロセス――すなわち四季のサイクル、人の生涯といったもの――でなく、むしろそこに自覚的に関与し、自覚的に働きかけることができるような特定の事象の連続だと考え始めたときです。ブルクハルトによれば、歴史とは「意識の目覚めによる自然からの断絶」[1]なのです。歴史とは、人間が理性を用いて環境を理解し、それに働きかけてきた長い奮闘努力です。しかし近代になると、その奮闘努力も革命的に広がりました。今や人間が理解し働きかけようとするのは環境だけでなく、自分自身でもあります。これにより、いわば理性に新しい次元が、歴史に新しい次元が加わったのです。今という時代は、あらゆる時代のうち一番歴史を意識している時代です。現代人はかつてないほど自意識的で、したがって歴史を意識しています。現代人は自分の来《こ》し方《かた》の朧《おぼろ》げな薄明を省《かえり》みてしっかり見つめ、その淡い光がこれからの行く末《すえ》を照らしてくれるよう望むのです。そして逆に、行く末の方途《ほうと》をめぐる願望も不安も、来し方への洞察を刺激します。過去、現在、未来が、歴史の無限の連鎖のなかで結びつきます。

人間の自己意識の展開を本質とした近代世界における変化は［一七世紀の］デカルトに始まると

（1）　J. Burckhardt, *Reflections on History* (1959), p. 31.［『世界史的考察』新井靖一訳、ちくま学芸文庫、二〇〇九］

＊1　似た叙述が、カー『新しい社会』（一九五一、岩波新書、一九五三）、「第二版への序文」にも見える。

＊2　元来 industry とは勤勉な営み、広く産業全般をさす。工業・製造業に特定する意味は近代に生じた。

いってよいでしょう。デカルトは人間を考える存在であるだけでなく、自分の思考についても考える存在として、観察行為中の自分を観察することができる存在として、その立ち位置を確定した最初の人ですが、その結果、人間は思考と観察の主体でもあり対象でもあることになりました。とはいえ、この事態が完全に明白になるのはようやく一八世紀の後半、ルソーが人間の自己理解、自己意識に新しい深みを開拓して、自然界および伝統文明に新しい展望を呈示したときでした。トクヴィルによると、フランス革命のインスピレーションの源は「ときの社会秩序を治めていた伝統的な習慣の複合体を廃して、人間の理性の運用および自然法に由来する単純で基本的なルールにとって代えることが必要だ、という信念(2)」でありました。アクトンが手稿覚書にしたためた一文には、「その時にいたるまで、人類は自覚的に自由を希求したことはなかったのである(3)」とあります。[*3] アクトンにとっては、ヘーゲルの場合と同じく、自由と理性はつねに近くにあったのです。フランス革命に連結していたのがアメリカ革命でした。

八七年前［一七七六年］のこと、われらの父祖はこのアメリカ大陸に新しい国民《ネイション》を誕生させた。自由という理念で創建され、すべての人間は平等につくられているという命題に献身する国民である。[*4]

このリンカンの演説が示すとおり、アメリカ革命は独特《ユニーク》な事象でした。史上初めて人間が熟慮のうえ意識的にみずからを一つの国民として形成し、さらに意識的に熟慮のうえ、他の人間をも国民へと練《ね》りあげるべく始動したのです。一七・一八世紀には、人間はすでに自分の周囲の世界とその法則を十分に意識していました。その法則も、かつての計り知れない摂理から発した神秘の命令ではなく、理性で分かる法則でした。とはいえ、それは人間が従うべき法則であって、みずから作った法ではなかった。次の段階でようやく、人間は自分の環境や自分自身を制御する力を十分に意識し、自分たちがその下で生活すべき法をつくるという権利を意識するようになったのです。

（2）A. de Tocqueville, *De l'Ancien Régime*, III, chap. 1.『旧体制と大革命』小山勉訳、ちくま学芸文庫、一九九八〕

（3）Cambridge University Library [CUL], Add. MSS. 4870.

＊3　カーの短い引用からは文意がとりにくい。ケインブリッジ大学図書館手稿室のアクトン文書の同じ箇所が前後を含めて G. Himmelfarb, *Victorian Minds* (1952, 1970), pp. 189–190 にも引用されている。これからアクトンの「その時」(then) とはフランス革命ではなく、印紙税一揆以後のアメリカ革命の経過と判明する。

＊4　出典註はないが、一八六三年ゲティスバーグにおけるリンカン大統領の演説の出だしである。

一八世紀から現代世界への移行は長くゆるやかなものでした。この移行期を代表する哲学者はヘーゲルとマルクスで、二人ともに両面的な位置に立っていました。ヘーゲルの考えは、根が神の摂理の法則にあり、それが理性の法則に転じたものです。ヘーゲルの世界精神は一方の手で神の摂理をしっかりつかみ、他方の手で理性をつかんでいます。そしてアダム・スミスのこだまのように、次のように述べます。諸個人は「それぞれ自分の利益を充足するが、そのことにより、彼らの行動には潜伏していて意識にも上らない別のなにかも成就されるのである」と。世界精神の合理的目的について、ヘーゲルはこう申します。人は「まさしくそれ［世界精神］を実現する行為において、自分の欲望を充《み》たす機会とする。その人のねらいと世界精神の目的とは別ものなのだが。」これこそ他ならぬ［スミスの］諸利害の調和がドイツ哲学の語法へと翻訳されたものです(4)。スミスの「見えざる手」に当たるのはヘーゲルの有名な「理性の狡知《こうち》」で、これが人をして意識せぬまま目的を成就させるのでした。

とはいえ、ヘーゲルがフランス革命の哲学者であったことは揺るがず、彼は歴史的変化のなか、そして人の自己意識の発展のなかに、現実のエッセンスを見た最初の哲学者です。歴史における発展とは、自由の概念に向けての発展のことでした。しかし一八一五年以後には、フランス革命のインスピレーションは王政復古［ウィーン体制］の沈滞のなかで立ち消えになりました。ヘーゲルは政治的に臆病で、また晩年には時の体制側にしっかり組み込まれて、自分の形而上学の命題に具体的な意味を導き入れることはできませんでした。ゲルツェンがヘーゲルの学説のことを「革命の代数学」と形容しましたが[*5]、これはじつにうまい表現です。ヘーゲルは記数法を示したのですが、実践的な内容は欠けていたわけです。ヘーゲルの代数方程式で演算するのは、続くマルクスの仕事でした。

マルクスはアダム・スミスとヘーゲルの両方を継承して、理性的な自然法で秩序づけられた世界という考えから出発しました。ヘーゲルに似ていますが、しかし実際的で具体的な形でマルクスが到達した世界観は、理性的なプロセスによって展開する法則が世界を秩序づけるというものでした。この理性的プロセスとは、人の革命的なイニシアティヴに反応するものでした。マルクスの最終的な総合によると、歴史とは三つのことを意味していましたが、それぞれバラバラに切り離すことはできず、まとまって理性的な全体を構成するのです。その第一は、まずなにより経済的な客観法則に適合する事象の動きであり、第二に、それに呼応する思想の弁証法的なプロセスを通じての発達であり、第三に、それに呼応して階級闘争という形をとる行動で、これが革命

（4）　引用はヘーゲル『歴史哲学』〔『歴史哲学講義』上、序論〕より。

＊5　Ａ・Ｉ・ゲルツェン（一八一二—七〇）はロシア生まれ、パリ、ロンドンに亡命した思想家、カー『浪漫的《ロマンチック》亡命者たち』の中心人物。ヘーゲル哲学を数を記号化して研究する代数学にたとえ、汎用性を評価した。

の理論と実践を融和させ結びつけます。マルクスが呈示しているのは、客観法則と意識的行動の統合であり、それをどう実践へと具体化するかということですし、時に（誤解をまねきますが）決定論と自由意志と呼ばれていることの統合です。マルクスはくりかえし書いていますが、従来、人は法則を意識しないまま法則に従属してきたと申します。また再三にわたって、資本主義経済および資本主義社会に組み込まれた人々のいわゆる「虚偽意識」[*6]に注意するよう促しました。「生産や流通の現場の担い手たちの頭に浮かぶ生産法則についての観念は、現実の法則とは大きく異なるものである(5)」というのです。

ところが、マルクスの著作のなかには意識的で革命的な行動への呼びかけの印象的な実例がいくつもあります。「哲学者は世の中をさまざまに解釈してきたにすぎない。しかし大事なのは、世の中を変えることなのだ」とは、有名なフォイエルバッハについてのテーゼです。『共産党宣言』では「プロレタリアートは、その政治支配によってブルジョワジーから段階的にすべての資本を奪い、すべての生産手段を国家の手中に収めるであろう」と宣言しました。そして『ルイ・ボナパルトのブリュメール一八日』でマルクスは、「［古くからの文明国においては階級形成が発達し、生産条件が近代的で、］何世紀にもわたる経過によって伝統思想はすべて溶解したといった知的な意識がそなわっている……」[*7]と語っていました。プロレタリアートこそが、資本主義社会の虚偽意識を解体し、階級なき社会の真の意識をもたらすはずでした。しかしながら、一八四八年の諸革命の挫折により、マルクスが仕事を始めたころには切迫していると思われていた展開が、深刻にかつ劇的に後退しました。一九世紀の後半も、なお圧倒的に繁栄し安定した空気のもとに経過するのでした。二〇世紀への転換期になってようやく〔時代区分としての〕現代史への移行が完了して、現代における理性の一番の働きは、社会における人間の言動を律する客観法則を理解することではなく、むしろ意識的行動により、社会およびそれを構成する諸個人を改造することとなりました。

マルクスにおいては「階級」は精確には定義されていないのですが、全体的に経済分析により確定されるべき客観概念であり続けます。レーニンにおいては強調点が「階級」から「党」へ移り、党が階級の前衛であり、階級に階級意識の必須の要素を注入するのです。マルクスの場合、「イデオロギー」はネガティヴな用語で、資本主義の社会秩序における虚偽意識の産んだものでした。レーニンの場合、「イデオロギー」は中立かむしろポジティヴな意味で、階級意識的なエ

（5）　*Capital*, iii (Eng. transl., 1909), 369.〔「資本論」第三巻『マルクス・エンゲルス全集』第二五巻ａ、一九六六〕

＊6　マルクス主義で、現実から遊離したような意識をいう。「イデオロギー」「階級意識」と不可分の概念。

＊7　出典箇所は、Marx, *Der achtzehnte Brumaire des Louis Bonaparte*, 2te Ausgabe (1869), S. 9 からの断片。カーの引用は短く断片的なので、マルクス原文の該当箇所から補い訳出する。

リート指導者が、まだ潜在的な階級意識にとどまっている労働者大衆に植えつけるべき信念となりました。階級意識の形成はもはや自動的なプロセスではなく、むしろ積極的に取り組むべき課題となったのです。

もう一人の偉大な思想家で、わたしたちの時代の理性に新鮮な次元を加えたのは、S・フロイト[一八五六―一九三九]です。フロイトは今日でもいささか謎めいた人物ですね。彼はその教育から見ても出身から見ても一九世紀のリベラル個人主義者でして、当時普及していた、しかし誤解をまねきやすい、個人と社会の二項対立という想定を疑うことなく受けいれていました。フロイトは社会的存在でなく生物的存在として人間にアプローチし、社会環境は歴史的な与件と見なす傾向がありました。社会的環境が人間自身によって創られ変形される不断のプロセスにあるとは見なさなかったのです。フロイトはマルクス主義者からつねに、本当は社会問題であることに個人という観点からアプローチしていると攻撃され、それゆえ「反動」だと断罪されてまいりました。こうした非難はフロイト本人には部分的にしか当てはまりませんが、合衆国で今流行の新フロイト学派についてはもっと全面的に妥当します。この新学派では、適応不全は個人がもって生まれた固有の問題で、社会構造は関係なく、個人を社会的に適応させることこそ心理学の本質的な課題であると見なされているのです。

フロイトにたいするもう一つの広く流布している非難は、彼が人間社会のもろもろにおける非合理の役割を広げたというものですが、これはまったくのまちがいでして、人間行動における非合理な要素を認識することと、非合理の崇拝《カルト》とを粗っぽく混同したものです。今日の英語圏に非合理の崇拝が、理性の達成したことや、可能性を貶《おとし》めるという形で存在するのは、残念ながら事実です。これは今日の悲観主義および超保守主義の潮流の一部をなしておりまして、またのちほどお話しします。しかしこれはフロイトに由来するものではありません。フロイトは憚《はばか》るところのない、いわば素朴な合理主義者でした。フロイトがしたのは、人間の言動の無意識の根源《ルーツ》を意識にのぼらせ、理性的探究のために開拓することによって、わたしたちの知と理解力の範囲を押し広げることでした。これは理性の領域の拡張であり、人間の理解力、自己制御力の増進であり、したがって人間が環境を理解し制御する力の増進です。これは革命的で進歩的な達成です。この観点からして、フロイトはマルクスの達成したことを補完しているのであって、矛盾しているのではありません。フロイトは、人間の言動の根源をさらに深く理解するための道具《ツール》、そして理性的プロセスによって人間の言動を意識的に修正するための道具を用意したという意味で、現代世界に属する人なのです。ただし彼自身は、人間の本性は固定して変化しないという考えから完全には脱皮しなかったのですが。

　歴史家にとってフロイトの特別の重要性は二つあります。第一に、人間の行動を説明するには本人がこうだと主張したり信じたりしている動機で実際に十分であるといった古来の幻想に、フロイトは最後のとどめを刺したということです。[*8] これはネガティヴな達成ですが、かなり重要なことです。逆に、歴史上の偉人の言動に精神分析の方法によって光をあてようという熱心な方々の積極的な主張は、ほんのすこし疑ってかかったほうがよさそうです。精神分析の手法は調査対象の患者に根掘り葉掘り尋問して成り立ちますが、死者には尋問できませんね。

第二に、フロイトはマルクスの仕事を補強して、歴史家に次のようなことを吟味するよう促しました。すなわち、自分自身と自分の歴史的な立ち位置を吟味し、自分のテーマや時代の選択、そして事実の選択や解釈を導いた動機――ことによると隠れた動機――を吟味し、自分の問題意識を決定した国民的・社会的な背景を吟味し、また自分の過去像を形づくっている未来像を吟味するように促しています。マルクスおよびフロイトの著作より以後には、歴史家は自分自身を、社会の外、歴史の外に一人たつ独立独歩の個人と見なせるといった言い抜けは、なくなってしまったのです。今は自己意識の時代です。歴史家は自分が何をしているのか知ることができるし、知らなければなりません。

わたしの申します現代世界への移行は――つまり理性の機能と力が新しい領域へと拡張していることですが――まだ未完了です。これは二〇世紀世界が通過中の革命的な変化の要素をなしています。この移行のおもな徴候のいくつかについて吟味しておきましょう。

まずは経済学からです。一九一四年までは、客観的経済法則が個人や国民の経済行動を律して、もしそれに反するならみずから不利益をこうむるしかないといった信念が揺らぐことはまだ実際にはありませんでした。景気循環、物価変動、失業は、こうした経済法則によって決まっていたのです。大不況の始まった一九三〇年まで、支配的な見解はまだこうしたものでした。そのあと事態の変化はすみやかでした。一九三〇年代に人々は、経済法則に合致する経済利害をつねに追求する人という意味の「経済人の終わり」を語り始めました。[*9] それ以来だれも、一九世紀の夢から目覚めた浦島太郎みたいな人は別として、かつての意味の経済法則を信じる人はいません。今日では、経済学とは一連の理論数学の方程式か、あるいは他人をこき使いたい人の実践的ノウハウの研究のどちらかになってしまいました［笑］。

こうした変化が生じたのは、おもに個人資本主義から大規模資本主義への移行の結果です。個人企業家や個人商人が大多数を占めていたかぎり、だれも経済［全体］を制御したり重大な影響力を行使したりできなかったでしょう。そして非人格的な法則やプロセスの幻想は生き残っていたでしょう。イングランド銀行でさえ、最強の力を誇った時代に、巧妙な金融オペレーションや操作をするアクターではなく、経済動向の客観的で半ば自動的な登記係と見なされていたのです。

＊8　第二講で、たとえばウェジウッドなどを標的に批判していた論点である。七〇―八一頁。

＊9　たとえば Peter Drucker, *The End of Economic Man* の刊行は一九三九年であった。

しかしながら、自由放任《レセフェール》経済から管理経済への移行によって、この幻想は消えました（管理経済と申しましたが、これは大規模資本の、名目は私的なコンツェルンが経営する管理資本主義経済であれ、国家が経営する社会主義経済であれ、同じことです）。明らかになったのは、特定の人々が特定の目的のため特定の決定を下しているということ、こうした決定がわたしたちの経済の進路を定めているということです。今日では油や石鹸《せっけん》の価格は需要・供給の客観法則によって上下しているのではないと、だれもが知っています。不況も失業も人為のことだとだれもが知っています、もしくは知っていると考えています。政府も、不況や失業の救済策を知っていると自任し、主張しています。自由放任から計画へ、無意識から自己意識へ、客観的な経済法則の信念から、人は自分の行動により自分の経済的運命を制御できるという信念へと移行したのです。社会政策が経済政策と手に手を携えて進み、まことに経済政策と社会政策は一体化しています。[*10]

第一期『ケインブリッジ近代史』の最後の一二巻から引用させてください。一九一〇年に刊行されたこの巻でじつに鋭敏なコメントをしたためた筆者［リーズ］は、マルクス主義者どころか、レーニンの名さえ聞いたことはなかったのではないかと思われますが、こう述べます。

意識的な努力による社会改革は可能だという信念は、ヨーロッパ精神の優勢な動向となり、［従来の］自由こそ万能薬であるという信念からとって代わった。……現在この信念が普及し

ているこことは、たとえるならフランス革命の時代における人権という信念と同じくらい重要であり可能性をはらんでいる。(6)

今日、この一文が書かれてから五〇年が経過し、ロシア革命からは四〇年あまり、世界大不況からは三〇年ですが、この[社会改革への]信念はありふれたものとなりました。そしてかつての客観的な経済法則——これは合理的とされていましたが、人間の制御のおよばないものでした——への服従から、人間には意識的な行動により自分の経済的運命を制御する能力があるという信念へと移行したのですが、これは、理性の人間社会のもろもろへの適用における前進を象徴していると思われます。つまり、人間が自分と環境を理解し制御する能力の増進ということですが、*11 もし必要なら、古めかしい用語ですが、これを「進歩」と呼ぶ用意がわたしにはあります。

(6)　*Cambridge Modern History*, XII (1910), 15. この章の執筆者はS・M・リーズ、[トリニティ学寮のフェローで、アクトンの死後]『ケインブリッジ近代史』の編集に加わり、また国家公務員監査委員となった。

*10　以上はケインズ経済学によって推進された戦後先進諸国の政策であるが、カーは一九一九年、パリ講和会議でも同行したケインズの経済学について、なぜか明言しない。

*11　「自分と環境を(現在と過去を)理解し、制御する」という表現は、すべての講でリフレインのようにくりかえされる本書の核心をなす見解、立場である。三六、八六、一四〇、一七二、一九九、二三五頁。

他の領域で進行中の似たプロセスについては詳細に触れる余裕がありません。科学については先に［第三講で］見ましたとおり、今では自然の客観法則を探究し立証しようということよりも、むしろ作業用の仮説をつくって、人間が目的に合わせて自然を制御し、環境を変えられるようにといった方向に問題関心が向かっています。もっと重要なのは、人間が理性の意識的な行使によって環境を変えるだけでなく自分自身を変え始めたことです。一八世紀の終わりにマルサスは画期的な著作『人口の原理』［一七九八］によって、人口の客観法則が、アダム・スミスの市場法則と同じように、だれもそのプロセスを意識せずとも作動するのだと立証しようと企てました。今日ではだれもそうした客観法則を信じていません。むしろ人口の制御は、理性的で意識的な社会政策の課題となっています。わたしたちの時代が目撃している現象ですが、人間の努力の結果、人間の寿命が延びて人口における世代間のバランスが変化しつつあります。最近は人間の言動を左右するために薬が意図的に用いられるとか、人間の性格を変えるための外科手術が行なわれるといったことまで聞きます。人間も社会も変わりましたし、意識的な人間の努力によって公然と変えられてきました。

とはいえ、こうした変化のうち一番重要なのは、おそらく現代的な説得や教化の手段の発達と利用によって生じた変化でしょう。最近、あらゆるレヴェルの教育関係者は、社会を特定の型につくりあげてゆくこと、そうした社会にふさわしい態度、忠誠心、意見を次世代に教えこむことを意識して問題関心をますます強めています。教育政策は、理性的に計画されたあらゆる社会政策にとっての要《かなめ》です。理性が社会のなかの人間に適用された場合、その一番の働きは、もはやただ調べることではなく、むしろ変えることなのです〔二三三、二四〇頁〕。この理性的プロセスの応用によって社会的、経済的、政治的なもろもろの経営を改善する人間の能力についての高度の意識こそが、二〇世紀革命の主要な局面の一つだと思われます。

こうした理性の拡大は、先に第二講で「個性化」と呼んだプロセス、つまり文明の進歩にともない個人の技能や職業や機会が多様に分化するプロセスの部分にすぎません。産業革命の一番広汎におよんだ社会的影響は、考えること、理性を使うことを身につける人の数がますます増加したことかもしれません。イギリスでは漸進主義が根強いものですから、この動勢はほとんど認知されないことがあります。イギリスはこの一〇〇年近く全国民の初等普通教育を実現したという栄光に安住して、さらなる高等教育の普及に向けては、あまり前進していないか遅延している現状です。それでも、イギリス人が世界をリードしていたころはたいして問題ではありませんでした。しかし、他国民にすごい勢いで追い抜かれ、科学技術の変化により世の中のペースが速まった現状では、これは大きな問題です。と申しますのは、社会革命と技術革命と科学革命は、同一のプロセスの核心部分だからです。もし学界における個性化のプロセスの例を挙げよということなら、過去五、六〇年間の歴史学や科学やあらゆる特定科学における計り知れない多様化がありますし、またその結果として個別専門化が非常に増しているということがあります。

とはいえ、これよりはるかに印象的な例が、別のレヴェルで存在します。三〇年以上前のことですが、ソヴィエト連邦を訪問したドイツ軍の高位の将校が、ソヴィエトの将校の説明を受けたおりに、赤軍［ソヴィエト］空軍を構築するにあたっての課題について、次のように率直な発言を聴いたのでした。

> われわれロシア人はまだ原始的な人材を相手にしなければならない。飛行機は動員できる飛行士のタイプに合わせないとならないのである。新しいタイプの人員を育成できたなら、物資の技術的発達は成就するであろう。二つの要素が相互の条件となる。原始的な人員を精緻な飛行機に乗せるわけにはいかないのである。(7)

それからちょうど一世代が経過した今日、ロシアの飛行機がもはや原始的でないこと、飛行機を設計し、建造し、操縦するロシアの幾百万の男女人員もまた原始的でないことをわたしたちは承知しています。歴史家としてわたしが興味関心を引かれるのは、この人員のほうです。生産の合理化が意味しているのは、人間の合理化というはるかに重要なことです。今日の世界中で、原始的な人材が精緻な機械の取り扱いを学習していますが、その過程で、考えること、理性を使うことを学習しているのです。この革命は社会革命と呼ぶにふさわしいもので、今の文脈では理性の拡大と呼んでおきますが、たった今始まったばかりです。しかし、この理性の拡大は驚異的なペースで前進し、この一世代［約三〇年間］の驚異的な科学技術の前進と並走しています。これは二〇世紀革命の主要な一局面であると思われます。

悲観主義および懐疑論のみなさんは、もしここでわたしが現代世界における理性のはたす役割の危うさ、両義性を指摘しないならば、それ見たことかと非を鳴らすに違いありません［笑］。第二講でわたしは、そこで申しましたような個性化が進んだからといって社会的な同調圧力や画一圧力が弱まるわけではないと指摘しました。これこそ、わたしたちの複雑な現代社会の逆説《パラドクス》の一つです。教育とは個人の能力と機会を広げ促進するのに必要でかつ力強い手段であり、したがって個性化を増す必要で力強い手段なのですが、また同時に、社会的画一性を推進する利害集団の手中にあると、その強力な手段にもなります。しばしばラジオやテレビ、また新聞にたいして、もっと責任を自覚してほしいという申し立てを耳にします。たしかに非難されてもしかたないネガティヴな現象があり、申し立ては、まず第一にこうした現象を批判するものです。とはいえ、こうした申し立てはすぐさま、強力な大衆説得のメディアを、望ましい趣味や望ましい意見を植

（7）［H. Speidel, 'Reichswehr und Rote Armee',］*Vierteljahrshefte für Zeitgeschichte*, I (1953), 38.

えつけるために利用しようという申し立てに転じます。——この望ましさの基準とは社会の容認する趣味や意見ということです。こうしたキャンペーンはそれを推進する人々の手中にあって、望ましい方向へと個々のメンバーを型にはめ、社会を型にはめるための意識的で理性的なプロセスとなります。

こうした危険の派手な実例を他にもあげるなら、コマーシャル広告業と政治プロパガンダです。広告業者と政治家の役割は、じつにしばしば重なります。合衆国では公然と、イギリスでは内々に、政党も立候補者もプロの広告業者を雇って自分たちを売りこみます。二つの手法は、形は別であっても、かなり類似しています。プロの広告業者も大政党の情宣部長もたいへん頭のいい人たちで、関係するあらゆる理性の資源を動員して課題を実現します。しかしながら理性は、これまで考察した他のケースでもそうでしたが、ただ調査研究のために静態的に用いられるだけでなく、建設的にダイナミックに用いられるのです。プロの広告業者や選挙対策責任者の一番の問題関心は、現状の事実ではありません。彼らの関心が消費者や有権者が今、何を信じ何を欲しているかに向かうとしたら[*12]、それは、むしろ情宣の最終成果として——すなわち巧妙な操作によって消費者や有権者が信じたり欲したりするよう誘導されて効果を生じるかぎりでのことです。さらに大衆心理学の研究により彼らは承知していますが、彼らの考えを受容させる一番すみやかな方法は、顧客や有権者の身体の非理性的な面にアピールすることなのです。その結果としてわたしたちの眼前に立ち現れるのは、プロの産業家や政党の首領といったエリートが、かつてないほど発達した高度の理性的プロセスにより、大衆の非理性を理解しそこにつけこんで目的を達成している情景です。ねらっている第一の的は理性ではありません。そのおもなやり口は、オスカ・ワイルドが「知性より下を衝《つ》く」と表現したものです[*13]。

情景をちょっと過剰なくらいに描きましたが、これはこうした危険をわたしが過小評価しているといった非難もあるかと忖度《そんたく》してのことでした[(8)][笑]。しかし、この情景は概して正確でして、別の領域にも応用しようと思えば容易にできるものです。あらゆる社会において、支配集団は多少は強制的な手口を用いて大衆の意見をまとめ、制御しています。この方法が他よりたちが悪いのは、理性の乱用だからです。

このように真剣で根拠のある告発状にお答えして申しあげるべき論点は、ただ二つです。第一は、よくある議論ですが、これまでの歴史の経過におけるあらゆる発明、あらゆる革新、あらゆ

(8)　この点の立ち入った議論は、カー『新しい社会』(一九五一)第四章を参照。
＊12　P一九八七版には誤植があり、文意が乱れる。ここはM二〇〇一版、P二〇一八版による。
＊13　『ドリアン・グレイの肖像』第三章で、ヘンリ卿が「野蛮な理性」「理性の不正な使用」を難じる文脈でこう言う。

る新技術には、正と負の両面があったということです。コストは、だれかが負うしかありませんでした。活版印刷の発明からどれくらい経ったころに、これにより謬見《びゅうけん》の拡散が促進されたとの批判が始まったのでしょう、わたしは存じません。今日では自動車の到来にともなう道路事故の死亡者の数をあげて悲しむのが日常茶飯となっています。また科学者のなかには、ご自分が原子力エネルギーを解放する方法を発見したことを、その破局的な利用が可能となり、実際に用いられたのを理由に深く悔いる人もいます。こうした反対意見が、新しい発明や発見の前進をはばむだけの効果は過去にもなかったし、将来にもないでしょう。大衆プロパガンダの技術や可能性についてわたしたちが学習したことを消去するのは不可能です。J・ロックやリベラル理論が説いた小規模の個人主義者からなる民主主義は、部分的にも一九世紀半ばのイギリスで実現しましたが、今さらこれに立ち戻ることは、馬と馬車の時代、あるいは初期の自由放任資本主義に立ち戻るのと同じく不可能です。

しかし［第二に］真の答えは、こうした弊害もまた固有の矯正策《きょうせい》をともなっているということです。その矯正は非理性主義の崇拝でも、現代社会における理性の役割の広がりにたいする拒否でもなく、理性のはたせる役割について、上からも下からも自覚が増していることにあります。これは、科学技術の革命によって社会のあらゆるレヴェルで理性の使用が強いられている時代ですから、ユートピアの夢ではありません。他のすべての歴史的な大前進と同じように、理性の前進にも支払うべきコストや犠牲があり、直面すべき危険があります。たしかに懐疑する人、冷笑する人、災難を予言する人が、とりわけかつての特権的な位置が蝕《むしば》まれている国々の知識人のなかにいらっしゃるけれども、[*14]にもかかわらず、わたしはあえて理性の前進が歴史における進歩の徴《しるし》であると見なします。これは現代のもっとも際《きわ》だつ、革命的な現象ではないでしょうか。

歴史世界の地理的な広がり

わたしたちは今、進歩的な革命のさなかにおりますが、その第二の局面は、世界の姿の変貌です。一五・一六世紀という偉大な時代に中世世界はついに粉々に解体し、近代世界の基礎が据えられたわけですが、新大陸の発見に続き、［西洋］世界の中心が地中海岸から大西洋岸へと推移しました。[*15]これに比べるとフランス革命の変動は相対的に小さなものでしたが、それでも地理的に新大陸における後続により、旧大陸のバランスが再調整されました。

＊14　この点は「第二版への序文」（xi—xii頁）でやや立ち入る。
＊15　二〇世紀後半の西洋知識人の一般的な近代世界史認識である。アジア史についての論及がこのあとに続くが、カーの認識が斬新なわけではない。

とはいえ、二〇世紀革命によって加わった変化は、一六世紀以来に生じたいかなる変化よりも徹底的です。四〇〇年ほどをへて世界の重心は決定的に西ヨーロッパの外へ去ってしまったのです。西ヨーロッパは英語圏の海外の飛び地も含めて、北アメリカ大陸の属領になってしまった。あるいはこんな形容をしてよいなら、一つの集塊《アグロメレーション》になってしまい、合衆国が発電所と管制塔という両機能を果たしています[笑]。しかもこれが唯一の、あるいは一番重要な変化ではないのです。今や世界の重心がはたして英語圏プラス西ヨーロッパ別館にあるのか、ましてや将来にわたってそうなのか、まったく分からないのです。今日の世界事情を左右しているのは、東ヨーロッパからアジアまでの広大な陸塊、そしてアフリカへの延伸部分であるように見えます。「変わらぬ東洋」といった決まり文句は、最近ではすり切れたボロです。

二〇世紀にアジアでどんなことが起こったか、ざっと見てみましょう。始まりは一九〇二年の日英同盟で、アジアの一国がヨーロッパ列強の特権サークルに初めて入会したのです。偶然の一致かどうか、前後して日本は[日露戦争で]ロシアと戦い破ったことにより昇格をはたし、これが最初の火花となって偉大な二〇世紀革命に火が点いたのです。一七八九年と一八四八年のフランス革命は、続いてヨーロッパ各地に類似の事象を誘発しました。一九〇五年、ロシアの第一革命はヨーロッパにこだまが応じることなく、むしろアジアに追随者が現れ、数年のうちにペルシア、トルコ、中国で革命が起こりました。第一次世界大戦とは、正確に申しますと世界戦争ではなくヨーロッパの内戦で、これが世界中に影響をおよぼしたのでした――「ヨーロッパ」という実体が存在していたと想定しての話ですが。その世界的な影響には、アジア諸国における工業発展の促進があり、中国における排外感情、インドにおけるナショナリズム、そしてアラブのナショナリズムの誕生もありました。一九一七年のロシア革命はさらなる決定的な衝撃でした。ここで重要なのは、ロシア革命の指導者たちはあくまでヨーロッパ諸国に追随者を探し求めたのですが、その効なく、ついに見つけた追随者はアジアにいたのです。「変わらぬ」のはヨーロッパでして、動いたのはアジアでした[笑]。

　この後の経過はよく知られていて、現在まで語りつぐ必要はありません。歴史家は、まだアジア・アフリカ革命の範囲と意義について評価を定める位置にいません。しかし、現代の技術・工業のプロセスの広がり、そして教育と政治意識の始まりが、アジア・アフリカの何億という住民におよび、アジア・アフリカの姿を変えつつあります。未来を見とおすことはできないとはいえ、これが世界史の全体の見通し図《パースペクティヴ》における前向きの発展ではないとする判断基準など考えられません。こうした事象の結果として生じた世界の変貌ですが、これにともなって、世界事情におけるイギリスの相対的な重みは確実に衰退しており、ことによると英語圏全体もそうかもしれません。しかし、相対的衰退とは絶対的衰退ではありません。わたしが憂慮し恐れていますのは、アジア・アフリカの進歩の行進のことではなく、むしろこの国の――いえ、他の国でも同様でしょうか――支配集団が、こうした展開に目を向けようとも理解しようともしない傾向です。またこうした展開について、不信もあらわな軽蔑と、愛想よい慇懃《いんぎん》無礼といった二極の態度のあいだで揺れていたり、あるいは内にこもって過去のノスタルジアにしびれているといった傾向です。

わたしの申します二〇世紀革命における理性の拡大は、歴史家にとって特別な意味をもちます。と申しますのは、理性の拡大が本質的に意味するのは、従来は歴史の外にあった集団や階級、民族や大陸が歴史に登場してくるということだからです。第一講では中世史家が中世社会を信仰の眼鏡をかけて見がちなのは、その史料の偏った性格によるのではないかと指摘しました。この説明をもう少し続けます。キリスト教会が「中世のただ一つの理性的機構」[9]であったというのは、たしかにやや誇張はありますが、正しいと思います。教会はただ一つの理性的な機構であることによって、ただ一つの歴史的機構でした。教会だけが理性的な発達のコースをたどり、歴史家の理解が可能でした。世俗社会は教会により形づくられ組織され、世俗固有の理性的生活はなかったのです。人民大衆が属したのは、先史時代の人民と同じように、歴史ではなく自然でした。近代史が始まるのは、多くの人々が次から次へと社会的・政治的意識をもち、自分たちの集団を過去と未来をもつ歴史的存在だと自覚して、全面的に歴史に登場するときです。先進的な諸国においてさえ、社会的、政治的、歴史的な意識が住民の過半数ほどにまで広まり始めてから、まだせいぜい二〇〇年に達しません。全世界を構成している諸民族が歴史のフルメンバーとして登場したとイメージできるようになったのは、そうした諸民族が植民地行政官や人類学者の関心事でなく歴史家の関心事となったのは、ようやく今日初めてのことなのです。

これはわたしたちの歴史観における革命です。一八世紀には歴史はまだエリートの歴史でした。一九世紀にはイギリスの歴史家たちが全国民共同体の歴史という歴史観への前進を、行きつ戻りつ断続的にですが、始めました。凡庸な歴史家ですが、J・R・グリーンが最初の『イングランド人民の歴史』〔一八七四〕を著して有名になりました。二〇世紀にはあらゆる歴史家が、この〔全国民共同体の歴史という〕見方に口先では賛同しますが、言うは易く行なうは難しなのです。ですが、この問題にはこれ以上立ち入りません。と申しますのは、わたしがもっと憂慮しているのは、この国の外、西ヨーロッパの外へと歴史の地平が広がっていることに、歴史家が気づいていないことなのです。

アクトンは一八九六年の報告書で、世界史〔普遍史〕とは「各国史をすべて束ねたものとは別物である」と述べました。続けて、

　世界史が連続しつつ動いていった先には、諸国民は付随的となる。諸国民の歴史が語られる

（9）　von Martin, *Sociology of the Renaissance* (1944), p. 18. 〔『ルネッサンス』〕

のは、それ自体のためでなく、むしろより高次の連続に関係し、そこに従うかぎりのことであり、諸国民が人類の共通の運命にいつどれだけ貢献するかしだいなのである(10)。

アクトンには言うまでもないことでしたが、彼の考えた世界史は、本気の歴史家ならだれにとっても課題なのでした。わたしたちは現在、こうした意味の世界史へのアプローチを促進するために、何をしているでしょうか。

歴史学のカリキュラム

この連続講演ではケインブリッジ大学における歴史学の学習については触れないつもりでおりました。しかし、申しあげたいことにピタリと合致する実例がありながら、やっかいな難問だというので避けたままでいるわたしは臆病者ということになってしまいます[笑]。この四〇年間に歴史学部[*16]のカリキュラムで合衆国の歴史がかなりの位置を占めるようになりました。これは重要な前進です。しかし、これは同時にイングランド史の国史根性《パローキアリズム》を補強するというリスクをもたらしました。と申しますのは、このイングランド国史根性は長らくわがカリキュラムに死者の亡霊のごとくのしかかっているのですが[*17]、「合衆国史が加わったことによって」同じくらい危険で、さらに油断のならない英語圏世界の国史根性をもたらしたからです。過去四〇〇年にわたる英語圏の歴史は疑いようもなく偉大な時代でした。しかし、これを世界史の中心の大黒柱とし、それ以外はすべて周辺の装置と見なすのは、全体の見通し図の不幸な歪曲《わいきょく》です。一般に広まっているこうした歪曲を正すのは、大学の責務です。ケインブリッジ大学の歴史学部はこの責務をはたしているとは見えません。

主要大学の卒業資格候補学生が、英語以外の近代語の適格な語学力もないまま歴史学の優等学位試験[*18]の受験を許されるといった事態は、全然まちがっています。オクスフォード大学では伝統もあり尊敬もされている哲学という専門において[外国語の要件をなくし]学生は平明な日常英語だけですんなり卒業できるということにしました。[*19]ご存知のとおりの結果は、他山の石とすべきで

(10)　*The Cambridge Modern History: An Account* (1907), p. 14.

＊16　補註b。歴史学のカリキュラムについては一三九頁でも議論の入口に入りかけていた。

＊17　この発言はイングランド史家を憤慨させた。G・エルトンの率直な所説が、二九四頁に見える。

＊18　イギリスの大学卒業時の学位(学士)は優等(honours)コースと普通(pass)コースに分かれ、優等のなかでも卒業試験の成績により first, second, third と等級がつく。

＊19　カーは一九五三―五五年にオクスフォードのベイリオル学寮で学習指導教員を務めたので、オクスフォード大学内の哲学カリキュラム論議を聞き知っていた。

す。歴史学の学生に、ヨーロッパ大陸のどの国の近現代史であれ教科書以上のレヴェルで研究する便宜が提供されていないといった事態は、全然まちがっています。アジア・アフリカ・ラテンアメリカの事情についてある程度の知識をもつ学生は、今のところ「ヨーロッパの拡大」という一九世紀的にカッコをつけた題目の課題論文《ペーパー》でしか、能力を示すチャンスがありません。この課題タイトルが残念ながら内容に照合しています。学生は、たとえば中国やペルシア[イラン]のように重要で史料の豊富な国であっても、ヨーロッパ人が支配しようと試みた折に何が起こったかという以外には、その歴史を知るように奨励されていないのです。

聞くところでは、ケインブリッジ大学ではロシア史、ペルシア史、中国史の講義は行なわれていても、担当者は歴史学部の教員ではないとのことです[*20]。五年前でしたが、中国語の教授が就任記念講演で「中国が人類の歴史の主流から外れたところにあると見なすのは不可能である[(11)]」と信じるところを表明されましたが、これはケインブリッジの歴史家たちには馬耳東風だったようですね[笑]。一九五〇年代にケインブリッジで生まれた一番偉大な歴史学の業績であると将来にわたって見なされるに違いない本は、完全に歴史学部の外で、歴史学部からなんらの支援も受けることなく執筆されました。ジョーゼフ・ニーダム博士の『中国における科学と文明』[*21]のことです。これを考えると厳粛な想いです。こうした学内の傷は世の中にさらすべきではないのかもしれません。あえて申しましたのは、これがじつは二〇世紀半ばのイギリスのたいていの大学、そしてイギリスの知識人一般の典型的な状態を示していると信じるからです。

ヴィクトリア時代の島国根性を表した古くさい皮肉な警句に、「英仏海峡で嵐――ヨーロッパ大陸は孤立」という[電報文のような]ものがありましたが[笑]、これは今日、気味が悪いほどピタリと響きます。今、またもや海の向こうの世界で嵐が吹き荒れています。そして英語圏のわたしたちは身体を丸めて寄りそい、互いに平明な日常英語で語りあいつつ、「外の諸国や諸大陸はおかしな言動をするものだから、わがイギリス文明の恵みからも運からも孤立してしまったのだ」とかつぶやいているのです。見る方角をかえれば、わたしたち自身が理解する能力も意志もなく、世界で現実に進行していることからみずからを孤立させているようにも見えます[*22][笑]。

---

(11)　E. G. Pulleyblank, *Chinese History and World History* (1955), p. 36.

*20　カーはトリニティ学寮の上級フェローだが、歴史学部の教授、講師などではなく、授業も担当しない。

*21　一九五四年に刊行開始、全七巻二七冊が既刊。ニーダム(一九〇〇―九五)はゴンヴィル＆キーズ学寮のフェロー、六五年から学寮長。七六年に東アジア科学史図書館(ニーダム研究所)が創立され、企画は継続。

*22　この講演後、一九六一年八月にマクミラン政権はEEC(ヨーロッパ経済共同体)への加盟を申請したが、時のドゴール大統領が拒否権を行使し、イギリスのEEC／EC加盟が実現するのはドゴール死後の一九七三年である。イギリスはその後EU(ヨーロッパ連合)のメンバー国であったが、ジョンソン政権は二〇二〇年一月にEUから離脱した(Brexit)。『イギリス史10講』二八四、二八八―三〇二頁。

それでも、世界は動く

第一講の最初の数段で、わたしは二〇世紀半ばの社会観が一九世紀末の社会観とははっきり違っていることにご注意をうながしました。最後のむすびとして、この対照について述べてみようと思います。この文脈で「リベラル」と「保守」という語を用いますが、これは、イギリスの政党「自由党」「保守党」の名称とは異なる意味で使っているとご了解ください。

［一九世紀末の］アクトンが進歩について語るとき、一般にいうイギリス的な「漸進主義」という意味では考えていませんでした。「革命、あるいはわれわれのいうリベラリズム」といった際だつフレーズが一八八七年の書簡にあります。「近代的進歩の方法とは、革命であった」と、一〇年後の近代史講義では語りましたし、別の講義では「われわれが革命と呼ぶところの一般的理念の到来」について説いています。このことの意味は、彼の未刊の手稿の一文で説明されていて、「ホウィグ党は妥協によって統治した。自由党は理念の支配を開始する」(12)というのでした。アクトンの信念によれば「理念の支配」とはリベラリズムのことであり、リベラリズムとは革命のことだったのです。アクトン［一九〇二年没］の生前には、リベラリズムは社会をダイナミックに変化させる力がまだ有りあまるほどありました。[*23] 今日では、リベラリズムの生き残りはどこでも社

会における保守の要素に転じています。今さらアクトンに戻ろうととなえるのは無意味でしょう。ただし歴史家なら、第一にアクトンの立ち位置を確認し、第二に彼を同時代の思想家たちと対照し、第三に彼の立場のうちどのような要素が今日でも有効なのかを探究すべきでしょう。アクトンの世代は、たしかに度をすぎた自信と楽天性をわずらい、自分たちの信念のよりどころの危うさについては十分に認識していませんでした。しかし彼の世代は、今日のわたしたちにはまったく欠けている二点をもっていました。すなわち、変化こそ歴史における進歩の要因であるという

---

(12)　ここで引用する文の出典は、Acton, *Selections from the Correspondence* (1917), p. 278; *Lectures on Modern History* (1906), pp. 4, 32; CUL, Add MSS. 4949. 本文で引用した一八八七年[五月、アクトンからデリンガーの愛弟子ブレナーハセット夫人シャルロット宛、原文はフランス語]の書簡でアクトンは「旧ホウィグ」から「新ホウィグ」(すなわち自由党)への転換の印《マーク》は「良心の発見」であるという。[補註g。]ここでの「良心」とは明らかに(二二九頁[および二三九頁]で論及した)「意識」の発展と関連し、「理念の支配」に照応している[*Selections from the Correspondence*, pp. 268–283 により補充]。W・スタッブズもまた近代史をフランス革命によって前後二つの時代に区分してこういう。「近代の前半[近世]は権力、勢力、王朝の歴史であり、その後半は理念が権利となり、具体化する歴史である。」W. Stubbs, *Seventeen Lectures on the Study of Medieval and Modern History* (3rd ed., 1900), p. 239.

*23　むしろアクトンの急死した後に、二〇世紀前半を通じて、ロイド＝ジョージ、ケインズ、ベヴァレッジなどのリベラル改革(の提案)が続いた。

感覚、そして理性こそ歴史の複雑さを理解するための道案内であるという確信の二つです。

　では、一九五〇年代の声をいくつか聴いてみましょう。[*24] 第二講ではサー・ルイス・ネイミアの[今日のイギリス政治をめぐる]ご満悦の意を引用しました。すなわち、「具体的な諸問題」について「実際的な解決策」が求められているのに、「二大政党はどちらも綱領や理念を忘れている」という世の中の批判にたいして、彼はむしろこれは「国民的成熟」の証であるというのでした。(13) わたしはこうした個人の生涯と国民の生涯を類比して論じるのはどうかと思いますし、もしこうした類比論《アナロジー》を使うなら、「成熟」の段階をすぎた後には何が続くのか問うべきでしょう。ただ、わたしが興味を引かれるのは、一方の実際的なこと、具体的なことが賞賛され、他方の「綱領や理念」が非難されている、その鋭い対比です。このように理念的な理論よりも実際的な行動をたたえあげるのは、たしかに保守主義の特徴です。ネイミアの考えでは、これは一八世紀の声、ジョージ三世の即位時のイングランドの声を代表し表現しており、アクトンのいう革命と理念の支配が今にも迫る勢いに反対しています。

　しかし、これと同じようにまったくの保守主義がまったくの経験主義の形をとって表明されるのは、今日どこでも見られるものです。その一番大衆うけのする形ではトレヴァ゠ローパ教授の言で、「ラディカルな連中が勝利はまちがいなく我がものなりと叫んでいるその時に、分別のある保守は、連中の鼻面をぶんなぐる」(14) というのがあります[笑]。オークショット教授はこれよりは上品な表現で、流行の経験主義を呈示なさいます。わたしたちは政治的不安のただなかで、「はてのない、底なしの海を航行し」ている。「出発点も終着点もなく」、唯一の目的はといえば、「船の本体を水平にたもち浮いていること」[15]かもしれないとまでおっしゃるのです。最近の文筆家たちが政治的「ユートピア主義」や「救世主の到来」をどれほど否認しているかを示すカタログをさらにご覧に入れる必要はないでしょう。こうした言説は、社会の未来を遠くまで見とおすラディカルな理念にたいする口汚い非難の流行表現となっています。

さらに最近の合衆国では歴史学者も政治学者も、イギリスの同業者に比べるとずっと抑制なく、公然と保守主義への忠誠を言明しているのですが、こうしたことについても立ち入らないことにして、一つだけ、アメリカにおけるもっとも卓越しもっとも穏健な保守の歴史家、ハーヴァードのサミュエル・モリスン教授の一文を引用するだけにしましょう。これは一九五〇年一二月、ア

（13）　前出、五八頁。
（14）　[H. Trevor-Roper in] *Encounter*, VII, No. 6, June 1957, p. 17.
（15）　M. Oakeshott, *Political Education* (1951), p. 22.［「政治教育」田島正樹訳、『政治における合理主義』嶋津格・森村進他訳、勁草書房、一九八八所収］
＊24　四―六頁あたり、一九五〇年代のサー・ジョージ・クラークとビート時代の困惑・懐疑心に返って、本書全体の係り結びを決めている。

メリカ歴史学協会における会長講演ですが、合衆国の歴史を見とおして、〔従来優勢だった〕いわゆる「ジェファソン＝ジャクソン＝F・D・ローズヴェルトの系統《ライン》」でなく、むしろ「健全な保守の観点から書かれる」[16]べき時がいよいよ来たというのです。

とはいえ、イギリスにおいてはこの慎重で保守的な考えを一番明快に一番妥協のない形で表明したのは、ポパー教授です。ネイミアが「綱領や理念」を拒否したのに呼応するように、彼は「明確なプランにあわせて「社会全体」を改造すること」をめざすような政策を攻撃し、いわゆる「断片《ピースミール》の社会工学」を提唱しています。そして、「断片修繕職人」とか「ドロナワ凌《しの》ぎ」といった汚名を着せられ批判されても、怯《ひる》まないようです。[17]じつはある一点については、わたしもポパー教授に賛辞を呈したいと考えています。彼はたくましい理性の擁護者であり続け、過去および現在の非理性主義の逸脱にはいかなる繋《つな》がりもない人なのですから。しかし、「断片の社会工学」なるものの処方箋をよく見るならば、彼が理性に割りふる役割がどれほど限定的か、分かります。彼の「断片の工学」はあまり精確に定義されていませんが、とくに「目的」の批判はダメと告げられています。彼が慎重に例示している正当な諸活動は「国制の改革」と「所得の平等化へ向けての方向」でして、これらから明らかに「断片の社会工学」はわたしたちの現存社会の想定の枠内で作動すべきものとされています。[18]ポパー教授の構想《スキーム》における理性のステータスは、じつはイギリスの国家公務員のステータスに似ていまして、時の政権の政策を執行する権限を与えられ、政策のよりよき実現のためになら実際的な改善工夫を提案するのも結構。しかし、政策の根本的な前提や究極の目的に疑問をもってはならないのです。有用な仕事ぶりですね。わたしも、若いころは国家公務員でした［笑］。

けれども、このように理性を現存秩序の前提に服従させるというのは、長期的にはとても受けいれられるものではありません。これはアクトンが理性について、革命＝リベラリズム＝理念の支配、という等式を示しながら考えていたこととは異なります。人間社会のもろもろにおける進歩は、科学においても歴史においても社会においても、人間が日常業務について断片的な改善工夫に自己限定することによって成し遂げられてきたのではありません。進歩はむしろ、人間が理性の名のもとに根本的なところで日常業務のありかたを疑い、その表方・裏方の前提に根本から異議をとなえる勇気ある心の準備があってこそ、成し遂げられてきたのです。将来、英語圏の歴史家、社会学者、政治思想家がそうした課題に取り組むための勇気を取り戻す日を、わたしは待ち望んでいます。

（16）［S. E. Morison,］*American Historical Review*, LVI, No. 2 (January 1951), pp. 272–273.［六九頁］
（17）K. Popper, *The Poverty of Historicism* (1957), pp. 67, 74.［『歴史主義の貧困』］
（18）*Ibid.*, pp. 64, 68.

しかしながら、わたしの心を動揺させている一番は、理性への信念が英語圏の知識人や政治思想家のあいだで衰退しているといったことよりも、むしろ世界は永久に動いているという「かつての」広く浸透していた感覚が消えたことなのです。これは一見して逆説と見えます。というのは、表面的にはわたしたちの周辺でこれほどに変化が語られることは、従来ほとんどなかったからです。しかし重要なのは、変化がかつてのような達成、チャンス、進歩と考えられるのではなく、むしろ恐怖の的になっていることです。政治や経済の大先生が出してくださる処方箋には、ラディカルに長期を語る理念ほど信用ならぬものはないといった警告や、革命の匂いのすることはすべて避けよとか、もし前進が不可避ならできるだけゆっくり慎重に進むべしといった警告以外に、なにもありません。世界が過去四〇〇年のいずれの時期に比べてもずっと急速にラディカルに変貌しているこの機に、こうした状態は奇妙な無為無策と見えます。こうした無為無策から憂慮されるのは、世界中の動きの停止といったことではありません。むしろこのイギリスが、そしてことによると他の英語圏諸国も、全体の前進から立ち遅れ、救いようもなく、不満を口にすることさえなく、ノスタルジアのよどみへと滑り落ちるかもしれないといった事態なのです。

では、このわたし自身はと申しますと、一個の楽天家でおります。見てまいりましたとおり、サー・ルイス・ネイミアは綱領や理念は控えるようにと警告を発し、オークショット教授がわたしたちはとくにどこかをめざしているわけではない、大事なのはだれにも船を揺り動かさせないことだと告げてくださいますし、ポパー教授はあの昔なつかしいTモデル[*25]の自動車をちょっとした断片の工学を用いてまだ道路走行できるままにしたいと望まれ、トレヴァ＝ローパ教授は叫び声をあげているラディカル活動家の鼻面をぶんなぐり[笑]、モリスン教授は歴史は健全な保守の精神で書かれるべしととなえておられます。この期《ご》におよびまして、わたしは激動の世界、陣痛の世界を望みつつ、あの偉大な科学者のよく知られた言葉でお答えすることにいたします。――「それでも、世界は動く[*26]」。

＊25　合衆国のフォード自動車が一九〇八―二七年に大量生産した大衆向け乗用車。
＊26　いうまでもなくガリレオ・ガリレイの言とされるもの。英語で it moves（それは動く）の it は地球であり、世界である。

E・H・カー文書より――第二版のための草稿

R・W・デイヴィス

一九八二年一一月に亡くなる前の数年間にわたって、E・H・カーは『歴史とは何か』の実質的な新版を準備していた。一九六一年の初版から以後二〇年間に見られた人類の進歩の停滞に怯《ひる》むことなく、カーは「第二版への序文」で、新版のねらいについて「楽天的とまでは行かなくとも、せいぜい正気でバランスのとれた未来の展望を打ち出したい」[xv頁]と宣言している。

書きあがっていたのは序文だけであった。だが、カーの遺《のこ》した文書のうち、一つの大きな箱のなかに、一九六一年の初版に関する書評や文通のぎっしり詰まった封筒とともに、七つの茶色い大判フォルダがあって、

歴史――一般

因果連関――決定論――進歩

文学と芸術

革命と暴力の理論

ロシア革命
マルクス主義と歴史
マルクス主義の将来

といったタイトルが付されている。[*1] 明らかにカーは第二版をしあげる前に、たっぷり勉強するつもりだったのである。フォルダには多数の、まだメモを取っていない本や論文のタイトルも並んでいるが、しかし、すでに読んで印を付けた抜刷や切り取った雑誌論文、そして大小の紙片に書き付けた手書きのメモといった作業途中の材料もある。アイザック・ドイチャ、アイザイア・バーリン、クェンティン・スキナなどと歴史哲学や歴史学方法論の意見を交換した書簡もフォルダに入っているが、明らかに新版で利用しようと考えていたのであろう。時に応じてタイプした、または手書きの文章があるが、これらは明らかに［新版の］センテンスや段落の第一稿であろう。

予定していた新版の計画案《プラン》は見つからないが、このような書き付けがある。

歴史の混乱状態
統計学の攻撃
心理学［の攻撃］
構造主義

文学の混乱状態
言語学
ユートピア等々
〈別の紙片にはこうある。
「最後の章は
ユートピア
歴史の意味[*2]」〉

カーがすでにある『歴史とは何か』の各講を、批判にこたえ、材料を追加し、議論を具体化し修正しながら拡充するだけでなく、さらに新しい節か章を執筆して、初版ではあつかわなかったか、不十分なあつかいだった論題に取り組もうとしていたことがよく分かる。彼の広範囲にわたる草稿や書き付けからは、時にわたしたちの現在の不満の根拠やわたしたちのめざすべき世界についてのまったく新しい一冊の本が、姿を現すべくもがいているようにも見える。確かなのは、最後に一、二章を書き加

＊1　デイヴィスは brown foolscap folders と形容する。現在これを所蔵する University of Birmingham, Special Collections: Papers of E. H. Carr の予備要項(計一一頁)の Box 11 には Files of notes, correspondence, publications &c organised by Carr とある。フォルダかファイルかの別にこだわらないようだ。
＊2　引用における〈　〉はデイヴィスによる補記。この書き付けにおけるイタリックは太字で示す。

えるか、あるいは第六講「地平の広がり」を全面的に書き直して、歴史の意味についての彼自身の見方、彼の未来のヴィジョンを呈示しようとしていたことである。——それも、彼の従来の書き物よりもっと直接に現在の政治問題に論及するものを呈示しようとしていたのである。

「考えない」歴史家と客観性

カーが第一講、第二講における歴史家とその事実、歴史家と社会の議論については、改訂する理由はまずないと見ていたのは明らかである。経験的アプローチのまちがった主張の例として、彼は著名な海軍史家S・ロスキルを引用する。ロスキルは「現代の歴史学派」が「自分の仕事は、対象とする時代の事実を、良心的な精確さで公正に収集し記録することに他ならないと考えている」と賞賛していた。しかし、カーにとってこうした現代史家は、もし本当に言行一致で行動したとすると、アルゼンチンの作家ボルヘスによる短編の主人公(「記憶のよいフネス」)と同じようなことになり、見たこと聞いたこと経験したことを一つも忘れない、その結果、「わたしの記憶はゴミの山だ」と自認することになるであろう。そのフネスは「考えるのはかなり苦手だった」、というのは「考えるとは違いを忘れ、一般化し、抽象することなのだから(1)」。

カーは歴史学と社会科学における経験主義を、次のように定義したうえで、却下した。すなわち「[経験主義とは]なにか科学的で価値自由の方法を適用すれば問題はすべて解決するという信念、換言すれば、客観的で正しい解決とそこに到達する道――想定されている科学の前提なるものが社会科学へ移転されたもの――が存在するという信念である。」カーの草稿によれば、経験史家たちの護符《おまもり》であるランケを、G・ルカーチは反歴史的だと見なした。というのは、ランケが呈示したのは出来事、集団、制度のコレクションであって、なにかが別のものへと前進するプロセスではなかったからである。ルカーチによると、「〔ランケの営みでは〕歴史とは、めずらしい逸話のコレクションになってしまう(2)」のであった。

カーの草稿は、こうした経験主義への攻撃にあたって重要な掩護となる。ギボンの信念によれば、最良の歴史を書けるのは、諸関係のシステムを支配する事実は何かと見定める「歴史家＝哲学者」だけである。(3)ギボンはタキトゥスが「哲学という学問を事実の研究に応用した歴史家の最初である」として恩義を表している。(4)ヴィーコは、事実として確かなこと(il certo)と真なること(il vero)とを区別

---

(1) J. L. Borges, *A Personal Anthology* (1972), pp. 32-3.〔「記憶の人、フネス」『伝奇集』鼓直訳、岩波文庫、一九九三〕

(2) G. Lukács, *The Historical Novel* (1962), pp. 176, 182.〔『ルカーチ著作集3 歴史小説論』伊藤成彦訳、白水社、一九八六〕

(3) Edward Gibbon, *Essai sur l'étude de la littérature* (1761).

(4) Gibbon, *Decline and Fall of the Roman Empire*, ed. by Bury (1909) chap. 9, p. 230.〔『ローマ帝国衰亡史』第一巻、中野好夫訳、一九九五〕

して、「確かなこと」は意識の対象であって個別につき特殊であるが、「真なること」は学問(scienza)の対象であって共通ないし一般であるとした(5)。

カーは「最近の英語の政治や歴史の著作で、薄っぺらで深みに欠けるものがこんなにも多いこと」の理由は、「英語圏の考える人々からマルクスをかくも致命的に隔絶してきた」歴史的な方法の違いにあるとした。

英語圏の伝統は深いところで経験的である。事実がみずから語るのである。なにか具体的な論争点があれば、「その効用をめぐって」討論される。歴史研究のテーマ、エピソード、時代は内々に、おそらく無意識な関連基準に照らして選択される。……こうしたすべてがマルクスにとっては呪いの的だったであろう。マルクスは全然、経験主義ではなかった。全体を考慮せずに部分を研究する、意義を考慮せず事実を研究する、原因や結果を考慮せずに事象を研究する、全体情況を考慮せずに特定の危機を研究する、こうしたことはマルクスには空しい演習問題と見えたであろう。

この二つの違いには歴史的な根源《ルーツ》がある。英語圏がかくも頑迷に経験主義であり続けたのには理由がある。しっかりと安定した社会秩序で、その信頼性を疑おうという人もいないなら、運用しつつ修繕するには経験主義が有効である。……こうした世界に一九世紀イギリスは完璧なモデルを提供した。だが、あらゆることの根拠が問い直され、次から次にやってくる危機に、導きの方針もなくわたしたちが立ち往生している時代には、経験主義では不足なのである。[6]

いずれにしても、いわゆる経験主義のベールは無意識の選択の原理を隠すことがある。カーによると、「歴史とは、人間の合理性をつくりあげる特別な構想力である。認識しているかいないかにかかわらず、あらゆる歴史家はこうした構想力をもっている。」『歴史とは何か』においてカーは、歴史家の事実の選択と解釈におよぼした歴史的・社会的な環境の影響に大いに注目したが、これは学生時代から興味をそそられていた人間事情の一面である。

新版へ向けてのカーの草稿には、さらに歴史的知識の相対性を示す例が見える。ヘロドトスはアテネの優位性の倫理的な正当性は、ペルシア戦争におけるアテネの役割にありと見た。ペルシア戦争が証したのは、考えるギリシア人は視野を広げなくてはならぬということであり、ヘロドトスは調査探究を他の民族、他の土地へ拡大しようと考えたのであった。[7] アラブ人の歴史観は、遊牧民の生活様式への共感から強い影響を受けていた。アラブ人の持続的・循環的なプロセスとしての歴史観によると、

（5） G. Vico, *Principj di scienza nuovo* (1744), I, IX, X; *The New Science of G. Vico* (1968), paras 137, 321. [pp. 62–3, 93.『新しい学』上、上村忠男訳、中公文庫、二〇一八]

（6） この段はタイプ原稿。ルカーチ論の一部として Carr, *From Napoleon to Stalin* (1980), p. 250 に所収［『ナポレオンからスターリンへ——現代史エッセイ集』鈴木博信訳、岩波現代選書、一九八四、第二六章］

（7） M. I. Finley (ed.), *The Greek Historians* (1959), Introduction, pp. 4, 6.

都市あるいはオアシスの住民が砂漠の遊牧民によって征服されると、その遊牧民が定住して、やがて今度は砂漠からの新しい遊牧民によって征服される。アラブの歴史家にとって、定住生活は贅沢《ぜいたく》をはぐくみ、文明化した人は野蛮人に比べて弱くなるのであった。これと対照的に、一八世紀イングランドのギボンは歴史は循環するのでなく、勝利の前進と見なした。彼の有名な句だが、「あらゆる時代は人類の本当の富、幸福、知識を、あるいはまた美徳をも増進させてきたし、これからもなお増進させる」という。[*3] またギボンは歴史を長らく確立して安定している文明の、自信にみちた支配階級の眺望地点から見ていた。ギボンによれば、ヨーロッパは野蛮人に侵害される心配はなかった。というのは、「野蛮人は征服が可能となる前に野蛮人であることを止めねばならぬから」であった。

カーの述べるところによれば、革命的な時代は歴史研究に革命的な影響をおよぼす。「革命ほどに歴史への関心をつくりだすものは他にない」のである。一八世紀のイングランドの歴史家たちは、[*4]一六八八年の「名誉革命」の勝利という時代を背景に姿を現した。フランス革命は「人間性は不変であるという考えのうえに成り立っていたフランス啓蒙の無歴史的な見地を切り崩した。」このように急速な変化の時代に、歴史的知識の相対性が広く認識された。T・B・マコーリ［一八〇〇—五九］は同時代人にとって明白なことをはっきり言ったにすぎないのだが、「フランス革命について、一七八九年にも、一七九四年にも、一八〇四年にも、一八一四年にも、また一八三四年にも、同一の意見を守って変わらぬ男がいたとしたら、そいつは神の霊感をうけた預言者か、頑迷な阿呆《あほう》か、どちらかであろう(8)」と述べた。

歴史的知識の相対性が与件としてあるなら、客観的歴史とはいかなる意味で存在しうるのか。『歴史とは何か』でカーは、一方で自分の価値観は歴史をこえた客観性をもつと主張できるような歴史家はいないのだが、「客観的」歴史家とは「自分のおかれた社会的・歴史的な立場に制約されたものの見方をこえて立ちあがる能力」のある者、また「未来に投影した自分のヴィジョンによって、過去への洞察を深く耐久性のあるものにする能力」のある者であろうと論じた〔二〇八頁〕。『歴史とは何か』を批判し、こうした「客観性」のあつかいに強く反対して、客観的歴史家とは自分の先入観はどうであろうと史料《エヴィデンス》にもとづいて判断をくだす者である、といった伝統的な見方を擁護する者は幾人もいる。カーはこうした説を深刻な批判とは見なさなかった。彼の『ソヴィエト＝ロシアの歴史』では伝統的な意味の「客観性」を異常なほどに誇示することがしばしばあるが、これは従来、他の歴史家が解釈の根拠として何度も用いてきた史料について、カーがそれと異なる解釈を呈示する場合である。とはいえ、カーはこうした誠実さは有能な歴史家に必要な責務〔本分〕と見なしたのであって、[*5]歴史家の史料にたいするアプローチが本人の社会的・文化的環境には左右されないとい

（8） T. B. Macaulay, *Works* (1898), VIII, 431 (Sir James Mackintosh についての評論より).
＊3 一八七頁。ギボンは『ローマ帝国衰亡史』を一七七六―一八八年、ヨーロッパ啓蒙の最盛期に著した。
＊4 デイヴィスの文だが、イングランドの(English)と限定するのは誤り。ヒューム、スミスなどスコットランド人、バークリ、バークなどアイルランド人を看過して一八世紀イギリスの歴史と思想は語れない。
＊5 一〇―一一頁における ハウスマンの言「正確さは本分であって、美徳ではない」を参照。

ったことを意味したのではない。

にもかかわらず、カーはいささか慎重にであるが、歴史研究においても、社会の展開におけると同様の進歩がありうると認め、歴史的知識における進歩は客観性の増進と結びついていると認める用意はあった。『歴史とは何か』において彼は、過去二〇〇年間に歴史学に大きな前進があったことを認め、わたしたちの地平がエリートの歴史から全世界の諸民族の歴史へと広がったことを歓迎している。たとえば、ビスマルクの事績についての評価が歴史家の世代により変わったことに触れながら、彼は「一九二〇年代の歴史家のほうが一八八〇年代の歴史家よりも客観的な判断に近く、今日の歴史家のほうが一九二〇年代の歴史家よりも近くに位置している」と論じた(ないし認めた)。しかし、それに続いてカーは、歴史家の客観性の基準における絶対的要素を一見承認したかに見えるこの部分の意味を限定して、「歴史における客観性とは、今ここに存在するなにか固定して動かない判断基準にもとづくものではないし、そんなことはありえない。歴史における客観性は、むしろ未来に向けて貯《た》めおかれ、歴史が進むにつれて見えてくる基準にもとづくもので、それ以外ではない」と力説したのである[二二九―二三〇頁]。

歴史における客観性の問題は、『歴史とは何か』を完成した後もカーを悩ませ続けたことは明らかである。草稿において、一方で「絶対的で無時間的な客観性」は「非現実の抽象である」として却下しつつ、彼はこう書いている。

歴史学はかならず、歴史家の受容する客観性の原則や規範に照らして過去の諸事実を選別し整理するが、これは必然的に解釈という要素を含む。この解釈なしでは、過去は無数のバラバラで無意味な出来事のごたまぜへと溶解し、歴史を書くことはまったく不可能になってしまう。

科学の方法

『歴史とは何か』においてカーは、歴史的客観性の問題にもう一つ別の視角からアプローチしていた(この文脈では「客観性」という語は使わないままであるが)。すなわち歴史学と自然科学のあいだの方法上の類似点と差異点について吟味したのである。その結果、類似点のほうが差異点よりも多かった。自然科学者は昔のように諸事実の観察から帰納して普遍法則を打ち立てるのが仕事だと考えてはおらず、むしろ仮説と事実との相互作用による発見が仕事だと考えている。そして歴史学の問題関心は、時に想定されているように独特《ユニーク》な事象ではなく、むしろ自然科学と同じように、ユニークと一般との相互作用にあるのである。歴史家は一般化にコミットしているのであり、じつに「本当のところ、歴史家はユニークなこと自体に興味関心があるのではなく、ユニークのなかの一般性に興味関心があるのです。」〔一〇一―一〇二頁〕

新版のためにカーは科学の方法論について、広範囲にわたるメモを集めた。彼の書き付けから彼の思考の傾向が姿を現す。カーの書かれざる議論にデイヴィス＝ヴァージョンを上書きしないように留意しながら、書き付けの一部をここに再現しよう(それぞれの断片に番号を付けた)。

(1)科学的真理の形式的・論理的な基準。ポパーは、「純粋」科学は無時間の合理的原理を特徴とすると信じた。……

T・クーンは単一の科学的方法を却下して、一連の相対主義的な諸方法のほうを選好した。……静態的科学観から動態的科学観への移行、形態から機能(あるいは目的)への移行。

相対主義(単一の「科学の方法」はない)がファイアアーベント『反方法論』(一九七五)を合理主義の全否定へと向かわせている。(9)

(2)プラトンの『メノン』が提起した問題は、いったい何を追求しているのかを知らぬまま探究を遂行することが可能なのかということであった(第八〇d段)。

「精神のなかに隠れている理念に導かれて、長期にわたってあれやこれやと建築材料になるものを求めて観察をくりかえしたあげくに、さらにまた長い日時を費やしてそれらの材料の技術的な性質を検《あらた》めたあげくに、ようやくわれわれは、その理念を明るい光のもとに見ることができるようになり、またその理念の全体の輪郭を大工の棟梁のように示すことができるようになるのである。」[*6]

カント『純粋理性批判』(一七八一)、八三五ページ

検証可能な結論を産み出せないような仮説は無意味であるというポパーの命題は、成り立たない

(〔たとえば〕自然淘汰説)。

『エンカウンタ』誌(一九七二年一月)におけるM・ポラニー〈を参照〉。

次も〈やはり〉同じ箇所から……

アインシュタインは一九二五年にW・ハイゼンベルクに向かってこう言った。「君が何かを観察できるかどうかは、君の使う理論にかかっている。理論こそが何を観察できるかを決定するのだ。」

(3)〈V・F・ヴァイスコップの講演録でカーが印を付けた部分*7〉

「こうした山脈の形成は地球の地殻の構造プレート活動により理解できるが、しかし、モンブラ

---

(9) P. Feyerabend, *Against Method: Outline of an Anarchistic Theory of Knowledge* (1975)の結論は「歴史の提供する豊かな材料」からして、すべての情況と時代に当てはまる唯一の原理は、「何でもあり」(p. 27)ということである。〔『方法への挑戦——科学的創造と知のアナーキズム』村上陽一郎・渡辺博訳、新曜社、一九八一〕

*6 この英語 architectonically にはギリシア語源(大工の棟梁)の含意が生きている。一一頁参照。『カント全集』第六巻、岩波書店、二〇〇六では「建築術的に」。

*7 ヴィクタ・F・ヴァイスコップは「マンハッタン計画」に加わった量子物理学者。既刊の各版ともイニシャルを誤記。カーの読んだ講演録をデイヴィスは特定していないが、*Bulletin of the American Academy of Arts and Sciences*, Vol. 35, No. 2 (Nov. 1981), 16, 19 に(誤植以外は)同一の記事がある。カーの死ぬ一年前の刊行物である。

ンが今日見えるような特定の形状をしていることの理由までは説明できないし、［合衆国ワシントン州の］セントヘレンズ山が次に噴火した場合に山腹のどこが陥没するのか予知するのも不可能である。……

「予知不可能な事象が生じたからといって、自然の法則が破られたということにはならない。」

(4) D・ストルイク『数学小史』(一九六三)は、数学が社会的な根源《ルーツ》をもつことを明らかにしている。

(5) 宇宙はなにかランダムな事情でビッグバンにより始まり、やがてブラック・ホールへと融解する運命であるという理論は、時代の文化的悲観主義の反映である。ランダムであるとは、無知の祭りあげである。

(6) 遺伝が圧倒的に重要だという信念は、習得した特徴［獲得形質］が遺伝すると信じられていたかぎりで進歩的であった。これが否定されると、遺伝の信念は反動的なものに転じた。

C・E・ローゼンバーグ『他の神々でなく――科学とアメリカの社会思想について』(一九七六)〈とくに一〇ページ〉における議論を参照。

こうした書き付けからよく分かるが、カーは、科学的知識の相対性は、かつて自分が指摘したよりもさらに大きいものだという結論に達していた。時と場所が自然科学者の理論と実践におよぼす影響は大きい。自然科学における仮説と具体的なデータとの相互作用は、歴史学における一般化と事実との相互作用によく似ている。有効な科学的仮説は精確な予知力をもつと想定されることがしばしばであるが、かならずしもそうではない。自然科学のなかには、その仮説が歴史家の一般化によく似ているものがある。

因果連関・個人・偶然

『歴史とは何か』の第四講「歴史における因果連関」で、カーは歴史的一般化の特徴について立ち入って吟味した。歴史家は一つの歴史的な事象の原因が複数あることに直面すると、「諸原因のあいだの関係を定める上下の秩序《ハイアラーキ》を」確立しようとつとめる。カーは新版への覚書でモンテスキューおよびトクヴィルから似たような見解の文章を引用している。モンテスキューによれば、「原因は相対的に広い効果をおよぼすに従い、その恣意性を減じる。かくして一国民の性格に作用する要因のほうが、一個人の心性に作用する要因よりも分かりやすい。……ある生活様式をとる社会の精神を形づくるもののほうが、一個人の性格を形づくるものよりも分かりやすいのである」(10)。そしてトクヴィルによる「古くからの一般的諸原因」と「最近の特殊な諸原因」(11)の区別について、カーの論評は「これは分別がある。一般とは長期に等しい。歴史家はなによりまず長期に興味関心をもつ」としている。

現役の歴史家にとって、歴史的事象を長期の、一般の、すなわち重要な諸原因という観点で説明しようと企てるなら、ただちに歴史における偶然の役割という問題が生じる。『歴史とは何か』でカーは、偶然が歴史のコースを変える可能性は認めたが、しかし、偶然は歴史家の重要な諸原因の上下秩序に侵入してはならないと論じた。レーニンの早すぎる死という偶然は一九二〇年代のソヴィエト連邦の歴史においてある役割をはたしたが、しかし、これは合理的で歴史的に意味のある(他の歴史的情況に適用しようと思えばできる)説明といった意味での、事態の「現実《リアル》の」原因ではなかった〔一七七頁〕。『歴史とは何か』の刊行後、カーはこの考えをさらに発展させて、草稿にこう書いている。「歴史とはじつのところ十分な規則性に従うものであって、真剣な研究となりうる。この規則性は時に外的な事象により乱されることがあるが。」

偶然という問題は、偶然のなかでもとくにあのケース、歴史における個人の役割の場合にやっかいであった。カーはこの論点にくりかえし立ち戻った。この論点は当然ながら彼自身の研究、スターリンが権力を掌握する時期におけるソ連の発展の研究において大きく立ち現れた。「歴史における個人」という彼のファイルは、この問題をより広い歴史の文脈のなかに位置づけている。カーによれば、個人の崇拝は「エリート主義の教理である。」というのは「個人主義が意味しているのは、非人格的な大衆《かたまり》を背景にしてただ一個の行為主体《エイジェント》を設定すること」だからである。自由な個人の絶対的な権利といった極端な主張は、知識人のあいだで広い支持をえてきた。アルダス・ハクスリ[*8]は一九二〇年代・三〇年代にこうした見解をとなえたイギリスにおける代表であるが、『好きなようにやるがいい』といった如才ないタイトルの本で、こう主張した。「人生の目的とは……われわれが人生に注ぎこむ目的である。その意味とは何であれ、われわれが意味だと呼ぶものである。……あらゆる人は自分の人生哲学の主要な前提について譲渡できない権利を有している。[12]」

一九四三年、サルトルの影響力ある本『存在と無』が、「対自的存在」すなわち個人・絶対自由・責任の純粋意識と、「即自的存在」すなわち物質・実在・非意識の世界とを区別した。この時点でサルトルは反マルクス主義で、「アナキズムの気味(これがサルトルから消えることはない)」も交じっていた。一九六〇年にサルトルは『弁証法的理性批判』でマルクス主義は「現代における究極の哲学」であると認めたととなえたが、じつはカーによれば、「彼の実存主義ブランド、全面的自由、個体性と主体性は、マルクス主義とは相容れなかった。」同様にしてT・W・アドルノはマルクス主義から影響をうけてはいたが、「個人をテクノクラートと官僚主義の世界への全面的服従から、さらには哲学の閉じたシステムの世界(ヘーゲルの観念論、マルクスの唯物論)への全面的服従から救出した

(10) [Montesquieu,] 'An Essay on Causes affecting Minds and Characters', in *The Spirit of Laws*, ed. by D. W. Carrithers (1977), p. 417.

(11) cf. A. de Tocqueville, *De l'Ancien Régime* (transl. by S. Gilbert, 1966), II, III, esp. p. 160. [『旧体制と大革命』]

(12) A. Huxley, *Do What You Will* (1929), p. 101.

＊8　一八九四—一九六三年。小説家・批評家。『恋愛対位法』『すばらしい新世界』など。

いと欲していた。」そしてフロイトにとっては、個人の自由は文明の産物ではなかった。それどころか、文明の結果として個人の抑制が生じていたのであった。[13]

個人は社会によって束縛されている、こうした束縛から解放されねばならないといった主張があるが、これは、同じくらい古くから強固にとなえられてきた次のような主張と同類であり、対立もしている。それというのは、現実には社会の束縛をうけることなく行動できる個人も存在するし、なかでも偉人こそ歴史において圧倒的に重要だという、頻繁に現れる主張である。アンドルー・マーヴェル［一六二一—七八］は次のように力強くクロムウェルのはたした役割を表現した。

彼こそ、バラバラの時の力を一つにし、
ただの一年で一時代分もの事業を実現する人である。

これと対照的に、サミュエル・ジョンソンはこう断言した。

人の心が耐えるすべてのことのうち、
国王や法律が産み、また治せる部位はなんと小さいものか。

しかし、カーによればジョンソンの言は「国王も法律も、悪を産み、悪を治せるという信念の行軍にたいする、後衛戦にすぎない[*9]」のであった。

このように社会から独立し自律した個人の意志が決定的な役割をはたすという考えにたいして、マルクスは「孤立した人間を出発点と見なす考えは……愚かしい(abgeschmackt)」と論じた。人間は「そもそも類的な存在であり、群をなす動物であり」、「歴史のプロセスによって個人となるのである。」「交換行為それ自体がこうした個人化のおもな動因である[14]」という。

T・B・マコーリはミルトンを論じつつ、「人は知識が増え、思考が増えるのに比例して、しだいに個人よりも階級を見るようになる」と考察した[15]。トクヴィルは一八五二年に、個々の政治家の行動は本人にとっては外在的な諸力によって決まるという考えに、次のような古典的表現を与えた。

---

(13) S. Freud, *Civilization and its Discontents* (1975), p. 32. [「文化の中の居心地悪さ」『フロイト全集』第二〇巻、高田珠樹・嶺秀樹訳、岩波書店、二〇一一] カーの別の書き付けには、「フロイトの無意識は個人のものであり、ユングの「集団的無意識」とはまったく関係ない」とある。

(14) [Marx,] *Grundrisse* (Berlin, 1953), pp. 395–6. [『経済学批判要綱』III、高木幸二郎監訳、大月書店、一九六一]

(15) [Macaulay,] *Works* (1898), VII, 6.

*9 「悪」と訳したevilは前近代に結核性の瘰癧《るいれき》という病気をさし、世襲の王が患者に触ると「ロイヤル・タッチ」の奇蹟により治ると信じられた。ジョンソン自身も幼少時にアン女王の「王の奇蹟」を経験した。

すべての文明化された国民においては、一般理念を産み出したり、その形をあたえたりするのは政治の知識であり、こうした一般理念から、そのただなかで政治家が戦わねばならぬ諸問題が生じ、また政治家がみずからつくると思いこんでいる法律が形成される。政治の知識は、社会において治める者と治められる者が呼吸する一種の知的な空気を形成し、両者ともに知らぬうちにそこから行動原理を引き出す。[*10]

トルストイは一貫して、歴史において個人が演じる役割はとるに足りないという極端な見方を表明している。『戦争と平和』のエピローグ草稿の一つで、彼は率直に「歴史的人物とはその時代の産物であり、同時代の事象と先行した事象との結びつきから生じる」と述べていた。[(16)] トルストイの見解はすでに一八六七年には次のように完全な形をなしていた。

ゼムストヴォ〈ロシアの地方自治体〉、裁判所、戦争、非戦などはすべて社会有機体――蜂のような群れの有機体――の現れである。だれもがそれを表現できるし、事実、もっとも上手に表現するのは自分がいったい何をなぜやっているのか知らぬ者である。そうした者どもの全体の仕事の結果はつねに同一の行動で、動物学の法則として知られているものである。軍人、皇帝、貴族団長、または農夫の動物学的な行動は、行動の最下級の形であり、つまり――唯物論者は正しい――自由意志のない行動なのである。[(17)]

その三〇年後、ボーア戦争〔南アフリカ戦争〕の勃発にあたってトルストイはこう書いていた。「チェインバレンのような政治家たち、ヴィルヘルムのような皇帝たち」に怒ってみてもしかたない。「歴史とはすべてこうした政治家たちの一連の行為にすぎず」、それも新市場によって少数者の途方もない富を支援するための奮闘から生じたものであり、「他方の人民大衆はといえば、きつい労働で虐《しいた》げられているのである」(18)。

カーは広くマルクスやトクヴィルのアプローチを共有していた。彼は「歴史における個々人はそれぞれ「役割」をもつ。ある意味でその役割のほうが、その個人よりも重要である」としたためて、〔両大戦間期の労働党首〕ラムジ・マクドナルドについてこう考察している。「彼がふらついたのは、個人的性格の結果というよりは、労働党が代表した全集団のかかえていた根本的ディレンマの結果であ

(16) L. Tolstoi, *Polnoe sobranie sochinenii*, XV (1955), 279.
(17) Tolstoi to Samarin, 10 January 1867, in *Tolstoy's Letters*, ed. by R. F. Christian, I (1978), 211.
(18) Tolstoi to Volkonsky, 4/16 December 1899, *Ibid.*, II, 585.
＊10 なぜかデイヴィスは出典註を付けていないが、トクヴィルの一八五二年の講演Disccurs prononcé en 1852 à la Séance publique annuelle de l'Académie des Sciences morales et politiques からの引用である。ここで言われる「政治の知識」(les sciences politiques)とは今日なら「政治文化」として語られるものと読み換えてよいであろう。

った（彼の個性は党首としての彼の適性に限って重要だった）。[*11]」もっと一般的にいって、カーは個々の政治家を評定するよりは、「政治家の思考を形成する集団の利害や態度を分析する」ほうに問題関心があった。彼によると、個々人の頭の働きは「歴史家にとってそんなに重要なことではない」、むしろ「歴史を個人の意識的な言動という観点からよりも、意識されていない集団の情況や姿勢という観点から見るほうが」よいのであった。こうした考えで彼は皮肉たっぷりにしたためたのだが、ヒトラーについてのある本は「最初はすべてを彼の個性に帰して述べていたかと思うと、最後はワイマル体制の不安定性と無能性を語って終わっている[(19)]」と。

とはいえ、カーはトルストイの極端な立場に執着したわけではない。現役の歴史家としての仕事が、カーをつねに「クレオパトラの鼻」問題に引き戻していた。歴史における偶然［と個人］の問題は「今もわたしの興味関心の的であり、謎である」と記しつつ、『歴史とは何か』［一七一頁］におけるのと同じように、草稿においてもふたたび、レーニンの死は歴史にとって外的な要因に由来するのだが、しかし歴史のコースに直接作用をおよぼしたと力説する。さらにカーは付け加えて、「たとえ長期的な観点から、結局すべては同じようなことになっただろうとは言えても、短期という大事なことがあり、これがきわめて多くの人々にとってきわめて大きな違いとなる。」

ここには『歴史とは何か』における歴史的偶然の議論と比べると、はっきりした強調点の移動がある。カーは『ソヴィエト＝ロシアの歴史』全巻が完成した折にペリ・アンダスンのインタヴューを受けて［一九七八］、そのなかでレーニンとスターリンの役割について際《きわ》だつ発言をするのだが、その前触れがここにある。彼が力説したのは、「レーニンがもし一九二〇年代・三〇年代に元気で全能力を保持していたとしても[*12]、まったく同一の諸問題に直面したことであろう。」そして大規模な機械化農業の建設、急速な工業化、市場の管理、労働者の管理と指導へと乗り出したことであろう。しかし、レーニンなら「強制の要素をミニマムにし緩和すること」ができたにちがいない。

レーニンのもとでも、この［計画経済への］移行は全然スムーズでなかったかもしれませんが、しかし、実際に起こった事態とはまったく違っていたでしょう。スターリンはいつも記録の改竄《かいざん》に耽《ふけ》っていましたが、レーニンならそうしたことを許容したりしません。……レーニンのもとにあれば、ソヴィエト社会主義共和国連邦は、A・ツィリガのいう「大いなるウソの国[*13]」になること

(19) ここでカーが参照したのは、Sebastian Haffner, *The Meaning of Hitler* (1979).［『ヒトラーとは何か』瀬野文教訳、草思社文庫、二〇一七］

*11 労働党第二次政権(一九二九―三一)、挙国一致政権(一九三一―三五)におけるマクドナルドの指導力と労働党の内紛について、同時代の外務省役人カーは冷静に考察している。

*12 レーニンは一九二二年五月に脳卒中で倒れ、闘病後、二四年一月に死去した。M・レヴィン『レーニン最後の闘争』(岩波書店、一九六九)、カー『ロシア革命』(岩波現代文庫、二〇〇〇)第七章など。本文のここから一〇行ほど、引用符のなかはカーのインタヴュー中の発言(出典は原註(20))である。

*13 A・ツィリガ(一八九八―一九九二)は旧ユーゴスラヴィアにおける反スターリン主義パトリオット。一九四〇年初版の著書が『ロシアの謎』ないし『大いなるウソの国』として西欧諸語に訳出された。

はけっしてなかったでしょう。これがわたしのよく考えた結論です[20]。

カーはここで、ソヴィエト史の決定的な時期における偶然に、重要な役割を割りあてている。これは口頭の発言であって、熟慮のうえでの判断ではない。とはいえ、『ソヴィエト＝ロシアの歴史』ではもっと節度ある言葉づかいで、彼はやはりこう述べていた。「スターリンの個性が、ロシア官僚制の原始的で無慈悲な伝統と結びついて、上からの革命に特別に残忍な質を添えた[21]。」「上からの革命」は広く長期的な諸原因によって決まった——歴史家がなによりまず考慮すべきはこちらである——のだが、行使された強制の程度は、歴史における偶発的要素なのであった。

歴史学のありかた

ファイルに収まっているさまざまの草稿や書簡で、カーは歴史研究の現状を評価査定している。彼は過去六〇年間の大きな新潮流の一つとしてマルクス主義の影響を指摘する。

第一次世界大戦以来、歴史の書き物にたいする唯物史観のインパクトはまことに強かった。じつにこの時期になされた真剣な歴史研究は、すべて唯物史観の影響によって練《ね》りあげられたと言ってもよいくらいである。この変化の徴候は、歴史のおもなトピックが一般に、かつての戦闘、外交交渉、国制論議や政治策略といった、要するに広義の「政治史」から、経済要因、社会状態、人口統計、階級の興隆・没落の研究へととって代わられたことに現れている。社会学の人気が増していることも同じ動向のもう一つの特徴である。時には歴史学を社会学の一部門と見なす企ても見られる。

『歴史とは何か』においてカーはすでに社会学が歴史学におよぼすポジティヴな影響を指摘して、たとえば「歴史学は社会学的になればなるほど、社会学は歴史学的になればなるほど、両者にとって良いことでしょう」〔一〇六頁〕と述べていた。新版のための草稿ではさらに強くこう表明している。「社会史は基盤である。基盤だけを研究するのでは十分でないし、つまらなくなる。ことによると、これがアナール派に生じている問題であろうか。とはいえ、それ〔社会史〕なしではやってゆけない。[*14]」

一方ではこうしたポジティヴな展開を認めつつも、カーは、一般に主流となっている動向を見るなら歴史学も社会科学も危機にあると力説する。カーが指摘するのは「歴史から専門タコツボへの逃亡」という浅はかな経験主義であり、また歴史家が方法論の陰に身を隠す傾向である。(このうち専

(20) 一九七八年九月のインタヴュー記録。*From Napoleon to Stalin*, pp. 262-3 に所収。〔鈴木博信訳では第二七章。最後にカーは my speculations (わたしの考えた結論) と言う。Speculation とは現代英語で投機・思惑といった意味もあるが、元来はラテン語由来の正式英語で、観察力・熟考(の結論)である。〕

(21) [Carr,] *A History of Soviet Russia*, XI (1978), 448. [*Foundations of a Planned Economy*, II (1971), 448]

門タコツボ化のことをカーは「自傷行為の一つ」と酷評する。方法論の陰への逃避については「「計量的」歴史学の崇拝《カルト》は、統計情報をすべての歴史的探究の源泉として、ことによると唯物史観を愚直の極みまで連れてゆくことになるのだろうか」と所見を述べている。）この歴史学自体のなかの危機は、歴史学から社会科学への逃亡と同時進行しており、このことをカーはやはり保守的な、むしろ反動的な動向と見ている。

歴史学の優先事項は、変化という基本的なプロセスである。もしこうしたプロセスにアレルギー反応を覚えるなら、歴史学を断念して社会科学の陰に身を隠すがいい。今日、人類学、社会学、等々が繁栄している。歴史学は病んでいる。ひるがえって、わたしたちの社会もまた病んでいる。

さらにカーは続けて、「言うまでもなく「身を隠す」のは社会科学のなかでも進行していて、経済学者は計量経済学の、哲学者は論理学や言語学の、文芸批評家は文体テクニック分析の陰へと［身を隠している］」と指摘する。タルコット・パーソンズが社会学者の場合のよく分かる実例であって、彼は「抽象を極限まで推し進めて、その結果、歴史との接触をすべて失ってしまった。」[*15]

カーは構造主義（ないし「構造的機能主義」）に大いに関心をよせている。彼はかつて［ディヴィスとの］座談で、構造主義者は少なくとも過去を全体としてあつかい、過度の専門化の落とし穴を回避するという長所があると発言した。しかしながら、全体として構造主義は歴史研究に有害な影響をおよぼした、とカーは考えていた。彼の比較によれば、一方の構造的または「ヨコの」アプローチは「社会を各部分や各局面の機能的・構造的な相互関係という観点から分析する」のだが、他方の歴史的または「タテの」アプローチは「社会をどこから来て、どこへ行くのかという観点から分析する。」カーの示唆によれば、「分別のある歴史家ならだれでも、この両方のアプローチが必要だということに賛成するだろう」(一紙片に走り書きされた遠慮のないメモによれば、「叙述の歴史と構造の歴史を区別立てするなぞインチキだ」)。

とはいえ、「構造と叙述の」どちらに〈歴史家が〉着眼し問題関心をもつかは、大きな違いである。これは部分的にたしかに歴史家の気質にかかっているのだが、しかし多くは歴史家が仕事をしている環境にかかっている。わたしたちの生活している社会は、変化といえば悪いほうへの変化と

＊14　この一節は一九七四年五月二二日、政治思想史家クェンティン・スキナ宛私信に見える。カーは正直にアナール派のことも、イギリス社会史家キース・トマスの仕事もよく知らないと白状し、本文の引用箇所の直前にこういう。「スターリン、トロツキー、ブハーリンのあいだの闘争についてよく分かるように書こうとするなら、ロシア農民社会の構造をある程度理解することが不可欠です。」カーの社会史理解は、むしろH・U・ヴェーラー、J・コッカたちビーレフェルト学派の「社会構造史」に近いかもしれない。一九六六年にカーが再婚したベティ・ベーレンスはフランス一八世紀を研究し、アナール派にも通じていた。

＊15　以上の一二行ほどは、カーの経済史家M・ポスタン宛私信(一九七〇年一二月三一日)に見える。

考えて変化を恐れ、小さな調整だけですむ「ヨコの」見方のほうを選んでいる。

> 他の箇所でカーは、「前者の[構造的]アプローチは、静的な状態を調べるという意味で保守的である。後者のアプローチは、変化に関心を向けているという意味でラディカルである」としたためている。
>
> どれほどLS〈レヴィ＝ストロース〉がマルクスをたくさん引用して利用しようと、……思うに、構造主義とは保守的な時代の流行哲学なのである。[*16]

カーの草稿にはレヴィ＝ストロースをめぐる数々の項目がある。目を引くのは『ル・モンド』紙における[レヴィ＝ストロースへの]インタヴュー記事で、そのタイトルには「マルクス主義・共産主義・全体主義のイデオロギーは、歴史の悪知恵にすぎない[22]」とあり、カーの最悪の猜疑を裏付けるもののように見える。

歴史研究の現状にたいするカーの広範囲にわたる批判、全体としてネガティヴな評価は、歴史学という専門ディシプリンが[借り物でなく]それ自体で重要なのだというポジティヴな主張をともなっている。彼は法制、軍事、人口動態、文化、その他の歴史諸部門を結合し、それら相互の関係を吟味する「一般史」が必要だとはっきり宣言する。また同様に、歴史学はただ社会諸科学に仕えて、その理論を拝借し、材料を提供するだけのしもべなのではないと力説している。

わたしの認識では、今日の多くの歴史家は理論をもちあわせないので死んでいる。とはいえ、歴史家が必要としているのは歴史の理論であって、他から譲渡された理論ではない。欠けているのは二方向の交通である。……歴史家は、経済学、人口動態学、軍事学、等々の専門家から学ばねばならない。しかし、経済学者、人口動態学者、等々もまた、もし広い歴史的な構図《パターン》のなかで仕事をしないなら、待っているのはやはり死なのである。この広い歴史的な構図を提供できるのは「一般」史家だけである。やっかいなのは……歴史の理論は本質的に変化の理論なのに、わたしたちの生きている社会は、安定した歴史的均衡のなかでせいぜい補助的だったり「限定的」だったりの変化しか望まず、受けいれない社会だということである。[*17]

ところがカーはもちろん、歴史家の見解はその社会環境に左右されると考えていた。一九七〇年代のイギリスでは、彼の意見が少数のラディカルな、あるいは異論派の歴史家以外の人々に歓迎されるとは期待できなかった。

---

(22) [Levi-Strauss in] *Le Monde*, 21–22 January 1979.

＊16　以上の数行ほど、G・ステドマン＝ジョーンズ宛私信(一九六八年六月一八日)に同じ表現がある。

＊17　カーからポスタン宛私信(一九七〇年一二月三一日)。

現在についての錯乱に満ちた社会、未来への信頼を失った社会には、過去の歴史は関連のないさまざまの事象の無意味なごたまぜのように見えるであろう。もしわが社会が現在を制御《マスター》する力を、そして未来のヴィジョンをとり戻すなら、その時は同じプロセスにより、過去への洞察も一新するであろう。

この一文が記されたのは一九七四年で、イギリスにおいて保守主義が、そして保守の将来への新しい自信が盛りあがるより何年も前のことであった。[*18] その後に、またカーの死後には、将来への信頼の欠如や、かつてイギリスの歴史家を席巻していた正統の経験主義とは異なる、別の道が出現した。保守の政治家や歴史家によって、将来への自信をもてるように、愛国的なイギリス史を歴史の教育カリキュラムの中心に回復するための非常な努力がなされたのである。サー・キース・ジョーゼフが教育大臣［一九八一―八六］として［貴族院の］ヒュー・トマス卿の後ろ盾のもとに、［全国の中等］学校にたいして世界史の時間は減らして、もっとイギリス史を重視するよう要求した。G・R・エルトン教授は歴史学欽定《きんてい》講座の就任記念講演［一九八四］で、ケインブリッジの学部生の歴史教育において社会科学は有害な影響があると非難し、歴史学優等修了課程ではイングランド史の勉強こそが支配的な位置を占めるべきだと力説した。[*19] イングランド史こそが「この社会がつねに変化することにより、権力を文明化しみずからを秩序づけた、その方式を」示すのであり、「偽《いつわ》りの信条やいつでも刷新をとなえる預言者に付きまとわれている不確定の時代は、［であればこそ］ぜひみずからの根源《ルーツ》を知る必要がある」(23)というのであった。［一九八二年に亡くなっていた］カーがかりにこうしたことを目撃したなら、病んだ社会、慰めを栄光ある過去の回想に求める社会の症状と見えたであろうし、さらには歴史家が世の中の流行を著しく反映した実例と見えたことであろう。

---

(23)　G. R. Elton, *The History of England: Inaugural Lecture delivered 26 January 1984* (Cambridge, 1984), esp. pp. 9–11, 26–9.　またエルトンの［ケインブリッジ＝グループの人口・］家族史にたいする攻撃は *New York Review of Books*, 14 June 1984.［すでに一九七〇年代からJ・ポーコックたちによるイングランド「国史」批判をはじめ、人口動態史、経済史、社会史、広域史などの新潮流が大いに成果をあげていたことを考えると、エルトンの就任講演は、かなり挑戦的な保守反動であった。］

＊18　これと同一の文が *TLS*, 7 Mar. 1975 にある。Haslam.　一九七〇年代の構造不況と混乱のあと、七九年の総選挙でM・サッチャ率いる保守党が勝利し、以後九七年まで保守党政権が続いた。『イギリス史10講』二九二―六頁。

＊19　二五二―二五三頁参照。ジョーゼフ教育相はイギリス史(British history)を重視するよう要請したのだが、エルトンの場合はイングランド史(English history)の意義を力説した。全国有権者のことを配慮する必要のない学者として、率直でナイーヴな表明であった。

文学と芸術

『歴史とは何か』の新版でカーは、歴史研究の危機を、広くわたしたちの時代の社会的・知的な危機という情況のなかで考察しようと意図していた。そのために彼は、オリジナルの講演では独立の論題として取りあつかわれなかった「文学と芸術《アート》」について、ファイルを集めていた。このファイルには文学それ自体と、文学批評、芸術批評の草稿が含まれているが、この仕事はまったく予備的な段階にとどまっている。議論の筋は、文学も文学批評も、歴史学や自然科学や社会科学の場合と同じように、社会環境によって影響され、練りあげられるというものである。彼の草稿のなかでも二つの対照的な引用文が目に飛びこんでくる。一方のG・オーウェルは「すべての芸術はプロパガンダだ」[24]と宣言した。他方のマルクスは自身で芸術にたいする社会の影響につきたくさん草稿を残したのだが、にもかかわらず「経済学批判序説」では警告するかのように、「芸術については、周知のようにその最盛期が社会全体の発達とまったく照応しないことがある。さらにまた、芸術の最盛期は物質的構造、いわば社会組織の骨格のようなものと照応しているわけではない」と記していた[25]。

カーの評価査定によると、[芸術と社会の照応についての]マルクスの留保は、なによりも悲観主義、不活動、希望のなさという特徴をもつ二〇世紀には当てはまらない。カーにとってT・ハーディ[一八四〇—一九二八]は「意味をなさない、根本的にゆがんだ世界の小説家であった。それも、なにかがうまく行かなかったとか、修正は可能だとかでなく、時間をこえた過ちと無意味の世界——それゆえ絶対的な悲観主義の世界の小説家」であった。Ａ・Ｅ・ハウスマン〔古典学者・詩人、一〇、三一六頁〕は「わたしが詩を書いたのは、たいてい心身の具合が良くない時だった」[26]と述べているが、Ｔ・Ｓ・エリオットはこれに共感を表明し、「わたしはこのセンテンスが分かると確信している」という。「二人とも「病んだ」詩を書いた。二人ともに反逆者ではない」とカーは鋭く評している。カーの草稿にある一連の引用は、エリオットの希望のなさ、悲観主義を例示している。シェイクスピアのソネット九八番は四月を言祝《ことほ》ぐ作品だったが、エリオットの『荒地』〔一九二二〕は四月を一年で一番残酷な月と見ている。一九二〇年の「老いて《ジェロンション》」*20でエリオットは、歴史は「大望を耳もとでささやいて欺《あざむ》き、虚

(24) G. Orwell, *The Collected Essays, Journalism and Letters* (1968), I, 448.（初出は *Inside the Whale* (1940)）

(25) K. Marx, *The German Ideology*, ed. by C. J. Arthur (1970), p. 149.〔この英訳書の該当箇所は『ドイツ・イデオロギー』ではなく、「経済学批判序説」を所収。『経済学批判』武田隆夫他訳、岩波文庫、一九五六、の付録一に該当箇所があるが、ここはカーの英文にそくして訳す。〕

(26) A. E. Housman, *The Name and Nature of Poetry* (1933), p. 49.〔『Ａ・Ｅ・ハウスマン詩論——詩の名称と本質』鈴木富生他訳、八潮出版社、一九九三〕

*20　エリオットの Gerontion には「小老人」といった邦訳もある。Geron はギリシア語に由来する老人。これに接尾辞を加えたエリオットの造語であろう(*OED* には項目がない)。キリスト生誕からシェイクスピア期、ヨーロッパの没落までを目撃した老人(エリオットの化身、このとき三二歳!)の感懐をうたう。

栄心でわたしたちを導く」と苦情を申し述べた。[27]『荒地』ではロンドン橋を渡る労働者の群衆を亡者の群れと見なすのである。ウィンダム・ルイスの場合は、絶滅しようが問題にもされない「半死の人民」のことを語る。[28]

F・カフカ［一八八三―一九二四］は失意の預言者であるが、その遺書で原稿は破棄するように指示したのだった。カフカはかつて、わたしたちの世界は神の「不機嫌の被造物」であって、この世界の外には「神にとっては希望が満ちあふれているのだが……わたしたちにとってはそうではない[29]」と言ったことがあるという。さらにカーによると、オーウェルでさえ「最後はエリオットと同じ立場に結着する。すなわち人類に絶望し、とりわけ下層階級を嫌悪する――エリート主義の一形態に。」現代の二つの古典のタイトルが、意味深くも偶然ながら重なっている。K・カヴァフィスの詩『野蛮人を待ちながら』［一九〇四］とS・ベケットの『ゴドーを待ちながら』［一九五二］であるが、どちらも「救いようのない、なにかを待っての不作為」を表現している。そしてヘルマン・ヘッセ崇拝《カルト》とは、カーの表現によれば、「もはや信じることを止めて現世から亡命した唯我主義者」である作家ヘッセを賞賛するものである。

さらに［カーの］一群の草稿は二〇世紀の文学批評をその社会情況のなかに位置づけようとしている。F・R・リーヴィス［一八九五―一九七八］は「公明正大な知識人階級が社会の精華《はな》をなし、社会のうえに屹立しているといったマシュー・アーノルド流［一九五頁］のものの見方を甦《よみがえ》らせた。」その新文学批評を「始めたのはI・A・リチャーズ［一八九三―一九七九］で、彼は文学における客観的（科学的）要素

開についてのカーのコメントは、こうである。

テクストに客観的基準を適用して、派生するすべての問題や文脈を無視しようとした。」こうした展

と主観的(感情的)要素を区別した。」彼の後継者は「文学批評家を科学的観察者と等置しようと試み、

一九三〇年代・四〇年代・五〇年代のフォルマリストは、そして一九六〇年代・七〇年代の構造主義者は、文学を言語の領域内だけに限定され、他の現実によって汚染されていない「純粋の」実体として隔離しようとした。

ところが、文学批評はただ文学のなかだけに根源《ルーツ》をもつといったことはありえない。というのは、批評家自身が文学の外にあって、他の領域の諸要素をもちこむからである。

そしてまた「言語哲学」(この名称は、伝統的に考えられてきた哲学からの逃亡であり、まちがっている)について言えば、「芸術のための芸術」と同じく、なんらの理念にもコミットしていないのであ

(27) T. S. Eliot, *Collected Poems 1909–1962* (1963), p. 40.〔「ゲロンチョン」『荒地』岩崎宗治訳、岩波文庫、二〇一〇所収。エリオットは一九一七—二五年にシティのロイズ銀行に勤務、ロンドン橋を渡っていた。〕

(28) P. Wyndham Lewis, *Blasting and Bombardiering* (1937), p. 115.

(29) Max Brod, *Franz Kafka: a Biography* (1947), p. 61.〔『フランツ・カフカ』辻瑆・林部圭一・坂本明美訳、みすず書房、一九七二〕

る。[30] 言語哲学は倫理にも政治にも応用性がなく、歴史にはなんらの注意もはらわない。「言葉はその意味が変わる、という考えさえ欠けていた。」

進歩とユートピア

カーは新版の最後の［一つか二つの］章では、近年優勢な悲観主義に対抗して、人間の過去は概して進歩の物語だったとふたたび主張し、人間の未来への確信を宣言しようと意図していた。『歴史とは何か』で指摘したとおり、歴史を進歩と見る見方は啓蒙の合理主義者たちによって確立されたものだが、その影響が最高に達したのはイギリス人の自信と力が頂点にあったとき［ヴィクトリア期］である。しかしながら二〇世紀には、西洋文明の危機ゆえに、多数の歴史家も他の知識人も進歩の仮説を拒絶するにいたっている。新版のための草稿でカーは「進歩の時代」の三局面、すなわち一四九〇年ころに始まった世界の拡大、およそ一六世紀に始まった経済成長、一六〇〇年からの知識の拡大を識別している。世界の拡大を意識したエリザベス期［一五五八―一六〇三］が「進歩の時代」の最初の輝かしい局面であった。ホウィグ史観のもっとも偉大な歴史家T・B・マコーリは、歴史を［一八三二年の］選挙法改正法でゴールに達して勝ちほこる進歩として描いた。[31] カーの草稿から明らかであるが、『歴史とは何か』の新版では、医学や他の分野からもさらに証拠《エヴィデンス》を集めて、進歩とは基本的に習得した技能［獲得形質］の世代から世代への継承にかかっていたし、またその結果として実現してきたと論証したかったのである[一九三頁]。

第一次世界大戦から以降、歴史を進歩と考えることはますます流行《はや》らなくなってきたが、時に絶望の淵への転落は、ちょっと尚早だった例もある。たとえば「カール・クラウスはオーストリア＝ハンガリー帝国の崩壊を言祝いで、『人類最後の日々』[一九一八]と題する途方もない劇作品をつくったのであった。」それにしても、過去における進歩にたいする懐疑、未来の見通しをめぐっての悲観は、二〇世紀が進むにつれてますます強く断定的になってきた。K・ポパーは「わたしたちの時代の歴史――楽天家の見解」という講演を二五年ほど前に行なったのだが、一九七九年にはさらに別の講演で「じつのところ、わたしは進歩を信じていないのです(32)」と言明している。歴史家のうちには進歩という考えを流行おくれの冗談とする者もある。たとえばリチャード・コッブは[フランス革命研究の師]

(30) J. Sturrock, *Structuralism and Since* (1979)を参照。
(31) [Macaulay,] *Works* (1898), XI, 456–8 and cf. 489–91. しかし、カーは次のようにも問いかける。「マコーリのニュージーランド人観は、進歩の信念と矛盾するか」(*Essay on Ranke's History of the Popes*)。[この一八四〇年の長い書評論文で]マコーリは、未来のニュージーランドから来た旅行者[マオリ]が[廃墟となったロンドンを訪れて]壊れたロンドン橋のアーチに立って聖ポール大聖堂の残骸を写生するといった情況を想像してみた。しかし、同じ段落で「新世界」の未来の偉大さにも説きおよんでいた。Macaulay, *Critical and Historical Essays*, selected and introduced by H. Trevor-Roper (1965), p. 276.
(32) [Popper in] *Encounter*, November 1979, p. 11. にもかかわらず、この講演のなかでポパーは自分のことを楽天家だと主張した。

ルフェーヴル[*21]について「彼はまことにナイーヴな方で、人類の進歩ということを信じていました[33]」と記している。

カーは過去における人類の進歩を信じていたし、「過去を理解することが……それにともない、さらに高次の未来への洞察をもたらす」と信じていた。だからこそ彼は「過去の理解を素材に、われわれは未来をつくる[34]」というホッブズに賛同したのである。カーはそれに重要なコメントを加えている。「その逆もほとんど同じくらい真であろう。」すなわち、未来のヴィジョンが過去をどう洞察するかに影響するのである。エルンスト・ブロッホが『希望という原理』の終わりに付した「真の始まりは最初にあるのではなく、終わりにある」という警句には力強いものがあった[35]。

疑いと絶望の時代に、歴史家カーが特別に重要だと考えたのは、自身の現在の理解と未来像を吟味し、整理して呈示することであった。すでに四〇年以上にわたって、彼はユートピアと現実という二つの面が政治学の本質をなし、「健全な政治思想と健全な政治生活が存立するのは、この二つがしかるべき位置を占めるところだけであろう[36]」と論じてきた。それ以来、彼はきびしい現実主義者《リアリスト》という定評をえてきた。しかし、死の二、三年ほど前にしたためられた簡単な自叙伝では、こう評している。「ことによると世の中は、なにごとにも意味を認めない冷笑家《シニック》と、未来へ向けての壮大で検証不可能な想定を根拠に、ものごとに意味を認めるユートピアンとに二分されているのであろうか。わたしはユートピアンの側につく」[三三三頁]。カーの「希望」と題されたファイルのうち一つの走り書きには、こうある。「ユートピアの機能とは、白昼夢を具体化することである。……ユートピアは個人の利害と普遍の利害を和解させる。真のユートピアは、怠惰な(やる気のない)楽天主義とは違う。」カーの見解では、古典的なイギリス資本主義の偉大な研究者二人、アダム・スミスとカール・マルクスは、それぞれ社会を深く見とおす洞察力と、その背後にあるユートピアを結びつけていた。『道徳感情論』を著したA・スミスは、『諸国民の富』では「物と物を交換し、取引し、交易する」傾向を抽出して、[*22]これが人間行動の主要な推進力だとした。

---

(33) [Cobb,] *A Second Identity* (1969), p. 100.

(34) Thomas Hobbes on Human Nature, *Works*, ed. by W. Molesworth (1840), IV, 16.

(35) Ernst Bloch, *Das Prinzip Hoffnung* (1956), III, 489. [『希望の原理』第三巻、山下肇他訳、白水社、一九八二]

(36) [Carr,] *The Twenty Years' Crisis, 1919–1939* (1939). [『危機の二十年』原彬久訳、岩波文庫、二〇一一、第一章の最後。『危機の二十年』は一九三九年に初版、四六年に第二版が刊行されて以来、国際政治学のロングセラー。理想(ユートピアニズム)と現実(リアリズム)がライトモチーフのようにくりかえされる。]

＊21 ジョルジュ・ルフェーヴル(一八七四―一九五九)は農村事情や群衆の集合心性を考察し、フランス革命を貴族・ブルジョワジー・都市民衆・農民の動きの複合としてとらえ、革命史研究を刷新した。引用されているのは、一六ページにわたり師ルフェーヴルをしのぶコッブの文章のうちの一行である。その後コッブはオクスフォード大学の近代史教授(在任一九七三―八四)。

＊22 このセンテンスは二〇〇一年までの各版に誤植と脱落がくりかえされた。P二〇一八版で訂正された。

これは天才的な洞察で、人間の本性自体への洞察というよりも、ちょうど〔一八世紀の〕西ヨーロッパ（およびアメリカ合衆国〔となる土地〕）において展開途上にあった社会の特徴を洞察したものであった。この洞察はそれ自体として〔商業社会の〕展開を促進したのである。

同じことがマルクスの、資本主義は搾取の度合を許容しない労働者の拒絶の重みに耐えかねて崩壊するだろうという洞察についても当てはまる。

しかし、スミスの見えざる手の世界というユートピアも、マルクスのプロレタリアート独裁も、実際に実現しようと企てたとたんに、それぞれのあさましい裏面が明らかになってきた。

早い例では一九三三年にカーはマルクスのことを、「もっとも遠くまで見とおした一九世紀の天才であり、歴史における最高級に成功した預言者と見なされるべき一人」として名をあげていた[37]。カーの「マルクス主義と歴史」、「マルクス主義と未来[*23]」という二つのファイルはマルクス、エンゲルス、レーニン、そして後継者たちからの多数のメモを収めていて、これらから明白だが、彼はマルクスおよびマルクス主義を注意深く見積り鑑定したうえで、現在および未来をみずから評価査定しようと意図していたのである。近年の数々の書き物から明らかであるが、カーは友人ハーバート・マルクーゼ〔一八九八―一九七九〕と同じように、「今日の西洋においてプロレタリアートは――つまりマルクスの意味したとおりの組織された産業労働者は――革命的な勢力どころか、ことによると反革命的な勢力でさえある」と考えていた[38]。彼の草稿によると、プロレタリアートには統治能力がないかもしれないという懐疑によって、結果的に「トロツキーは最終的に悲観主義へと後退した。」(39)そしてプロレタリアートへのネガティヴな評価査定が、マルクーゼの悲観主義のベースにあったという。

『理性と革命』〔一九四一〕。否定の力はプロレタリアートに具体的に表現されている。

個人の人格を抑圧社会から解放することに関心をもっていた——フロイト。

〈マルクーゼの〉『エロスと文明』〔一九五五〕には——プロレタリアートが非抑圧的な社会を産み出す力量についての疑い。

『ソヴィエト゠マルクス主義』〔一九五八〕。ソヴィエト史がはっきり示したのは、ロシアのプロレタリアートが非抑圧社会を産みだせないという挫折——先進諸国のプロレタリアートの挫折に由来する挫折である。

『一次元人間』〔一九六四〕が示すのは、プロレタリアートが工業社会に飲みこまれ、その結果、

(37) 〔Carr in〕 *Fortnightly Review*, March 1933, p. 319.
(38) 〔Carr,〕 *From Napoleon to Stalin*, p. 271. 〔『ナポレオンからスターリンへ』第二七章〕
(39) See Knei-Paz, *The Social and Political Thought of Leon Trotsky* (1978), p. 423.
＊23 本章の冒頭(二六六頁)でもバーミンガム大学の予備要項でも、Box 11 の七つの「大判フォルダ／ファイル」のうち二つのタイトルは「マルクス主義と歴史」「マルクス主義の将来」(Future of Marxism)であった。ここからデイヴィスは「マルクス主義と未来」(Marxism and the Future)として議論を進めている。

社会が原理的に変化不能になったことである。

結果は全面的な悲観主義である。——左翼理論は現実から切り離される。「理論と実践が、思想と行動が出会う場は存在しない。(40)

全体として、カーはマルクーゼのこうしたマルクス批判を受けいれたが、しかし、彼が引き出したのは、こうした悲観的結論ではない。自叙伝ではこう明言していた。

たしかに西洋社会はその現状からすると、衰退と腐敗以外の将来を見とおすことはできない。その最後はことによると劇的な崩壊かもしれないし、そうでもないかもしれない。むしろ、わたしの信じるところ、新しい力や運動が、どのような姿かまだ想像もできないが、あちらこちらの表面下で芽生えている。これがわたしの検証不可能なユートピアである。……思うに、わたしのユートピアは「社会主義的」と呼ぶべきもので、この限りでわたしはマルクス主義的である。しかし、マルクスは社会主義の内容を若干のユートピア的フレーズ以外では明確にしていない。わたしとて、それはできない。〔三三三—三三四頁〕

それではカー自身は、資本主義システムの発展および衰退をどう評価査定していたのか。どのような「新しい力や運動」を彼は感知していたのか。その答えの一部は「マルクス主義と歴史」と題する、一九七〇年ころに記されたと見られる粗い草稿に述べられていた。たしかにこれは不完全で、刊行されるとしたらその前にかなり推敲されたに違いないが、それでもカーが現在および未来をどう見ていたかの精髄をよく伝えるものである。

[……]したがって世界の姿は、過去五〇年間に見分けもつかないほど変化した。かつて西ヨーロッパ列強の植民地だった所――インド、アフリカ、インドネシア――は完全な独立を主張し行使した。ラテンアメリカ諸国で革命の道をとったのはメキシコとキューバだけであるが、他の地では経済発展がさらに完全な独立への方途を示している。この期間の一番目覚ましい事象は、ソ連――かつてのロシア帝国――の興隆、さらに最近では中国の世界強国、世界的重要性の地位への興隆である。こうした変化により生じた不確定性の感覚は、その結果はまだ予断を許さないとしても、一九世紀の世界の構図の相対的安定と安全に比べると鋭い対照をなす。この不確定で不安定な空気から、現在の新しい社会のヴィジョンは生まれているのである。

ロシア革命が――そしてその後の中国革命、キューバ革命が――明白にカール・マルクスの教説によっていると公言しているのは、最高度に重要な事実である。マルクスは一九世紀資本主義

(40) H. Marcuse, *One-Dimentional Man* (1964), pp. 11–12.〔『一次元的人間――先進産業社会におけるイデオロギーの研究』生松敬三・三沢謙一訳、河出書房新社、一九七四〕

システムの衰退と滅亡を説いた一番強力な預言者であった。しかも彼の執筆時に資本主義システムはまだ最盛期にあった。この資本主義システムに挑もうとした者、そのシステムの没落を大いに喜ぶ者が、マルクスの権威に頼ったのは自然なことである。また一九世紀資本主義に代わる新しい社会のヴィジョンが、マルクス主義からインスピレーションをえたのも自然なことである。こうしたヴィジョンは必然的にユートピア的なところがあった。マルクスの未来社会をめぐる書き物は少なく、しばしばユートピア的な性格のものであった。彼の予言のうちには挫折したこと、実現不能と判明したこともあり、このことがすでに後継者のあいだで論争や混乱をまねいている。しかし、彼の分析の力強さは否定のしようもない。そして未来社会についてなにか、たとえ思弁的であれ構想を描こうとすると、マルクス主義の考えが大きく浸透せざるを得ない。

マルクスは生産力の預言者、生産力の最高形態への道としての工業化の預言者、最高に発達した技術を利用した近代化の預言者であった。彼の書き物は『共産党宣言』から以後、資本主義が達成したものへの賛辞に満ちている。資本主義は生産のプロセスを封建的な足枷《あしかせ》から解き放ち、近代的で技術的に発達して拡大する経済を世界中にくまなく始動させた。しかしマルクスは自分の分析により、ブルジョワ資本主義は個々の私的経営の原則のうえに成り立つかぎり、そのプロセス自体により新しい足枷を作り出しつつあると確信していた。この足枷は生産のさらなる拡大を停滞させ、生産の管理をブルジョワ資本家の手から取りあげ、労働者自身によるなんらかの社会管理へと代替させるであろう。こうした形でのみ、生産力の拡大は維持され強化されうる。マルクスによる未来の共産主義社会の描写はわずかだが、その一つは、共産主義社会では「富の泉はさらに豊かに流れる」というのであった。

大量の人々がまだ近代文明のもっとも基本的な物的恩恵さえ享受していないこの世において、こうした「マルクス主義の」教説が新しい社会の民衆的ヴィジョンに力強く影響したのは不思議ではない。ましてや（これはマルクスが期待したことの反対であるが）この教説がもっとも説得的な訴求力《アピール》を発揮したのは先進諸国においてでなく、むしろ後進諸国であったこともまた不思議ではない。先進諸国の国民は過去にブルジョワ資本主義の大いなる成果を享受していて、このシステムの潜在的可能性がすでに尽きてしまったと信じるのは難しい。後進諸国ではブルジョワ資本主義はまだ全然登場していないか、あるいは異国人によるおもに抑圧的な勢力として登場したのであった。

ロシア革命が起きたのは技術的に後進的な国であって、経済と社会のブルジョワ資本主義的な変貌はかろうじて始まったばかりであった。レーニンも言ったとおり、ロシア革命の第一の任務は「ブルジョワ革命を完遂すること」であり、その次にようやく社会主義革命へと進むことが可能となるのであった。第二次世界大戦後に革命は、まだブルジョワ革命が始まってさえいない国へと広まった。今や時代おくれとなったブルジョワ資本主義革命を跳びこえて、なんらかの社会的で計画的な生産管理により「かつてブルジョワ革命で実現した」経済の工業化と近代化、それにともなう高度の生産性を達成するといった将来の社会のヴィジョンが、今日の全世界、西ヨーロッパ諸国民の領域の外に広がる全世界で優勢である。

カーはさらに付け加えて、「しかしながら、こうしたヴィジョンの政治的局面はまだぼんやりして捉えどころがない。マルクス主義はほとんど頼りにならない。労働者の管理する社会という考えは、プロレタリアートが少数だったロシアでは現実性がなかった。プロレタリアートが存在しない、より後進的な国々では、まったく現実性がない」と述べる。にもかかわらず、こうした国々での革命は資本主義システムを終わらせ、そしてカーの「検証不可能なユートピア」を達成する可能性を呈示しているようにも見える。カーは一九七八年九月[のインタヴューで]こう明言していた。

〈ボリシェヴィキ革命は〉資本主義の没落を完成させる世界革命の第一段階であり、この世界革命はやがて帝国主義の姿をした資本主義にたいする植民地の諸民族の反乱として実現する、という仮説がありますが、わたしたちはこれを真剣によく考えなければならないと思います。[41]

（41）［Carr,］*From Napoleon to Stalin*, p. 275.［『ナポレオンからスターリンへ』第二七章］

自叙伝

カーは一九八〇年、この稿をタマラ・ドイチャに依頼されて書いた。[*1] カーの家族の許可をえて、ここに公開される。

少年・学生時代

若いころを振り返って第一に思い浮かぶ言葉は「安全」である。家族関係における安全であり、また一九一四年〔第一次世界大戦の開戦〕以降はほとんど想像もできなくなる意味での安全である。

わたしの父は小さな家族企業の一員であった。父の担当した仕事は絶好調ということはなく、父も野心的ではなかったので、兄弟に比べて羽振りがよくはなかった。とはいえ、わたしたちの欲求は相当に控えめだったので、家族のだれも欲望を我慢しなくてはなどと一瞬たりと思ったことはなかった。世界は堅実で安定していたし、物価も変わらなかった。収入が変わるとしたら、上向きにであった。賢明な経営のおかげである。

世の中全体もそんな感じであった。世の中は良い所で、さらに良いほうに向かっていた。イギリスは世の中を正しい方向にリードしていたのである。もちろん悪弊は存在していたが、そうした問題は対処中か、やがて対処されるはずであった。変化は必要だったが、変わるとしたらかならず良いほうへの変化であった。退廃《デカダンス》というのはよく分からない逆説的な概念であった。

わたしの個人的な安全の感覚は、学校の優等生だったことによって助長されていたかもしれない。いつも決まってクラスの一番だったし、[*2]理科は別としてどんな科目でも一番になる自分の能力を疑ったことはなかった。その理科はカリキュラムのなかであまり重要な部分ではなかった。一流の古典学教育をうけたが、また英文学の古典も十分に読むように奨励された。一六―一七歳のころ一年あまりにわたって当時の流行小説を手当たりしだいに読んだが、その書名は今では忘れてしまった。

自分の将来のことは思い悩まなかった。「実業」には進みたくなかったし、［医師や法曹といった］専門職もとくに魅力的ではなかった。古典学で最優秀の学生は国家公務員［文官］の上級職に就いていた。それがわたしの進む道かもしれないと考えないではなかったが、しかし外務省とは想像もしていなかった。わたしの世界はじつに島国的で、外国には無関心だった。少年時代には一度、休暇でブーローニュ［北フランス、英仏海峡に臨む］に連れていかれたことがあっただけである。

いつもクラスの一番になる少年は、同級生のあいだでたいへん人気者というわけにはいかない。これが「孤立」といった感覚の一因だったかもしれない。いささかの留保を付してのことだが、わたしの若いころを表す二つ目の言葉は孤立である。思うに、わたしの人生を通じて周囲にうまく適応できないという感覚が消えたことは一度もない。わたしが異論派《ディシデント》だという最初の経験は自然にやってきた。父は一八九五年と一九〇〇年の総選挙で保守党に投票していた。ところが父は熱心な自由貿易派だったので、自由貿易の利点を説き、「関税改革派」[*3]の誤謬を粉砕する理の通った説明をしてくれて、これが理性的な議論のプロセスに目を開かれた最初であった。父は自由党に鞍替えし、一九〇六年の総選挙の結果［自由党の大勝］には大喜びであった。これがわたしの最初の政治の記憶である［一三歳］。

さらに意外だったのは、父は自由党をロイド＝ジョージ時代[*4]を通じて――社会政策、「人民予算」、貴族院権限の縮減など――しっかり支持し続けたことである。わたしは夢中で父のあとに付いていった。ところが、学友の少なくとも九五％は正統の保守党支持の家庭から来ており、ロイド＝ジョージのことを悪魔の化身と見ていた。わたしたち自由党支持者はちっぽけで蔑《さげす》まれた少数派であった。仲間の一人は自由党議員の息子だったので、いくらかの理由はあった。彼以外のわたしたちは変人にすぎなかった。こうしたことは、［その後の］自分は人とは違うといった自己感覚の一因となったに違い

＊1　タマラは晩年のカーの研究助手であった。カー、八八歳の自伝・自著覚書である。はしがきおよび略年譜も参照。

＊2　カーは一三歳―一八歳にロンドンのマーチャント・テイラーズ校の優待生であった。「パブリックスクール」九校の一つ、全寮制のイートン、ハロー、ラグビ校などと違い通学制、一五六一年創立の男子校。

＊3　ジョゼフ・チェインバレンが一九〇三年から主唱。保護関税により国益を帝国規模で再建しようとした。

＊4　自由党のロイド＝ジョージは、一九〇八年に財務相、一五年に軍需相、一六―二二年に首相で、富裕課税、社会保障（健康保険・失業保険）、アイルランド自治、庶民院権限を推進し、福祉国家、軍備拡充、パリ講和会議をリードした。女性参政権も実現した。『イギリス史10講』二五七―二六三頁。

ない。

［一九一一年秋に入学した］ケインブリッジ大学［トリニティ学寮］[*5]ではあまり政治に興味関心はなかった。それまでの大論争の時代は終わっていた。[*6] 一人の友人が哲学を専攻していて、わたしたちは人生の意味について討論し、ヘーゲルという名を初めて聞いた。マクタガートがラッセルとムーアにたいして、ヘーゲル哲学の後衛の役を果たし人気を博していた。[*7] だが、哲学論争は別の影響力によって小さなものになってしまった。わたしが生き姿を見た人のうち一番に力強い知的な存在、A・E・ハウスマンに出会ったのである。[*8] よく意味のとれない［ギリシア・ローマの］古典の原文をハウスマンが苦もなく処理してみせる手腕には非常に感服し、できるならそれを見習いたいと思った。今のわたしにはそうした気持は消えてしまって（文脈が限定的すぎた）、唯一、正確で精緻な細部に衒学者風《ペダンティク》なまでこだわるといった性癖に残っているかもしれない。望むらくは、ナンセンスなもろもろを切り裂いて核心へと直行するハウスマンの才覚の一端でも学べただろうか。

この時点で、歴史学には興味関心はなかった。［マーチャント・テイラーズ校で］習ったイングランド史は見下げたもので、だれも真剣には受けとめなかった。ケインブリッジ大学ではギリシア史・ローマ史を勉強した。[*9] とくに際《きわ》だつわけではない古典学の先生がペルシア戦争を専門としていたのだが、ヘロドトスの『歴史』の叙述は、ただの神話もたくさん含むが、その執筆時に進行中のペロポネソス戦争にたいする彼の姿勢によって練《ね》りあげられ形づくられたものだと教えてくれた。これは魔法の啓示のようなもので、いったい歴史とは何なのか、わたしは初めて理解したのである。開戦［一九一四年は明らかである。

八月」もわたしの歴史への関心を促進したかもしれない。世界で歴史にのこる変化が進行中だったの

第一次世界大戦・ロシア革命・外務省勤務

イギリスにおける第一次世界大戦のインパクトは、振り返ると逆説的にみえる。幾百万人の人生が攪乱され、近い親族の死もめずらしくなかった。ところが、この戦争が一つの時代の終わりだ、一つの文明の死だと考えた人はほとんどいない。予知しがたい自然災害、竜巻か地震のようなもので、それがすぎて、被害が修復されると、以前と同じような生活が戻ってくるのであった。こうしたことか

＊5　大学と学寮について、補註d。

＊6　J・チェインバレンは一九〇六年夏に不治の病に倒れた。また一九一一年の議会法により貴族院の権限は縮小され、自由党の長期政権、そして大戦中は挙国一致内閣が続いた。

＊7　J・M・E・マクタガート(一八六六―一九二五)、B・ラッセル(一八七二―一九七〇)、G・E・ムーア(一八七三―一九五八)の三哲学者はトリニティ学寮の学生・フェロー。ここに一九一一年秋からヴィトゲンシュタインが加わる。

＊8　古典学者・詩人ハウスマン(一八五九―一九三六)について一〇―一一、二九七頁にも言及がある。

＊9　イギリスの伝統的な大学では古代ギリシア・ローマ史は古典学の領域である。補註b。

らわたしたちが学んだのは、戦争とは邪悪で空しいといったことであろうか。

とはいえ、決定的な歴史感覚をわたしにもたらしたのは、ロシア革命であった。この歴史感覚はそれ以来失ったことはないし、これよりずっと後のことであるが、自分が歴史家になる契機になった。これについては、偶然のめぐり合わせがたくさんあった。

［一九一六年に入省した］外務省でわたしは「戦時禁制物資部門」すなわち敵国封鎖の部門に配属された。新人として担当したのはスウェーデン経由で［連合国］ロシアに物資を送達する業務で、ドイツに転送されないようしっかり保証するのが肝要であった。［一九一七年一一月］革命が勃発したときにはちょうどロシアの通商代表団がロンドン滞在中で、ペトログラードにおけるイギリス大使館の通商担当官、ピーターズが同行していた。革命の最初の数日間、ピーターズと何度も話をする機会があったが、彼は他のだれとも同じく、これはフライパンのなかの一瞬の炎にすぎず、ボリシェヴィキは一週間以上はもたないだろう、援軍が到着すればお終いだと確信していた。わたしは最初から――あまのじゃくのせいか――彼の説を信じなかった。ニュースは何から何まで熱心に勉強し、ボリシェヴィキがもちこたえる期間が延びるにつれて、その権力は持続するという確信が固まった。これはまぐれの勘で当たった。ロシア革命が西洋社会への挑戦だと当時のわたしがどの程度見とおしていたか怪しいものであるが、それでも、この革命にたいする西洋の反応はじつに狭く、ことが見えておらず、愚かだと考えていた。わたしはレーニンやトロツキーの革命観についてぼんやりとした印象はあったが、マルクス主義については何も知らなかった。それまでマルクスの名も聞いたことがなかったのではないだ

ろうか。

二、三週間して外務省はロシア問題担当の班を作った。担当は三人、わたしは下級職でそこに配属され、他の二人は正規の外務省上級職であった。それからわたしはパリ講和会議〔一九一九〕のイギリス代表団に任命された。とはいえ、パリで外務省職員はまったく端役で（ロイド゠ジョージ首相は全然使ってくれなかった）、わたしがしたこと、作成した書類はまるで意味がなかった。ロイド゠ジョージがチャーチル案に反対していたのは熱く支持していたが、ロシア問題（の部分）について彼が譲歩したのには失望した。ドイツ問題のうちオーバーシュレージエン、ダンツィヒ、賠償金の交渉でフランスの同意を引き出すための取引であった。忘れもしないが、〔ロシア白軍の〕コルチャーク*10を承認するのは不適切であるという内部文書を土日をかけて執筆したのだが、月曜になって、すでに連合国の四大国〔英仏米伊〕が一定条件を付してコルチャークを承認すると決定していたと知らされたこともあった。さいわい、その条件をのむかどうかコルチャークがぐずぐず言って決定が具体化しないうちに、ボリシェヴィキ〔赤軍〕がコルチャーク勢を破ったのである。

また〔講和会議では〕こんなことも想い出す。時の小さなバルト三国の独立承認にわたしは賛成する立場でいたが、陸軍省のさる将軍が、これは無意味だ、「遅かれ早かれ、ロシアかドイツのどちらかがそんなのは呑み込んでしまう」と言明したときには、憤慨した。わたしの自由主義はまだ無傷だっ

＊10　海軍提督コルチャークは反革命軍を率いてシベリアで最高執政官となる。一九二〇年に赤軍により処刑。

たのである。さらにイギリス代表団の多く（自由党支持者だけでなく）と同様にわたしは、フランスの強硬姿勢、連合国のドイツ人にたいする不公正には激していた。ドイツ人にたいして連合国は「一四カ条」について欺《あざむ》き、あらゆる屈辱に服させたのである。——ケインズが有名な一書[*11]を書いたのはそうした気運でのことだった。後年このことが意味をもってくる。

　パリ講和会議が終わって、一九二五年に「ラトヴィアの」リガに赴任するまでのあいだ[*12]、ロシア革命のことには関係せず、そのことをどれだけ考えたかも想い出せない。一九二四年のジノヴィエフ書簡事件[*13]の時は外務省勤務とはいえロシア課ではなかったが、またもや担当の職員たちの盲目の偏見とうぬぼれには衝撃を受けたことを覚えている。

　リガに「二等書記官として、家族とともに」居住したのは一九二五年一月から二九年の夏までで、世界中のたいていの場所で景気がよく楽天的な時期であった。リガの公使館の公式の管轄はバルト三共和国[*14]だけであったが、地理的に近いのでロシアがつねに関心の的であった。リガはロシアに往来する人々の中継地であり、わたしが初めてモスクワに旅行したのは一九二七年であった。もっと重要なのは、リガが東欧におけるイギリスの諜報活動の本部だったことである。上官二人が諜報担当だとわたしは認識していた。二人ともかつてロシアに居住していたイギリス人で、革命で財産を失ったのだった。外務省職員はそこそこ洗練されていたのに比べて、この二人の狭量、頑迷は度をこしていた。わたしたち職員はもちろん、その諜報報告書を見ることはけっして許されなかった。

　リガにおける数年間は、わたしの生涯でもっとも気楽で解放的な期間だったと言える。ヨーロッパはこのころ復興の期間、好景気と安定の期間、未来への希望の期間であった。しかし、リガは知的な砂漠であった。二流どころの外交官の一団と少数の地域の名士がパーティにまねき、まねかれ、社交を重ね、時にロシアをめぐる亡命者のゴシップに興じるといった具合で、退屈なことこの上ない。オペラが格式ある公衆の娯楽というわけで、これ以来わたしはずっとオペラを毛嫌いしている。わたしにとってリガ在任期間の意義といえば、公務が軽く、時間的余裕もあったので、[ロシア語を習得し]ロシアの一九世紀文学をたくさん読み始めたことである。

一番深い影響を受けた作家は(順番に)ドストエフスキーとゲルツェンである。運によるところもあ

＊11　J・M・ケインズはパリ講和会議(一九一九年一月―六月末)でイギリスの財務相代理(首席代表)をつとめたが、報復主義的なヴェルサイユ条約に反対し、六月の調印前に辞表を提出し、『講和条約の経済的帰結』を執筆して世論に訴えた。これは半年で一〇万部が売れたという。

＊12　この間に三児の母であるアン・ロウと知りあい、結婚した(三二歳)。

＊13　一九二四年一〇月、総選挙の直前に、コミンテルン議長ジノヴィエフがイギリス共産党に宛てたとされる書簡がロンドンの各新聞に掲載された。イギリスの革命、軍の反乱をうながすもので、時の労働党政権の崩壊をまねいた。フェイクとされる。

＊14　現エストニア(首都タリン)、ラトヴィア(首都リガ)、リトアニア(首都ヴィリニュス)からなるバルト三国は、バルト海の東岸にあり、中世にドイツ騎士団領、ハンザ都市などが置かれて栄えた。一八世紀にはあいついでロシア帝国が吸収。第一次世界大戦末期にロシア帝国から独立したが、一九四〇年にソ連に組み入れられ、九一年に再独立。

って、この二人の著作集を本屋で手にしたのである。こうして初めて認識したのだが、わたしが生まれ育ったリベラルな倫理イデオロギーは、それまでわたしがずっと想定していたように近現代世界で自明とされていた「絶対」ではなく、むしろその特権サークルの外側に住む、じつに知的な人々によって鋭く力強く攻撃されていたのである。彼らの世界を見る目はまったく違うものであった。別の言いかたをすると、わたしの場合、ブルジョワ資本主義社会にたいする最初の挑戦は、マルクスやボリシェヴィキではなく、ロシアの一九世紀インテリゲンツィア、厳密な意味でまったく革命的ではない彼らから来たのである。これによってわたしの精神状態はまことに混乱した。わたしは西洋のイデオロギーにますます鋭く反対するようになったが、それでも西洋イデオロギーのなかの一地点にいたのである(以来、こうしたディレンマから完全に解放されたことはないかもしれない)。この混乱はわたしの最初の本、ドストエフスキー伝にまことに明らかである。ミルスキー[*15]が初版の序文を書いてくれたのだが、これには困惑した人が多く、後のペーパーバック版では削除された。今のわたしはミルスキーの序文を完璧に理解できる。

このあと数年間は「精神的に」あちこちしたが、それでもつねに西洋リベラリズムにたいする全面的な批判という方向に向かっていた。ジュネーヴ[*16]では「世界恐慌の」経済危機をめぐる論争をいくつか聞いたが、資本主義の破綻は必至と見えた。とくに印象的だったのは、だれもが関税障壁こそ危機を悪化させている主要原因だと口では言いながら、実際にはすべての国が関税障壁を設けるのに汲々《きゅうきゅう》としていたのである。たまたま聞いたどこかの小国(ユーゴスラヴィアだったか)の代表の演説で、わたしには初めての体験であったが、問題をはっきり、力強くこう述べていた。自由貿易とは経済力にまさり保護なしで繁栄する強国の主義であり、弱い国にとっては自由貿易は命取りになるというのであった。これはわたしには啓示であって(ケインブリッジ大学での「ヘロドトスの」歴史叙述の相対性という啓示と似ていた)、二重の意味で重要であった。というのは、自由貿易とはわたしの知的成長期の重要部分を占めており、もし自由貿易が去るのなら、自由主義の考え方すべてが「ともに去りぬ」なのであった。

ドストエフスキーとゲルツェンを十分に尽くして(つまり、二人それぞれについての本をしあげて)から、バクーニンのとりこになった。西洋社会の全面拒否を一番に代表し体現する人物だからだろうか。このころ執筆意欲は非常に強かったのだが、外務省勤務なので、当然ながら「職務上知りえた」同時代の事柄について書くことはできない。思うに、これがわたしの関心を一九世紀に留めた要因の何割かをなしたに違いない。このときバクーニンの伝記をひどく書きたくなって、バクーニンをモデルに、常軌を逸した炎のような男がイングランドの伝統的な「左翼」グループに衝撃をおよぼすといった小説まで書いた。このアイデアは良かったが、筆力はおよばず、結局日の目は見ることなく、何年か

＊15 D・P・ミルスキー(一八九〇—一九三九?)、ロシア貴族出身の詩人・批評家。亡命してロンドン大学でロシア文学を講じた。一九三二年にソ連に帰国したが、やがて逮捕、収容所で死。

＊16 一九三〇年、カーは国際連盟部に異動して、総会に出席した。

後に破棄した。

　このころまでにマルクスの名には親しみ、一通りは彼の経歴を知るにおよんでいた。しかしマルクスをよく知るにいたった最初は、第一インターナショナル［一八六四年―］におけるバクーニンとマルクスの対立の研究によってであるが、ここに現れるマルクスの姿は一番すばらしいというのではない。[*17]この研究の結果であるが、不幸なものだった。『ドストエフスキー』も『浪漫的《ロマンチック》亡命者たち』も出版的には不遇だったので、バクーニンの伝記はどうかと出版数社にあたってみても、すべて空《から》回答で、だんだん絶望的になりはじめた。最終的にある人がデント社[*18]の一人に紹介してくれた。会ってみると、他よりは親切であったが、他社と同じく、「バクーニンについての本がほしい人なんかいない」とのことであった。「でも、マルクスの伝記ならほしいな」と言ってくれた（マルクス没［一八八三］後五〇周年が近づいて、ちょっとした話題になっていた）。もしわたしがマルクス伝を書く気があるなら、契約を交わして出版してくれるというのである。マルクスの本当に大事なポイントを［その時点の］わたしは全然知らないということをよく考えもせずに、誘惑に屈した。『資本論』の第一巻を読んで全部は理解できなかったが、『ブリュメール一八日』と『ゴータ綱領批判』、ラサールの伝記、そしてたくさんの関連文献を読んで、執筆にかかった。これは愚かな企てで、できあがった本も愚かなものである。ペーパーバック版で再版をというオファーがあっても、すべて断っている。

　とはいえ、これ以後のことであるが、わたしはマルクスこそブルジョワ資本主義社会にたいする反抗の鍵《キー》になる人物と認識し、もっと広汎に読むようになった。影響をうけた本にはマンハイムの半ばマルクス主義的な『イデオロギーとユートピア』がある。[*19] これが明らかにしているのは、政治的・経済的グループの意見はその立場と利害関係を反映している［存在被拘束性］という点である。率直に言って、マルクス主義のうちわたしがつねに興味関心をもってきたのは、思想や行動の隠れた源泉をあらわにし、その周囲に張りめぐされた論理的・倫理的な見せかけをあばく方法としてであって、資本主義の衰退についてのマルクス主義的分析とかいったものではない。［一九三〇年代の］資本主義は明白に退場する途上にあったので、その滅亡の精確なメカニズムなぞとくに知りたいとも思わなかった。それに、マルクスよりもレーニンのほうが最新版《アップ゠トゥ゠デイト》であった。

リガから帰任して、すべての激動の開始点、ロシア革命はわたしの視野から退いた。ジュネーヴ［国際連盟］ではリトヴィーノフ［ソ連の外務人民委員］の演説を聴き、彼が［米・日も含む］西側の言う軍縮の偽善をあばいたのには感心したし、［恐慌に苦しむ諸国への物資支援にたいして］「ソヴィエトのダンピング」と非難するキャンペーンがあったが、これには嘆き悲しんだ。わたしは完璧に「親ソヴィエト」（当時の異論派）であった。また「五カ年計画」という考え方に感心し、これこそ資本主義の無秩序《アナキー》

＊17　一八六四年にロンドンで結成された「国際労働者協会」でマルクスたち権威主義派とバクーニンたちアナキスト派が対立し、パリ＝コミューン（一八七一）の翌年にバクーニンたちは除名され、協会は停滞した。

＊18　J・M・デントが始めた出版社で、二〇世紀にはEveryman's Library叢書で成功した。

＊19　K・マンハイム（一八九三―一九四七）、一九三三年にフランクフルトからロンドンへ亡命。知識社会学。『イデオロギーとユートピア』の初版は一九二九年、英訳版は一九三六年。本書の要所で三度論及される。

にたいする解答であり、［世界大恐慌によりソ連だけに見られた］経済的オアシスによって明白に証明されたと思われた。

ソ連のなかで生起していた事態の詳細はまったくフォローしていなかった。しかしながら、一九三五年の初めくらいからは［スターリン体制の恐怖政治《テロル》について］無知や隠蔽はもう不可能になった。粛清の全期間は幻滅と嫌悪の期間となり、以前のわたしが熱狂的だった分、それだけ幻滅と嫌悪は強烈となった。わたしはソ連にたいしてきわめて敵対的となり、左翼の人々が洪水のようにイギリス共産党に入党する動きに、これっぽっちも動かされなかった。わたしの収まる部屋はなかった。

わたしがロシアの恐怖に気をとられていた結果の一つが、同じころにドイツで進行していたことの看過である。ドイツにおけるファシズム［ナチズム］はイタリアにおけるファシズムと同じように悲惨だが、いくらか偶発的で周辺的な現象であった。だが、ここでもう一つの要因が働いていた。一九一九年のヴェルサイユ条約のいくつかの条項にたいして憤慨した気持をわたしは忘れていなかった。一九三〇年代のわたしの関心はまだ第一に外交事情にあり、ヒトラーの政策のうちもっとも強い衝撃をうけたのは、ヴェルサイユ［体制］にたいする反抗という点であった。これが他のことを隠したり口実になったりしたように思える。はっきり覚えているが、一九三六年にヒトラーがラインラントに進駐したとき、わたしはこれには憤慨しないと心に決めたのである（この年は、わたしが外務省を辞した年でもある）[*20]。この進駐は、かつての不正義の矯正であり、［一九年に］西側列強がまいた種の結果であった。わたしがヒトラーのことを本当の危険人物と考え始めたのは、ようやく一九三八年、オーストリア占領の後であった。たしかにわたしには何も見えていなかった。[21]

第二次世界大戦から『ソヴィエト＝ロシアの歴史』へ

一九三七年にわたしは〔ウェールズ大学教授として〕ロシア〔とドイツ〕を訪問し、帰国して『ザ・タイムズ』紙に二つの記事を書いた。同紙のコラムに寄稿した最初である。この記事でわたしは多少とも粛清には目をつぶり、経済の発展と問題を論じたが、記憶するかぎり、かなり曖昧《あいまい》な表現であった。またこのころ、モスクワとベルリンのあいだで秘密の接触があるといううわさに気づき、十分あり得ることと考えた。イギリス政府がロシア・ドイツの両国を敵とする路線をとるのは愚行と思えた。わたしはしだいにヒトラー宥和策から離れるに従い、スターリン宥和策に傾いた。一九三九年四月一日の「対ポーランド安全保障宣言」[22]を見て、これは大惨事にいたる最終処方箋だと受けとめたのを覚え

＊20　一九三五年にカーはウェールズ大学アベリストウィス校の国際政治学の教授職に応募し、翌年任用にともない、外務省を退職した。任地居住義務も学生指導もミニマムで、学期中は毎週ロンドンから通い二泊して校務をこなした。
＊21　ナチス・ドイツへの宥和的姿勢は、一九三〇年代半ばイギリスの多数派の世論でもあった。
＊22　一九三九年三月三一日に英仏両政府はポーランドへの安全保障を宣言した。その軍事戦略的、政治的な意味が研究者のあいだで議論されている。

ている。［英仏は］ロシアと協調しないかぎりこの宣言を具体化することは不可能なのに、そうした協定はすべて排除するように定められていた。

　他方で、この間に文献をたくさん読み、マルクス主義の線でたっぷり考えていた。その成果が『危機の二十年』で、一九三六―三七年に構想しはじめ、一九三九年の前半に完成した［出版は開戦直後］。――じつのところマルクス主義の本ではないが、マルクス主義的思考法がしみ込み、国際事情に応用されたものである。

　第二次世界大戦の開戦［一九三九年九月］はショックで、思考はマヒしてしまった。だれもが突然にその日その日のことで頭が一杯になった。わたしは情報省で、ついで『ザ・タイムズ』紙で仕事をしたが、[*23] 公定の路線に従うだけで、当面は思考停止状態であった。すべてが不条理に思えた。それから、他の多くの人もそうだったのだが、わたしは戦後の新しい世界のことを考えてユートピア的未来像《ヴィジョン》に逃避した。結局のところ、そうした未来像が基礎になって［戦後に］本当の建設的な事業が実現することになるのだが、チャーチル首相はそうした未来像に公然と反対したので、支持を失うことになった。わたしはといえば、『危機の二十年』におけるきびしい「リアリズム」をすこし恥じて、一九四〇―四一年にきわめてユートピア的な『平和の条件』を書いた。――一種リベラルなユートピアにちょっと社会主義が交じったものだが、マルクス主義の要素はわずかしかなかった。これが時代の気運を捉えたようで、今日にいたるまでわたしの一番売れた本である。しかし、じつにか弱い本であった。戦争末期に執筆した『ナショナリズム以後』はこれよりましだが、しかし、まだユートピアの要素が残っていた。

わたしも当時の多くの人々も大いに心動かされた出来事は、もちろんロシアの参戦［一九四一年六月］であった。『ザ・タイムズ』紙において［カーはこの年から副編集長］わたしは速やかにロシアとの連携を応援するキャンペーンを始めた。ロシアが［独ソ戦を］もちこたえ、やがて勝利して報いられると、ロシア革命は偉大な事業であり歴史の転換点であるというわたしの最初の信念が甦《よみがえ》った。人材を見ても物資を見ても、明らかに第二次世界大戦のロシアは第一次世界大戦のロシアとは全然別の国であった。一九三〇年代を振り返ってわたしは、スターリン主義の粛清と暴虐に目を奪われて、全体の見通し図がゆがんでいたと感じるようになった。たしかに暗い汚点は実在したのだが、しかしそこばかりを見つめていると、現実に起こっていることへの視覚が損なわれてしまう。（これが今日の〈ソヴィエトの〉[*24]異論派にたいして時に感じるわたしのいらだちの説明になるかと思う。メディアや西側プロパガンダは彼らだけに焦点を合わせるが、それが全体の見通し図を絶望的にゆがめている。）わたしはロシア人が達成したこと、それが西洋社会にとってどれくらい教訓になるかといったことを強烈に知りたくなった。これはまた、資本主義とブルジョワジーをマルクス主義がどう批判しているのか知りたいという関心とも結びついていた。

＊23　総力戦体制のもと、カーばかりでなく多くの大学教員たちも省庁や情報産業で「参戦」した。

＊24　この〈　〉は出典 Cox, ed. の編者による補い。

こうしたアイデアの最初の産物が――『ザ・タイムズ』紙の匿名記事を別にすると――一九四六年の初めに[25]オクスフォード大学で行なった一連の講演で、『西洋世界にたいするソヴィエトの衝撃』というタイトルで出版されたものである。「フルトン演説」[26]によって冷戦の口火が切られる直前のことであった。急いで書いたもので、一面的で(そのことは隠していない)、誇張もあった。しかし、有効な論点がたくさんあった。

この時点のことであるが、わたしは[ロシア]革命自体よりもその成果、達成したことについて可能なかぎり詳細に研究し執筆するという計画案《プラン》をまとめた。[27]利用可能な史料を探してみると、一九二九年までは良好でたっぷり十分にあり、その先は不足していると分かった。いざ仕事にかかってみると、膨大なことが判明し、初めの巻よりも後半の巻のほうが部厚くなった。たしかにバランスはいくつかの点で変化したが、全体の観点はかなり一定していると考えている。マルクス主義をすこしかじったこと、また外交官の経験も役に立った。全巻を通じてのねらいは、生起したことの説明であり、それを正しい全体の見通し図のなかに置くことであった。わたしの執筆期間を通じて西側の政治世論における「冷戦」という背景があったので、批判者たちがわたしの仕事をソヴィエト政治の弁明[擁護]と見なしたのは不可避であった。(一九五五―七〇年のあいだは冷戦が緩和して、ソ連では若干の文書が公開されスターリンの緩やかな批判は解禁になったのだが、西側の敵意はほとんど緩和しなかった。)このことをわたしは哲学的に受けとめた。五〇年か一〇〇年か経って、もしわたしの書物がまだ読まれているならば、そのときの審判のほうが[今の評判より]ずっとおもしろいであろう。

『歴史とは何か』とユートピア

そうこうしているあいだに、以前から長らく惹きつけられていたテーマに――つまり歴史の本質、過去は現在にどう関係するのかといった問題に――立ちかえった。これに最初に触れたのは一九五一年の『新しい社会』[*28]で、その後一〇年間、断続的にいろいろと考えて、一九六一年には『歴史とは何か』[*29]を出版した[六九歳]。この本が「因果連関と偶然」「自由意志と決定論」「個人と社会」「主体性と客観性」のあいだの永遠の緊張関係について解決しているなどとは、まちがっても言えない。だれでも「客観的な最終原因」を求めて、原因の原因の原因の原因を究明する旅に出ることはできるが、当然な

＊25　一九四五―四六年のカーは多事多端で、『ザ・タイムズ』紙の論説が政府から攻撃され、結局、編集職を辞した。妻アンと離別し、ロンドン大学の教授職に応募したが選考は長引き、ウェールズ大学の元同僚教授の妻ジョイスと同居し、ピューリタン的伝統の強い学内の非難の高まりにより辞表を提出した。

＊26　合衆国ミズーリ州の都市。一九四六年三月にチャーチル元首相が「鉄のカーテン」演説を行なった。

＊27　一九四五年一二月に『革命後のソヴィエト＝ロシアの歴史』(仮題)の出版契約をマクミラン社と交わした。補註し。

＊28　『新しい社会』清水幾太郎訳、岩波新書、一九五三。

＊29　一九六一年一月―三月にケインブリッジ大学で連続講演、年末にマクミラン社刊(本書の初版)。

© The Estate of E. H. Carr

がらゴールには到達しない。

ことによると世の中は、なにごとにも意味を認めない冷笑家《シニック》と、未来へ向けての壮大で検証不可能な想定を根拠に、ものごとに意味を認めるユートピアンとに二分されているのであろうか。わたしはユートピアンの側につく。『歴史とは何か』の楽天的な結論部は、これを放棄したことは一度もない。たしかに西洋社会はその現状からすると、衰退と腐敗以外の将来を見とおすことはできない。その最後はことによると劇的な崩壊かもしれないし、そうでもないかもしれない。むしろ、わたしの信じるところ、新しい力や運動が、どのような姿かまだ想像もできないが、あちらこちらの表面下で芽生えている。[*30] これがわたしの検証不可能なユートピアである。

わたしは一個のマルクス主義者か。時にそう尋ねる方がおられるが、あのピラト[*31]の場合と違い、しばらく待ってみても回答はない。わたしの確信するところ、マルクス、ダーウィン、フロイトはまことに偉大な思想家で、新しく深い洞察をして、後の幾世代にわたって世界の見方を根本的に変えた。だからといって、彼らの言葉が一字一句まで福音のように［絶対の真理として］受けとめられねばならないとか、それぞれの領域でその後、発見されたり考えられたりしたことすべてが彼らによってすでに予見済みだったとかいうのではない。マルクスによる西洋ブルジョワ資本主義の興隆と没落について

＊30　「第二版への序文」「E・H・カー文書より」でやや具体的に述べている。

＊31　ピラト（ピラトゥス）は古代ローマの属州ユダヤの総督。逡巡したあげく、イエスを十字架刑に決した。

の分析、また歴史的プロセスのすべてがどう作動するかについての洞察には、ともに近現代世界において比類のない、大いなる知の前進が代表的に現れている。

マルクスはユートピアは嫌いだと公言したが、じつは彼自身のユートピアがあり、それなしではやってゆけなかった。マルクスのユートピアとは、かつてブルジョワジーが土地を領有した封建貴族を征服しとって代わったのと同じように、西洋の団結したプロレタリアートがブルジョワジーを征服しとって代わるという未来像《ヴィジョン》であった。さらにそのユートピアは階級のない社会――すべての抑圧は階級抑圧だったのだから、資本家雇用主からも国家からも抑圧や強制をうけない社会なのであった。しかし残念ながら、マルクスはこうした未来像が科学的に検証可能だという幻想を育《はぐく》んだようである。[*32] 彼はほんの一瞬(だけ)アジアの登場の可能性を見ていたが、それで彼の歴史像が変わったわけではない。レーニンはこの点でもう少し先まで進んだが、十分にではない。

今、わたしたちこそ、さらに一歩先に進むことができる。しかし、こういう言いかたではわたしのユートピアは明確にならない。思うに、わたしのユートピアは「社会主義的」と呼ぶべきもので、この限りでわたしはマルクス主義的である。しかし、マルクスは社会主義の内容を若干のユートピア的フレーズ以外では明確にしていない。わたしとて、それはできない。しかしながら、その内実がどんなものであろうと、西洋のプロレタリアートは西洋のブルジョワ資本主義の末裔《まつえい》であり、次の段階の世界革命の担い手と見なすことはできない。そう考える点で、わたしは一個のマルクス主義者ではないと思う。[*33]

＊32　客観的法則主義への批判は、本書第三講など。
＊33　三三三頁で立てられたAm I a Marxist? という問いに、ここでI am not a Marxistと答えている。この自問自答の終わる数行前に「思うに、わたしのユートピアは「社会主義的」と呼ぶべきもので、この限りでわたしはマルクス主義的である」(I suppose I should call it 'socialist', and am to this extent Marxist.)というセンテンスがあるが、このsocialistにもMarxistにも冠詞aがない。この二つは形容詞である。「社会主義的」ユートピアを抱懐する自分はその限りでマルクス主義的だが、しかし(本文に述べた理由から)一個のマルクス主義者ではないというカーの論理である。

補　註

a　歴史、history

英語の歴史的用法の包括的調査にもとづき編纂された『オクスフォード英語辞典』(*OED*)のhistoryという項目をみると、最初におかれた語形と語源にかかわる説明だけで四〇行をこえる(オンライン版、二〇二一年六月改訂。表示設定により行数は可変)。そのギリシア語源historiaは「調査探究、それによってえられた知識、その説明、語り」という意味であった。

英語historyの語義・用例は二つの大区分にわけて(A4で一二ページ以上にわたり)説明、例示されている。「I　出来事や現象についての語り、表現、研究」に属する用例の初出はノルマン征服(一一世紀)以前の古英語であり、かならずしも過去の事象には限らない。その下位区分で「過去の事象をあつかう知の部門、とりわけ人間社会のもろもろの正規の記録・研究」は一四三三年ころに出現した。これにたいして大区分の「II　過去の事象およびその関連」に属する用例は中世にはなく、ようやく一五四〇年ころに「一連の過去の事象で、特定の人、国、制度、物に関すること」を示す例が出現した。本書(二九、七四、八六、一九四頁など)でカーが論じる歴史(history)の二つの語義は*OED*における二つの大区分と合致しているが、大区分Iが先行していることに注意されたい。

英語では中世ラテン語storia、古フランス語estoireに由来するstory(物語、お話、伝説)という語がhistoryから分離して、二つの語形が定まった。ロマンス語系のイタリア語、フランス語などでは今日にいたるまでstoria, histoireといった一つの語形のまま、歴史とお話という二つの意味が維持されている。

なお諸橋轍次『大漢和辞典』修訂第二版（大修館書店、一九八九）によれば、「歴」とは過ぎる、経る、行く、移ろうなどを意味し、「史」とは人君の言行を筆記する官、文筆に携わる人、そして文書・記録のことをさした。「歴史」は筆記する人や行為、書き物を離れてはありえなかったのである。『日本国語大辞典』第二版（小学館、二〇〇一―〇二）は西周『百学連環』（一八七〇ころ）を引いて「History 即ち歴史たるものは、古今人世の沿革及び履歴を主として書き記せしものを言ふなり」とする。簡にして要をえた引用ではないか。

b　Modern History

オクスフォード・ケインブリッジにおける「モダンな歴史」という用語法は独特で、modern の元来の「今様《いまよう》の」「当代の」という意味が生きて、「本学開闢《かいびゃく》のころ以来の歴史」であった。ギリシア・ローマの歴史と対照された、中世から今までの歴史である。一七二四年にオクスフォード・ケインブリッジ両大学にModern History の欽定《きんてい》講座が設置されたときも――いわゆる「古代・近代論争」の最終局面でもあり――これは古典学とは別にエリートたちが学習すべき科目と想定されていた。

Modern History の欽定講座には中世史を専門とする教授も任命された。これを「近代史」と訳すのは「まったく不適切で、過ちをまねくほど」である。こうした用法は世の中とは著しくズレるので、さすがのオクスブリッジ両大学ともに、二〇〇〇年までに学部名についても欽定講座名についても Modern をはずして History と改称した。本書では改称以前についても、内実をとって「歴史学欽定講座」「歴史学部」とする。

両大学では今も歴史学部と古典学部は別組織で、独自の図書館・建物をもつ。ロンドン大学の場合は全学組織として歴史学研究所と古典学研究所が独立している。一九世紀後半―二〇世紀に設立された大学では、歴史学のなかに古代史も含めて運営されている。

c　歴史学欽定講座教授　(Regius Professor of Modern History)

一七二四年にジョージ一世がオクスフォード・ケインブリッジ両大学にModern Historyの欽定講座を設置した。ステュアート朝の復古をねらうジャコバイトの影響を大学および教会から払拭し、ハノーヴァ朝の意向を浸透させるためであった。この講座教授(定員各一)の任務はおもに大学内で歴史を教える多数の教員を束ね、教育の質を確保することだったので、学問に専念できたわけではない。たとえば一九〇〇年前後になっても、ピューリタン革命の歴史家S・R・ガードナはオクスフォードの欽定講座のオファーを謝絶し、法制史家F・W・メイトランドはケインブリッジの欽定講座のオファーを謝絶して、それぞれ研究者としての生涯を歩んだ。本書に登場するスタッブズは欽定講座のあと国教会主教に転じたが、主教のほうが地位も収入も上とされていた。

そもそも英仏では一九世紀半ばまで代表的な歴史家は、モンテスキューもギボンもカーライルもマコーリもトクヴィルも、大学教授ではない。大学教授が歴史学の先頭に立ち後進を養成するシステムは、一九世紀前半のドイツでランケあたりから始まり、以後諸国に波及する。オクスブリッジの欽定講座に今も言及されるほどの学者が就任するのは一九世紀後半以後である。

「君臨すれど統治せず」の時代に、任命は首相の推挙により、王がそのまま認証した。したがって、アクトンの場合も、トレヴァ゠ローパやエルトンの場合も、時の政権の意向が反映した人事であった。こうした事態を改め、二〇〇八年からは各大学の選考委員会が公開で選考した結果を総長が内閣に伝え、そのまま首相が推挙して王が認証する。なお、称号(補註j)も参照。

d　学寮と大学　(college, university)

一二世紀、中世都市オクスフォードに僧房のような学寮(生活と学問の共同体)が出現し、聖職者や司法・行政にたずさわる人材が養成された。すこし遅れてケインブリッジに同じような学寮ができた。一三四八―五〇年の黒死病パンデミックにより一般人口も聖職・司法・行政にかかわる人口も激減したが、その直後から、人材の需要と人文主義の展開にともない、新しい学寮が増えた。学寮の集合は大学(university)と呼ばれた。

学寮は学寮長(Master, President, Provost, Mistress などそれぞれ歴史的な由来をもつ名称)とフェローで構成される法人＝社団であり、それぞれ王の特許状、議会で成立した法律に根拠をもつ、イギリス法でいうチャリティ(公益財団法人)である。省庁の所管になる日本の学校法人や財団法人より強固な法的根拠をもつ。フェローはこの法人の正規構成員であり、「特別研究員」といった訳語は不適切で、過ちをまねく。基金と不動産をあずかり運用する事務長(常務理事)も教授も学習指導教員(テューター)もフェローである。学寮が公募して、有望な若手研究者(大学院生)を任期付きの研究フェローとして雇用することがある。彼らの身分は junior fellow で数年間研究に専念する。この場合は「特別研究員」という訳も成りたつ。なお多くの学寮で、成績抜群の学生は「全額奨学生」として学費免除だけでなく数々の特別待遇を享受する。一九一一年入学のカーもその一人であった。

カーはウェールズ大学では教授(一九三六―四六)であったが、失業期間をへて、オクスフォードではベイリオル学寮の任期付きテューター(一九五三―五五)。ケインブリッジではトリニティ学寮の上級フェローで、教育義務はなく、給与に加えて研究室や会食の権利など数々の特権を享受した。契約更改後は終身である(一九五五―八二)。上級フェローという待遇は特別で、トリニティのようにとくに富裕な学寮の制度である。ケインブリッジのトリニティ学寮はイギリス全国で一番富裕な資産をもつ。

大学は今日の日本でいう「国立大学法人」に近いが、違いも多い。オクスフォード・ケインブリッジ両大学は、現在、各三〇以上の学寮を束ねる。学寮と大学は別個の法人であるが、相互に不可欠の関係にある。一九世紀までは大学といってもほとんど学寮連合にすぎなかったが、しだいに全学的な図書館、博物館、出版会、病院、実験研究棟、学部など、そして学位授与の意味が増した。今でも入学を決定するのは学寮であり、学部生の教育はほとんど学寮内でテュータの指導のもとに行なわれ、全学の講義や大学図書館は必要なかぎりで利用するのが普通であろう。しかし、卒業のための学位授与の権限は大学にある。大学院教育は学寮をこえて全学的に行なわれる。

総長(Vice-chancellor)が大学を代表する。二〇世紀後半までは有力学寮の長が選出されていたが、近年は学外者が選出されることもある。名誉学長(Chancellor)として伝統的にケインブリッジは王族、オクスフォードは引退した有力政治家を戴いてきた。『イギリス史研究入門』一〇一一四頁。戦後オクスフォードにおける学寮生活について 'Interview with Sir Keith Thomas', *The East Asian Journal of British History*, VIII (2021).

e　大学出版会とアクトンの『ケインブリッジ近代史』（*The Cambridge Modern History*）

オクスフォード大学出版会(OUP)とケインブリッジ大学出版会(CUP)の歴史は古く、出版産業における力は日本の大学出版会とは比較にならないほど強大である。

『ケインブリッジ近代史』は、アクトンとケインブリッジ大学出版会の肝いりで企画された世界史(普遍史)シリーズで、ルネサンス・「新世界」・宗教改革あたりから一九〇〇年ころまでをあつかう。一二巻に索引、地図を加えて計一四巻、一九〇二―一二年に刊行。各巻二〇前後の章は国際的な執筆陣が分担し、本書(三一―四、八、一九頁)に引用されているように、学界の「成熟した成果」を示すべき、野心的な企画であった。オクスブリッジ両大学でModern History(補註b)が因襲的に了解されていた時に、一九世紀の史料館の整備や刊行史料の蓄積をふまえて、外の世界でも通用する「世界近代史」を構想したもので、その点でも先駆的である。

しかし、アクトンの盟友クライトン(一二三頁)が一九〇一年に死去し、翌〇二年にはアクトン自身がドイツ滞在中に心筋梗塞で亡くなり、牽引者を失った企画は混乱した。マンチェスタ大学総長からピータハウス学寮長に転じたA・W・ウォードが実務能力を認められて企画を請け負い、完結までもちこんだ。とはいえできあがったものは、「世界史とはただ各国史を束ねたものではない。領域をこえ普遍的なものをできるだけ採り入れる」というアクトンの考えとは似ても似つかぬ、各国史・各テーマを集めて束ねた詳説近代史であった。これを評して、どちらかといえば保守的な歴史家J・ケニヨンでさえ、「新設大学の教員・学生、そして受験生の参考文献として何万部と売れた。それ以外の読者の興味関心を引くものでは全然ない」という。Anon., *The Cambridge Modern History: An Account of its Origin, Authorship and Production* (CUP, 1907, 2011); John Kenyon, *The History Men* (Weidenfeld & Nicolson, 1993).

アクトンの構想の挫折があればこそ(ケインブリッジ大学出版会の側は営業的な再成功をねらい)、あらためてG・クラーク(四―六、八頁)の総編集のもとに『新版 ケインブリッジ近代史』が企画され、やはり一四巻で完結した(一九五七―七九)。本書では第二期とも呼んでいる。

f　トレヴェリアン記念講演　(The George Macaulay Trevelyan Lectures)

ケインブリッジ大学歴史学部は、長らく欽定講座にあり、また物書きとしても成功したG・M・トレヴェリアン(一八七六―一九六二)を記念して彼の名を冠した基金を設立した。カーの講演『歴史とは何か』はその基金による記念講演の第二回目にあたる。

オクスフォード大学には一八九六年創始の「イングランド史フォード記念講演」(一三頁)があり、指導的と目される歴史家が招待され六回連続の講演が実施されてきた。明らかにこれを意識して、イングランド史に限定することなく重要な歴史家を隔年で招待し六回連続の講演を委嘱し、その成果は公刊する。招聘されることは大きな栄誉である。カー以後の講演者には、F・ヴェントゥーリ、I・ドイチャ、M・ハワード、S・シャーマ、K・トマス、L・コリなどがいる。なお一九九〇年代末にフォード記念講演は名称の一部が「イギリス史」(British History)へと改められた。

これ以外にも各大学や学会で公開の冠《かんむり》講演がしばしば行なわれる。大学の教職員・学生だけでなく市民も無料で聴講できる。また教授の講座就任記念講演も同様である。通例は、後日、講演録が三〇ページ前後の冊子として出版される。最近は録画され、オンライン公開されることも少なくない。こうした点ではトレヴェリアン記念講演もフォード記念講演も他の招待講演と共通しているが、しかし、それらの多くが一回きりであるのにたいして、こちらは連続講演である。講演者には格段の学識と話す力量が求められる(二五―二六、三〇―三一頁)。

g　ホウィグ史観

狭義では(三一、一四八、三〇〇頁)、名誉革命以来の憲政、すなわち立憲君主制のもとの議会政治の発達を是とし、一九世紀の選挙法改正にその完成を見る進歩史観。マコーリからトレヴェリアン父子にいたる系譜を頂点とする。この三人ともにトリニティ学寮のフェローであった。今日まで学校で一般に教えられてきたイギリス憲政史はこれである。さらに広く(六二頁)、現在の問題に照らして過去に切り込む歴史研究、「一方の目を現在において過去を研究する」姿勢を、問題意識先行型として批判するさいにも、この語が用いられる。じつは、六二―六三頁でバタフィールドの揺れが揶揄《やゆ》されているとおり、単純な問題ではない。

カーはアクトンとともに一九世紀のホウィッグ党から自由党への変身(妥協による統治→理念の支配)を強調する(二五六―二五七頁)。「ホウィッグ史観」を批判する人の多くは、一八五〇年代に消滅するホウィッグ党から、世紀後半にグラッドストン、コブデン、ブライトとともに勢いを増す自由党への連続性を強調する傾向がある。カーによるバタフィールド『ホウィッグ史観』にたいする批判(六一―六二頁)は厳格すぎると考える人もあるだろう。『イギリス史研究入門』一五―一七頁。

h　ネイミア史学　(五五―五九、二〇七、二五八頁)

ルイス・ネイミア(一八八八―一九六〇)はポーランド貴族に生まれ、ローザンヌ、ロンドン、オクスフォードで学び、ニューヨークでビジネスに従事したあと、マンチェスタ大学教授。シオニズム運動に幻滅。自殺未遂を二度くりかえした。

初期の主著『ジョージ三世即位時の政治構造』(一九二九)、『アメリカ革命期のイングランド』(一九三〇)は、一七六〇―七〇年代のイングランドの政治構造の安定性を、庶民院議員群像の姻戚・学歴・コネ・カネから明らかにし、思想信条も政党政治も否認した。史学界に君臨していたトレヴェリアンは「[ネイミアは]良い研究者かもしれないが、良い歴史家ではない」と評した。しかし、戦後のアカデミズムはやがて彼の業績を認め、英国学士院会員に選出、ネイミアはサーに叙され、晩年は「議会史財団」で一八世紀後半の庶民院議員のプロソポグラフィ(集団メンバーの経歴の悉皆《しっかい》調査)の編纂に従事した。

そのインパクトは大きく、当時刊行中のオクスフォード＝イングランド通史(基本はホウィッグ史観による叙述)の、とりわけ一八世紀史の価値は減じた。冷戦中のソ連権力の分析(Kremlinology)にも応用された。やがて二〇世紀第4四半期には一七世紀史の「修正」が学界を一新することになるが、その先駆のような位置にある。二〇世紀のイングランド政治史は、ネイミア史学への対応を軸に展開したと言って過言ではない。これ以後、学校で教えられる通史と、研究者の分析的歴史学の隔絶は広がった。

政治的立場はほとんど対極にあったが、二人は信頼関係で結ばれていた。ネイミアはカーを英国学士院会員に推挙した一人である。カーはネイミアへの献呈論文集 R. Pares & A. J. P. Taylor, eds, *Essays presented to Sir Lewis Namier* (Macmillan, 1956) に論文「ロシアとヨーロッパ」を寄稿している。

近藤「ネイミアの生涯と歴史学——デラシネのイギリス史」『英国をみる』(リブロポート、一九九一)；Kenyon, *The History Men*.

i　サイエンスと科学、学問　(八九、一三八頁)

サイエンスにあたるヨーロッパ言語はいずれもラテン語の「知っている」(動詞 scio、形容詞 sciens)に由来し、知・学問・科学をあらわす。ドイツ語の Wissenschaft も、動詞 wissen に由来する知・学問・科学である。いずれの場合も文理をとわず、省察により整理された学知をあらわす。

ところが近代英語では、日本語の科学と同じように、サイエンスをより限定して、ニュートン、ボイル、ハーヴィ以来の近代科学について用い、人文社会系の学問とは区別する。その区別は、たとえば各国のアカデミーや日本学士院に相当する学術団体が、イギリスでは理系の Royal Society と文系の British Academy に分立するという形で現象する。

今日の英語で人文学をまとめてあらわすには arts や humanities が用いられ、科学も含む学問(学術)としては learning という語がある。なお、多くの大学が授与する学術博士(Ph.D.)とは英語で Doctor of Philosophy であるが、この Philosophy とは近代哲学のことではなく、一六〇〇年ころにハムレットが学友ホレイショに向かって「天と地のあいだには、君の学問では思いもつかぬことがあるのだよ」と言い放つ場面の、文理いずれにも通じる学問・学知である。音韻しだいでは、ラテン語にも通じたシェイクスピアがこの台詞を science とする可能性もないではなかった。

j　称号（サー、教授）

カーの講演において存命の（あるいは死去したばかりの）人名が言及されるときにサー・アイザイア・バーリンやポパー教授のように、サーや教授の称号が毎回くりかえされ、うるさいほどである。サー（Sir）はイギリスおよび英連邦において国王が平民に叙する最高の称号（騎士）である。貴族（卿）ではない。対面しての呼称は、苗字をつけず「サー・アイザイア」などとする。同等の女性称号はデイム（Dame）。サーやデイムを付けずに呼びかけるのは、無礼な行為である。

イギリスの大学教授は、ヨーロッパ全域でそうであろうが、日本や合衆国のようにゴマンとある職（現東京大学教授は千数百人！）ではなく、二〇世紀末までは各専門に一人だけの重い職であった。一九八〇年のケインブリッジ大学全体で歴史学の教員数は一八〇ほどであったが、教授は欽定講座、国制史、中世史、近代史、経済史、政治思想史、帝国海軍史、英連邦史、アメリカ史だけであった。他大学についても、日本でよく知られたA・J・P・テイラやクリストファ・ヒル、E・P・トムスン、ジョーン・サースクは教授ではない。サーは平民最高位だから、教授でもサーと呼ぶ。教授でない場合、博士号を取得していれば博士、取得していなければ氏・女史と呼ぶ。

k　アイザイア・バーリンとカー

バーリンは一九〇九年リガ生まれ、少年時代に両親とともにペトログラード、ついでロンドンに移住した。オクスフォード大学卒業。三七年カーの『ミハイル・バクーニン』に書評を寄せ、二人の交流が始まった。ともにリガを知り、ロシア文学、マルクス主義を理解した論客だが、バーリンは四〇年代の合衆国大使館（ワシントン）、ソ連大使館（モスクワ）勤務以外は、生涯オクスフォードを代表した知識人である。五七年に社会政治理論教授、同年にサー叙勲、六六年にウルフスン学寮の初代学寮長、七四年に英国学士院院長。富裕で社交的な夫人アリーンにも助けられ、オクスフォード郊外にもイタリアにも豪邸をもち、政治家・芸術家と交流した。

カーはトレヴェリアン記念講演の委嘱を一九五九年に受け、早くもその秋には合衆国でのリサーチに向かう航海中に最初の粗稿を書いた。その合衆国から友人アイザック・ドイチャに宛てた六〇年三月二九日の私信には、「……歴史一般、とくに革命についてポパー、アイザイア・バーリン等々がバカなことを言っている。それへの回答だ」とある。本書のうちバーリンに言及する箇所は、やや力《りき》みが見えるかもしれない。講演の縮約版がBBCラジオで放送され『ザ・リスナ』誌に掲載されたのを見て、バーリンから引用が恣意的であると抗議の私信があった。カーはこれへの返信(六一年六月二七日)でこう言う。「五三年以来、わたしの『ソヴィエト＝ロシアの歴史』の続巻が出るたびに、シャピロやフットマンの類の著した書評は(独自の考えはないまま)明らかにあなたから借用した言葉で、わたしが決定論と必然論というまちがった主義を奉じているかのように非難してきたのです。」

ドイチャは、一九五四年にオクスフォードにおけるバーリンとカーの合同セミナーに招待されて、バーリンと激突したことがあった。バーリンは新設サセックス大学の学外理事であったが、そのサセックス大学歴史学教授に応募したドイチャの人事が六三年に不首尾に終わり、これにバーリンが関与していたとの疑惑が生じた。六七年八月にはドイチャ(六〇歳)が急死し、カーの不審は募り、二人の関係は悪化した。にもかかわらず、なにか絶妙な感情が二人のあいだには続いていた。カーの八〇歳を記念する献呈論文集の第一章にはバーリンの寄稿「ジョルジュ・ソレル」が収まっている。C. Abramsky, ed., *Essays in Honour of E. H. Carr* (Macmillan, 1974); M. Ignatieff, *Isaiah Berlin: A Life* (Chatto & Windus, 1998); Haslam; *ODNB*: Sir Isaiah Berlin, Isaac Deutscher. 「ジョルジュ・ソレル」は『反啓蒙思想他二篇』(岩波文庫、二〇二一)に所収。

なおバーリンの死（一九九七）後、明らかになった証拠・証言によると、一九六二・六三年のサセックス大学でA・ブリッグズが主導してドイチャ人事が進められ学内教員の賛同をえていたが、時のフルトン総長とバーリンがこれを転覆した。David Caute, *Isaac & Isaiah: The Covert Punishment of a Cold War Heretic* (Yale UP, 2013)は一巻をあげてこの件を論証している。

I　『ソヴィエト＝ロシアの歴史』（一三一、一五八、二七三、二八〇、二八六―二八八、三三〇頁）

カーは一九四五年一二月にマクミラン社と『革命後のソヴィエト＝ロシアの歴史』（仮題）の出版契約を交わした。国内外の研究助成金や講演旅行で資金や時間を確保しつつ調査探究を重ね、五〇年に最初の巻を刊行し、『歴史とは何か』のための中断をはさんで、七八年に最後の分冊を刊行した。そのタイトルを記せば、

『ボリシェヴィキ革命　一九一七―一九二三』（三巻）
『空位期　一九二三―一九二四』（一巻）
『一国社会主義　一九二四―一九二六』（三巻四冊）
『計画経済の基礎　一九二六―一九二九』（三巻六冊）

全一〇巻一四冊からなり、一九一七―二九年をあつかう大著である（マクミラン社とペンギンブックス社から刊行。邦訳はみすず書房、未完）。略年譜にも記すような失業、病気、私生活における困難にもかかわらず、契約時に五三歳、刊行開始時に五八歳、完結時に八六歳。文字どおりのライフワークである。驚嘆に値することだが、この間にもカーは数々の講演、著書、書評をこなしていた。

これとは別に一般読者向けに小著『ロシア革命――レーニンからスターリンへ、一九一七―一九二九年』が執筆され、一九七九年にマクミラン社から刊行された。カーと渓内謙《たにうちゆずる》の友情により、タイプ原稿および校正刷りが日本に送られ、原著と同年に塩川伸明による邦訳が岩波書店から刊行された。現在は岩波現代文庫。二九年で区切る理由は、本書三三〇頁、および『ロシア革命』の序文に記されている。

m　カーの私生活　（一二二、一五六頁、略年譜）

カーが一九六一年初めの講演および同年一二月刊の『歴史とは何か』で人格にかかわる倫理、とりわけ夫婦の関係について言明していることは、反論の余地のないことかもしれないが、彼の私生活を考えあわせると峻厳なものがある。最初の妻アンは長い別居生活のあと、六一年六月に病死した。すでに一五年間事実婚でカーの学問と家庭を支え、車も運転していたジョイスは、このとき入籍を望んだが、カーはそうせず、学問と執筆に専念した。そのころ三〇代半ばだった息子ジョンの後年の述懐によれば、父は「家庭の団欒《だんらん》のさなかに椅子のまわりに書類を広げて執筆に集中して、……女性の状態に変化があっても鈍感だった」という。まもなくジョイスとの関係は冷却し、六三年末―六四年初めに決裂した。

一九六一年夏に、『歴史とは何か』の記述についてバーリンとのあいだで数度にわたり私信が往復したが、カーは歩み寄りの可能性をみずから絶つような行動をとった。このときの私生活事情が影響したかどうか、不明であるが。Haslam, pp. 218–229. ジョンの証言は Cox ed., p. ix。

n　マルクス主義とカー

カーとマルクス主義の関係は、本書の「第二版への序文」「自叙伝」にもくりかえされているとおり、独特のもので、既存の政治的立場のいずれでもない。いかに自由放任主義や経験主義を批判しても本質的に、「一皮むけば七五パーセントはリベラル」なカーと、共産党が接近する余地はなかった。一九三〇年代の入党ブームをカーは冷ややかな目で見ていた。そもそもロシア革命の勃発した時（二五歳）には「マルクスの名も聞いたことがなかった」という。その後、第一インターナショナルで対立したバクーニンの研究を通じて「マルクスをよく知るにいたった」。カーは三〇年代にマンハイムを読み、国際政治を考察するうちに「マルクス主義的思考法」が身についたというが、それは資本主義のメカニズムの分析ではなく、むしろ「思想や行動の隠れた源泉をあらわにし、その周囲に張りめぐされた……見せかけをあばく方法として」であったという。還元論や必然史観に反対するカーは、そうした粗略な理解を前提にマルクス主義を批判していたポパーにたいして辛辣である。

二〇世紀を理解するにはソ連社会の成り立ちに注目する他ない、同時にスターリンの恐怖政治には戦慄する。カーは、冷戦体制のただなかで孤立しつつ、「せいぜい正気でバランスのとれた未来の展望を打ち出したい」と公言する西側の「異論派」である。

ルカーチやマルクーゼをよく読んだことは本書の「E・H・カー文書より」からも分かるが、カーは一九五〇年代・六〇年代に大きく進展したマルクス原典研究にも目を配っていた。たとえばマルクスが図式的な歴史観、「歴史＝哲学理論のマスターキーのようなもの」に反対した文章として、一八七七年、ロシアの『祖国雑記』に宛てた手紙が引用され、ポパー批判が補強されている(二〇四―二〇五頁)。ただしこの出典は、マルクス研究の進展により、カーの原註(17)よりも精確な経緯が明らかにされてきた。すなわち、『祖国雑記』宛の手紙(フランス語)をなぜか発送しないままマルクスは死去し、八四年に遺稿からこれを発見したエンゲルスが写しを在ジュネーヴのナロードニキ、ザスーリチに宛てて郵送した。これが八六年にロシア語訳で、八七年にドイツ語訳で公にされた。八一年のザスーリチ宛書簡の三つの下書きとともに平田清明がフランス語原文から翻訳し、詳しい註解を付したものが『マルクス・エンゲルス全集』第一九巻(大月書店、一九六八)に収められている。

カーが註記するマルクス／エンゲルスの著作はドイツ語版・ロシア語版・英語版の全集や単刊書などさまざまである。おそらく手元で利用した書物がそのまま示されているのであろう。本書では、邦訳として岩波文庫など普及版がある場合はそれを、それ以外は『マルクス・エンゲルス全集』(大月書店)の該当巻を示す。

訳者解説

「歴史とは、歴史家とその事実のあいだの相互作用の絶えまないプロセスであり、現在と過去のあいだの終わりのない対話なのです。」「過去は現在の光に照らされて初めて知覚できるようになり、現在は過去の光に照らされて初めて十分に理解できるようになるのです。」――こういったセンテンスで知られるE・H・カーの『歴史とは何か』であるが、それ以上には何を言っているのだろう。「すべての歴史は「現代史」である」とか「歴史を研究する前に、歴史家を研究せよ」、そして恐怖政治について「従来、公正な裁きの行なわれていた地においては恐ろしいことだが、公正な裁きの行なわれたことのない地においては異常というほどでもない」といったリアリストの言があるかと思えば、「世界史とは各国史をすべて束ねたものとは別物である」といった高らかな宣言もあり、最後は二〇世紀の保守的な論者たちの言説を列挙したうえで、「それでも、世界は動く」といった決め台詞《ぜりふ》で読者をうならせる。古今の名言が次から次に現れて、ぼんやり読むと、全体では何を言っているのか分からなくなるかもしれない。

およそ歴史学入門や史学概論を名のる本、そして大学の授業で、E・H・カーとその『歴史とは何か』に触れないものはないであろう。だが、その内実はといえば、上のように印象的な表現の紹介にとどまるものが少なくないのではないか。ちなみに二宮宏之「歴史の作法」(『歴史はいかに書かれるか』所収、岩波書店、二〇〇四)でも、遅塚忠躬『史学概論』(東京大学出版会、二〇一〇)でも、カーの『歴史とは何か』は俎上《そじょう》にのぼるが、論及されるのはほぼ第一講だけである。たしかに遅塚の場合は事実と解釈の問題に立ち入って批判的だが、しかし第二講以下はコメントに値しなかったのであろうか。むしろ、作品としての全体を扱いかねたのかもしれない。

わたしも大学に入ってまもなく岩波新書の『歴史とは何か』(清水幾太郎訳)を手にした。知らないことばかりだったが、第二講くらいまでは、なるほどそういうものかと読み進むことはできた。だが中盤からはしだいに難しく、ただ字面を追うだけになってしまった。その後は仕切りなおしで、何度読み返しただろう。大学教師になってからは教材として何度か用い、授業で英文と訳文の違いを検討した年もある。十分には理解できず、保留するしかない箇所も残ったが、多くの学生の思考と討論を励起する、好評なテクストであった。

◇

カーは一九六一年の初めに六週連続のトレヴェリアン記念講演(補註f)を行なった。『歴史とは何か』はその原稿をととのえ脚註を補って、同年末に出版されたものである。大学での講演(講義)であるが、教職員・学生ばかりでなく一般にも公開され、無料で出席できた。ケインブリッジ市の真ん中を南北にはしるトランピントン街から、平底舟《パント》とパブでにぎわうケム川のほとり(グランタ・プレイス）へ抜けるミル小路に沿って建つ講義棟の教室を一杯にして、時に笑いに包まれながら講演は進行したという。直後には同じ原稿をすこし縮めた講演がBBCラジオで放送されている。

この講演にのぞむカーの意気込みは十分であった。それには事情がある。

（一）カーはケインブリッジ大学卒の超秀才であり、二〇年間外交官を経験し、ウェールズ大学の国際政治学教授に任用され、学問的業績も『ザ・タイムズ』紙など言論界での存在感も十分であった（自叙伝および略年譜を参照）。しかし、一九四六年末にウェールズ大学から追われるように辞して以来、七年間の失業、二年間の任期付き教員をへて、ようやく五五年に母校トリニティ学寮の上級フェローに任用されたのであった。ただし、教授や講師といった歴史学部の教員ではない（補註d）。大学内外のすでに彼を知る人にも、まだよく知らない人々にも、力量を証し、考えを伝える好機であった。

（二）講演時にはライフワーク『ソヴィエト＝ロシアの歴史』（補註1）のうち六巻がすでに刊行されていたが、東西冷戦のただなかであり、社会主義体制やマルクス主義にたいする批判や疑心が学界でも主流を占めていた。鉄のカーテンの向こう、ソ連の政治社会の成り立ちを明らかにするカーの大著は、ソ連の正当性を弁論するものと受けとめられ、政治的に色のついた書評が続いた。K・ポパーやI・バーリンをはじめとして「自由」、そして「懐疑」をとなえる声が優勢であった。これにたいしてカーは折々の発言はしていたが、それとは別に、ソ連史だけでなく、およそ歴史をどうとらえるかというレヴェルで全面的な反批判が必要だと考えていた。注目度の高い連続講演は、絶好の機会である。学生時代の哲学や古典学から、外交官としての経験、近年の文学・歴史にいたる知識を総動員した講演/出版となった。

(三)ところが、そのカーは一九五八年一月にバスのなかで転倒し、また同年一二月には髄膜炎でケインブリッジから(専門医のいた)オクスフォード大学病院に救急搬送されて頭部手術を受けていた。すでに六〇代後半の、健康不安をかかえた高齢者だったのである。トレヴェリアン記念講演の委員会は、カーが頭部手術を受けたことは承知で、しかし恢復して十分に元気であると認識して、五九年に翌々年の連続講演を打診した。カーは快諾し、十分に準備して臨んだ。後から振り返ると、九〇歳で死ぬ直前まで強い意志と知力を保持した晩年への飛躍台のような位置にあったのが、『歴史とは何か』であった。

意気込みは報いられた。講演のなかで「国史根性」と酷評されたイングランド史の教員たちの多くは反撥したが、イースタ休暇のあと、歴史学部でカリキュラム改革が発議された(ただちには具体化しなかったが)。同年末に『歴史とは何か』が公刊されてからの反響は広く大きく、増刷が続いた。日本でも早々と清水幾太郎訳(岩波新書)が刊行され、今日までロングセラーである。英語圏においても日本においても二〇世紀の知性を代表する古典の一つとして読まれ、議論され続けている。

◇

本訳書の底本は *What is History?*, Second edition, edited by R. W. Davies, Penguin Books, 1987 であり、これに一九八〇年執筆の自叙伝、訳者が作成した略年譜を加えている。

原著の初版は一九六一年一二月、ロンドンのマクミラン社から刊行され、合衆国では同一のものがSt Martin's Pressから刊行された(以下ではM一九六一と略記)。清水幾太郎訳(岩波新書)はこれによる。正確には、まずBBC発行の『ザ・リスナ』誌に連載されたものを清水が雑誌『世界』に連載で訳出し(一九六一年一一月号―六二年四月号の全六回)、単行本M一九六一が刊行されたのにしたがって補正し、迅速に六二年三月に岩波新書として刊行された。ただし索引はない。一九六四年にはペンギンブックス社(ペリカンブックス)から刊行された(P一九六四と略記)。M一九六一とP一九六四の内容と構成は同じであるが、別の製版なので版面もページ数も異なる。索引項目もすこし異なる。

第二版はカーの生前から準備されていたが、「はしがき」に記されたような事情で、死後にようやく弟子・友人であるR・W・デイヴィスにより実現した。マクミラン社から一九八六年に刊行されたM一九八六と、ペンギンブックス社から翌年に刊行されたP一九八七の二つがある。両者ともにそれぞれの初版テクストを版面のままに、わずかながら誤植も欠損も訂正することなく収め、これにカー自身の「第二版への序文」と、デイヴィスによる「E・H・カー文書より――第二版のための草稿」を加えている。このように両者の内実は同じであるが、構成の順序は異なる。M一九八六は巻頭にデイヴィスの「はしがき」、カーの「第二版への序文」、続いてデイヴィスの「E・H・カー文書より」、そのあとに本体の第一講―第六講、巻末に索引、という構成である。この構成ではデイヴィスの文章とカーの文章が入れ子のように組まれ、その結果、カーの書いた文章よりもデイヴィスの編集的な介在が強調されるような効果がある。これにたいして、P一九八七は巻頭に「はしがき」、「第二版への序文」、続いて本体の第一講—第六講、そのあとにデイヴィスの「E・H・カー文書より」が付され、最後に索引が収まる。

さらに二〇〇一年には、マクミランが合併して改名したパルグレイヴ゠マクミラン社からリチャード・J・エヴァンズの長い序論を付した新版が刊行された。ここではM二〇〇一と略記しよう。これを第三版と呼ぶことなくSecond edition 1986, reprinted with new introduction 2001と称しているのは実態にそくしていて、上記のM一九八六のまま、その巻頭にエヴァンズの序論をかぶせた構成である。またペンギンブックス社はペンギン゠ランダムハウス社と名を変えて、二〇一八年に、基本的にM二〇〇一の構成をそのまま継承し、しかし全面改版して、それまでの脚註形式を改めて(改悪と呼ぶべきであろう)すべての註を巻末に移動した版を刊行した。これをP二〇一八と略記しよう。M二〇〇一もP二〇一八も内実はあくまで第二版にエヴァンズの序論が加わったものであり、評価はこの序論をどう見るかにかかっている。M二〇〇一では三四ページ、P二〇一八では三五ページにわたり、七〇の註が付されたエヴァンズ序論は、カーの略歴、一九五〇年代の歴史学論議、刊行後にあいついだ書評と論争、その後大きく変貌することになる歴史学の展開/転回にも説きおよび、史学史として有益ではある。なにしろカーにたいするポストモダニストの認識論的な攻撃が勢いのあった一九九〇年代を終えるにあたって、カーとともに「正気でバランスのとれた」見方を堅持するエヴァンズの観点は一つの掩護《えんご》射撃と見ることができる。

R・J・エヴァンズは一九四七年生まれ、ドイツを中心とするヨーロッパ史および史学史を専門とするケインブリッジの歴史学欽定《きんてい》講座教授（補註c）であった。「六八年」を経験し、ヨーロッパ統合を身をもって代表してきた一人である。とはいえ、彼とカーのあいだにとくに親しい関係があったわけではなく、したがって、この序論に彼だけが開示できる「秘密」が見えるわけではない。盛んに行なわれてきたE・H・カー論および歴史方法論議のうちの一つである。他を排してまでこれを選択してカーの『歴史とは何か』と一体に編まねばならない理由はない。そもそもM二〇〇一でもP二〇一八でも、カーの本体をさしおいてエヴァンズ序論を巻頭におくべき理由は示されていない。むしろエヴァンズの議論は、この序論よりも、むしろ三六〇ページをこえる単著『歴史の擁護のために』（一九九七、二〇一八）で十二分に展開されているので、そちらを参照すべきであろう。その全八章のうち四つの章が「歴史・科学・倫理」「歴史家とその事実」「歴史における因果関係」「社会と個人」といった具合に、順序は違うが、そのまま『歴史とは何か』を継承するようなタイトルである。

本訳書は、エヴァンズも多くを依拠しているカーの自叙伝を収め、またハスラムによる伝記および後掲のコックス編著の年譜、等々を参照して、略年譜および訳註を付しているので、かりにエヴァンズ序論を加えても重複を増やすだけであろう。なによりエヴァンズ序論を巻頭において、カーが何を論じたかを頭から制御するような効果は望ましいとは思えない。これはまたM一九八六以来のマクミラン版においてデイヴィスの「E・H・カー文書より」が本体よりも前におかれていることにも通じる難点である。

そこで本訳書の構成であるが、第二版の成り立ちを説明するデイヴィスの簡にして要をえた「はしがき」は当然ながら巻頭におき、それに続くのはカー自身の「第二版への序文」と六つの講とする。その後に、初版刊行後のカーの思索とさまざまな草稿を呈示するべく努めたデイヴィスによる「E・H・カー文書より——第二版のための草稿」をおく。ここまで、じつはP一九八七の構成と順序のままである。カー自身の文章を主とし、デイヴィスの文章を従とすることにより、カーの『歴史とは何か』と構想の広がりを、無理のない順序で読むことができる。こうしたP一九八七に続いて、自叙伝と略年譜を加えたものが本書である。

◇

本書の読者は、カーの講演の様子を想像しながらウィットのきいた冗談に笑い、皮肉にため息をつき、豊かで具体的な議論の一つ一つから自由にインスピレーションをえることができるであろう。ただ、本書は論争の書でもあり、どのような筋書きで成り立っている書なのか、その柱と梁だけでも確認しておくのは余計ではないであろう。

第一講「歴史家とその事実」は、冒頭の謎のようなアクトンは別にすると、その展開のまま素直に読めるであろう。大海原に生息する魚類にたとえられる「事実」と歴史家のあつかう歴史的事実なるものの区別、シュトレーゼマン文書に見る史料のフェティシズム、クローチェとコリンウッドの歴史論。巧みなたとえを用いながら話は進み、結びは、こうまとめられる。歴史家のあぶない陥穽《かんせい》として、一方には事実(過去)の優位をとなえるスキュラの岩礁のような史料の物神崇拝が、他方には歴史家の頭脳(現在)の優位をとなえるカリュブディスの渦潮のような解釈主義／懐疑論、今日のいわゆるポストモダニズムが存在する。しかし、カーとともにある歴史家は、史料／事実に拝跪《はいき》して座礁するのでなく、主観的な解釈、構築という渦潮に翻弄《ほんろう》されて沈没するのでもなく、二つの見地のあいだを巧みに航行する。そうした最後に導かれるのが、よく知られている「歴史家とその事実のあいだの相互作用」「現在と過去のあいだの対話」である。全体を通読した後にもう一度読みかえすなら、「読むのと書くのは同時進行です」といったノウハウ――論文執筆のヒント――も含めて、第一講に込められた意味はさらによく見えてくるであろう。

ところで冒頭のアクトンであるが、じつはアクトンの名も彼の『ケインブリッジ近代史』(補註e)も、日本の読者にはあまりなじみがないのではないか。カーは、「アクトンは後期ヴィクトリア時代のポジティヴな信念……から語り出しています」、「ところがですね、これはうまく行かんのです」と否認するかに見える。読者は一読して、アクトン教授とはこの本で最初に否とされる古いタイプの歴史家の役回りなのかと受けとめるであろう。博学なコスモポリタンで、講義でも会話でも人々を知的に高揚させながら、生前に一冊も歴史書を著すことのないまま心筋梗塞(過労死)で亡くなり、せっかくの野心的な企画も挫折した、魅力的で不運な歴史家。「なにかがまちがっていたのです」とカーは畳みかける。しかし、そのアクトンは本書のあらゆる講でくりかえし登場し、論評されるのである。索引を見ても、アクトンはマルクスと並ぶ双璧である。なぜか。片付いたはずの後期ヴィクトリア時代の「革命＝リベラリズム＝理念の支配」(二五六、二六一頁)の亡霊のようなアクトンが、それぞれの文脈でカーの議論をつないでいる。『歴史とは何か』を解読する一つの鍵《キー》はアクトンにある。この点はデイヴィスもエヴァンズも溪内謙《たにうちゆずる》も看過している。

第二講「社会と個人」では、歴史家は社会的存在であり、時代の産物であると明らかにされる。例としてあがるのは一九世紀のグロートとモムゼン、二〇世紀のトレヴェリアンとネイミアで、彼らもその著作も社会的・歴史的な存在であった。この文脈で、時代に翻弄されたマイネッケとバタフィールドが浮き彫りにされる。こうした例にもかかわらず、「わたしは一個人だ、社会現象ではない」ととなえる人は少なくないが、「そうした方はおのれの立場をこえて差異を理解する能力は劣ります」と喝破《かっぱ》される。歴史家の考察の対象となる事象もまた社会的である。こうして、「過去は現在の光に照らされて……、現在は過去の光に照らされて」初めて知覚され理解されるという第二講の結論が導かれる。これはさらに、理解し制御する「歴史学の二重の働き」という全体のテーマへとつながってゆく(二三九頁訳註*11、三六三頁)。第一講、第二講の議論は「E・H・カー文書より」(二六八―二七三頁)でも補充される。

第三講「歴史・科学・倫理」は本書で一番長く、歴史におけるユニークと一般、教訓、予言、主体性と客観性、信仰ないし倫理といった、よく論議の的になるテーマをあつかう。歴史家の問題関心はユニークな事象のなかの一般性にある、と確認したうえで、批判され却下されるのは、一九世紀的な科学観、法則崇拝である。歴史学も物理学もサイエンス=学問なのであり(補註i)、現代のサイエンスには時間、そして観察者(主体)という契機がすでに組み込まれている。「今日の物理学者がつねに口になさるのは、物理学者が研究しているのは事実ではない、事象だということです。歴史家は、一〇〇年前に比べると今日の科学の世界においてずっとアットホームな感じでいられます」という。カーは「歴史家のアプローチと科学者のアプローチの違い」を無視するのではなく、両者の違いを「縮小させたい」。文理の分離、「二つの文化」をこえようという立場が表明される。客観性およびサイエンス論は「E・H・カー文書より」(二七三—二七九頁)でも補強される。

こうした思考を育んだ背景には学寮(補註d)という知のコミュニティがあった。オクスブリッジの学寮では食堂《ホール》での会食が権利であり義務であるが、その隣のフェロー談話室(SCR)には飲物と新聞雑誌があり、新着の代表的な文理の定期刊行物が閲覧できる。世代も専門も違うフェローたちとの直接の会話とともに、『トリニティ評論』という学寮誌におけるラザフォード評(九五頁、原註(5))も、『ザ・リスナ』誌における科学論(九九頁、原註(9))も、「E・H・カー文書より」で引用されている(と推測される)『アメリカ文理アカデミー紀要』におけるヴァイスコップ講演(二七七頁、訳註*7)も、学寮があればこそ容易に接する情報源である。それぞれの学問領域におけるアプローチは異なるとしても、「歴史家も他の科学者も、「なぜ」としつこく問いかける動物です」と確認して、次に進む。

第四講「歴史における因果連関」では、まず歴史家の問いかける原因は複数あり、その諸原因の優先順位/上下秩序をめぐって歴史家たちは論争してきたと確認する。経済学者マーシャルや数学者ポアンカレを援用しつつ、諸原因は複雑なまま放っておくのでなく分かりやすく整理したいという導入のあと、一五〇頁から、いよいよポパーとバーリンにたいする反撃が始まる。論点は、決定論と自由意志、必然か偶然かである。マルクス主義(補註n)の決定論/必然論というイメージについては、戯画化されるほど強く否定される。『ソヴィエト＝ロシアの歴史』にたいする悪意の書評、冷戦体制下にゆがんだ言論界、そもそもマルクスを読まない経験主義の文化にたいする積年の思いがあふれんばかりで、「たら・れば一派」への批判にも力が入る。ロビンスンの交通事故、クレオパトラの美、レーニンのあとのソ連の権力抗争、ヘーゲル哲学、そして大学の修了試験といったあらゆる次元で、「きらめくほどの」バーリンに負けないくらい華麗にカーの講演は展開する。

カーとバーリンは一九五三―五四年にオクスフォードで共同のセミナーを仕切っていた。究極的に人間の自由意志を第一に考えるバーリンと、理性による理解と制御を第一と考えるカーは袂を分かつのであるが、二人の関係には絶妙なものがあり(補註k)、両人や第三者の遺稿などによってさらに究明すべきであろう。ポパーにたいしてもバーリンにたいしても、カーは(わたしたちの感覚からすると)きわめて強い表現で論評しているが、それは当該の論点に特定しての批判であり、全面否定ではないことに留意したい(たとえば、六八、二一七、二六〇頁)。論争しつつ議論を高めてゆくスタイルである。なお第四講での主張をその後のカーが再考し修正したことは、「E・H・カー文書より」(二八〇、二八六―二八八頁)に示される。

第五講「進歩としての歴史」は、カー本人にとっての大きな問題、「過去・現在・未来」、わたしたちはどこへ向かうのか、へと展開する。歴史学の客観性ないし現実性をカーは未来との関連性、どこへという観点から論じる。ここに「絶対」の否認もかかわってきて、未来のゴール・目標は、あらかじめ見通せるような固定的なものではない、近づくに従ってようやく姿が見えてくるという。歴史における方向感覚に、ユートピアンたるカーの本領が現れているかもしれない。「E・H・カー文書より」（二七四頁）でも「自叙伝」でも関説されるところである。

第六講「地平の広がり」は現代論である。『新しい社会』（一九五一）でも部分的には似たことが説かれていた。一〇年をへて再考し、より精緻に論述したものであろう。二〇世紀の第一の局面は、カーによれば、理性を用いた人間の環境との関わり、自己との関わりの増進である。「環境／社会と自己を理解し、制御する」というフレーズが、じつはすべての講でくりかえされていた。しかもその近くでは「歴史学の二重の働き」が論じられている（三六、八六、一一〇、一七八―一七九、一九九、二三五、二三九頁）。「現代人は自分の来《こ》し方《かた》の朧《おぼろ》げな薄明を省《かえり》みてしっかり見つめ、その淡い光がこれからの行く末《すえ》を照らしてくれるよう望むのです。そして逆に、行く末の方途《ほうと》をめぐる願望も不安も、来し方への洞察を刺激します。」こうして過去、現在、未来は無限の連鎖として結びつく、と表現はほとんど詩的である。マルクスおよびフロイトの二人が最重要の思想家とされ、理性が広く応用される「二〇世紀革命」が論じられる。プロパガンダ社会において「知性より下を衝《つ》く」危険も指摘される。

第二の局面は、歴史世界の地理的な広がりである。カーは一九〇二年の日英同盟から日露戦争、ロシア革命とその衝撃によるアジア・アフリカへの「二〇世紀革命」の広がり、これが「世界史の全体の見通し図」をどう変えたかに読者の注意をうながす。だがむしろ、憂慮はイギリスあるいは英語圏全体が鈍感で、「内にこもって過去のノスタルジアにしびれている」事態に向けられる。歴史教育のカリキュラム改革もこれにかかわる。第六講のコーダの始まり(二五六頁)にはあのアクトンがまた想起され、この文脈における最後の締めは伝ガリレオの言である。

カーの全身全霊を傾けての連続講演であった。

◇

これに続く「E・H・カー文書より──第二版のための草稿」は、R・W・デイヴィスが遺稿や印の付いた抜刷の類をもとに執筆した新しい章である。初版刊行後のカーは『ソヴィエト＝ロシアの歴史』の続巻のために調査探究を続け、一九七八年の完結(八六歳!)のあとも、さらにコミンテルン史に取り組んだ現役の歴史研究者(practicing historian)であり、第二版のために加筆、改訂する意欲をもち続けた。未完の『歴史とは何か 第二版』のためにカーが折々に集め、書きためた断片について、デイヴィスは「カーの書かれざる議論にデイヴィス＝ヴァージョンを上書きしないように留意しながら……ここに再現しよう」と謙虚であるが、本体の六講を補ってあまりある。部分的には既刊の評論集『ナポレオンからスターリンへ』(一九八〇)から、また本書所収の自叙伝からの引用もある。「E・H・カー文書より」の最後には進歩とユートピアが論じられ、「マルクス主義と歴史」と題する「粗い草稿」からの長い引用がある(三〇七―三一〇頁)。これはデイヴィス自身の問題意識でもあったのだろう。「デイヴィス＝ヴァージョンを上書きしないように留意」したという彼の努力には感謝しつつも、編者の「認知の方向定位の選択的なシステム」(パーソンズ、一二、一七五頁)はおのずから現象すると指摘せざるをえない。

カーが未完の第二版で意図していたのは「過去をどう認識するかについての哲学論議」(九頁)ではなかった。この点は重要であるがデイヴィスが立ち入らないので、訳者として補っておきたい。もしそうした認識論談義を求められたならば、たとえば『マルク・ブロックを読む』(岩波書店、二〇〇五、二〇一六)における二宮宏之と同じく、思弁的な方法論に淫する人々に向けて弁じたリュシアン・フェーヴルの「そんなことは方法博士にまかせておけばよい」という台詞をカーもくりかえしたのではないか。フェーヴルやブロックについて二宮が述べたのと同様に、カーもまた「歴史を探究し記述するとはいかなる営みなのかを研究の現場に即しながら根本から考え直すような書物を書きたいと希っていた」(二宮、一九三頁)し、それをあるいはシュトレーゼマン文書にそくして、あるいはスキュラの岩礁とカリュブディスの渦潮にたとえながら、『歴史とは何か』で実現した。建築家の本領/理念と建築材料の関係について、カントを引用しながら、学生時代のギリシア語の素養を示し、議論する箇所(二一、二七六頁)もある。さらにカーをして七〇年代以後の世の中と学界の「主流の動向」(xiv頁)から距離を保ち、改めて第二版に取り組もうとさせたのは、リベラルで理性的な現役の歴史研究者・学者としての矜恃《きょうじ》だったのではないか。

なおE・H・カーの限界、時代的な制約についてもデイヴィスは語らないが、わたしたちは問題にすることができる。ジェンダー、エスニシティ、アジア史などについて、カーが一九六一年の進歩的なイギリス人男性の思考の枠を出ていないと批判することは容易である。たとえばの話、第一講の夕イトルは本訳書で「歴史家とその事実」としているが、原文はThe Historian and his Factsであるから、直訳は「歴史家と彼の事実」だと言いたい読者もあるであろう。歴史家は男性に限定されていたわけではなく、すでにアイリーン・パウワやジュリア・ドレイシ・マンのような女性歴史家は三〇年代から活躍していた。Hisという人称代名詞は近代英語で、男女ともに三人称単数の正式呼称として使用されていた。だが今日の英語としてはこれは不適切であるとして、エヴァンズの『歴史の擁護のために』の当該章では、Historians and their Factsと複数形で表現することによりジェンダー問題をクリアしたのである。近世アジア史を見る目については、該当箇所で簡単に指摘した。

こうしたことより、現役歴史家にとって大きな問題と思われるのは、たとえばしばしば言及されるフランス革命について、G・ルフェーヴルの名はあがってもその複合革命論、ましてやR・R・パーマの同時代国制史への言及がないことである。カーは「歴史家稼業であきなうのは諸原因の複合性です」(一四七頁)と述べるのにとどまらず、因果(why)だけでなくいかに(how)を考えるという示唆もあった。その因果連関を縦の連鎖に留めることなく、同時的な複合情況(contingency)へと視角を広げ、さらにはアナール派や『パースト&プレズント』の社会文化史と交流し、啓発しあう可能性もないではなかっただろうが、これは展開されないままに留まった。トクヴィルの歴史観あるいは「政治文化」論の萌芽と呼ぶべきものからカーが示唆を受けていることは明らかであるが(二八四頁)、なお十分に展開される余地がある。第二講(七〇—七二頁)では軽くあしらわれていた「修正」派の歴史はその後、情況の複合性を強調して勢いを増すにいたった。このようにカーの到達点から、さらに具体的な「過去を見わたす建設的な見通し」へとつなげてゆくのが、今日の課題なのではないか。「今、わたしたちこそ、さらに一歩先に進むことができる」(三三四頁)という「自叙伝」の一文は、わたしたち自身の言明とすることができるであろう。

その「自叙伝」は従来『歴史とは何か』のいずれの版にも現れたことのない草稿で、E・H・カーをめぐる国際学会の記録(Cox, ed. 2000)で公にされたものである(すでに中嶋毅訳「自伝的覚書」が『思想』九四四号(二〇〇二)にある)。一九八〇年、八八歳にして自分の人生と著作を省みた語りで、そこに反省的な自己正当化が働いていないとは言えない。父のこと以外には家族関係に言及しないという心機が働いているかのようである。それにしても、ここでのみ開示される「秘密」もあり、巻頭の「第二版への序文」と合わせて、晩年のカーの貴重な証言である。エヴァンズを初めとして多くのE・H・カー論の依拠する情報源でもある。

巻末におく「略年譜」は、「自叙伝」ではパスされている事実婚を含む三度の結婚、不如意に終わったロンドン大学の教授ポストへの応募、七年間の失業といった「事実」を補い、その末尾に記した文献やサイトから照合して訳者が作成した。激動の二〇世紀をそのただなかで生き、考え、書いたE・H・カーの姿が浮かびあがる。

ところで、巻頭におかれたキャサリン・モーランド嬢のエピグラフは、英語の各版が新しくなるにつれて、カーの本文からどんどん(何十頁も)離れてしまっていた。これを本訳書では中扉の裏(二頁)、第一講の直前に戻すことによって、元来のカーの意図(としたり顔)を生かす。従来の『歴史とは何か』の論評ではあまり言及されないが、ジェイン・オースティンの最初の作品『ノーサンガ・アビ』（死後一八一八年刊）において、一七歳で読書好きのヒロイン、キャサリン嬢は率直に、歴史物はほとんど作りごと《インヴェンション》なのに、どうしてこんなにもつまらないのかと感想を洩らしていた。この文脈で history とは歴史物の作品であるが、英語では本書のテーマ、歴史および歴史学と区別はつかない（補註 a）。歴史／歴史学とは過去の事実への拝跪であるという岩礁も、歴史家の作りごとであるという渦潮も、第一講で明確に否定されるのであるが、カーは愛読したジェイン・オースティンからこのエピグラフを引いて、あらかじめ渦潮派の問いかけを呈示し、それにたいする反論を予告していたわけである。だからといって、カーのことを素朴な実証主義者（岩礁派）だといった虚像（カカシ）を仕立てあげて攻撃するポストモダニストには、［笑］をもって答えるのであろう。ちょうど『歴史とは何か』を執筆しているころのカーの肖像写真（三三二頁）の表情が語るかのようである。

◇

訳業を進め、訳註、補註を作成するにあたってたえず参照した専門的文献およびウェブサイトには次のようなものがある。註に引用する場合には、頭記のように短く簡略に記す。

ODNB—*Oxford Dictionary of National Biography*（Online）.

OED—*Oxford English Dictionary*（Online）.

https://archives.history.ac.uk/makinghistory/
Anon., *The Cambridge Modern History: An Account of its Origin, Authorship and Production* (CUP, 1907, 2011).
Margaret Drabble, ed., *The Oxford Companion to English Literature*, 5th ed. (OUP, 1985).
John Cannon, ed., *The Blackwell Dictionary of Historians* (Blackwell, 1988).
John Kenyon, *The History Men: The Historical Profession in England since the Renaissance*, 2nd ed. (Weidenfeld & Nicolson, 1993).
Haslam—Jonathan Haslam, *The Vices of Integrity: E. H. Carr, 1892–1982* (Verso, 1999).
Cox, ed.—Michael Cox, ed., *E. H. Carr: A Critical Appraisal* (Palgrave Macmillan, 2000).
Richard J. Evans, *In Defence of History* (Granta, 1997, 2018); *Cosmopolitan Islanders: British Historians and the European Continent* (CUP, 2009).
『岩波世界人名大辞典』二分冊（岩波書店、二〇一三）。
近藤和彦編『イギリス史研究入門』（山川出版社、二〇一〇）。近藤和彦『イギリス史10講』（岩波新書、二〇一三）。近藤和彦「文明を語る歴史学——近世の表象」『七隈史学』一九号（二〇一七）。

その他、カーの著作や、特定の論点について特定の文献などを参照している場合は、訳註や補註の該当箇所に示した。

なお、わたしの知識の足りない語学や歴史につき専門的な助言を、池田嘉郎、内田康太、大野誠、北原敦、福井憲彦、森田直子、A. P. Jenkins といった方々にお願いして、じつに有益な教示をえたことはとくに記しておきたい。ただし、この方々はわたしが質問したことには豊富な知識を開陳してくださったが、質問しなかった箇所については関知しない。本書の長所はこの方々の教示により確実に増したが、なお残存するであろう不足箇所については、全面的にわたしの責任である。

このたび岩波書店の全面的な協力により、順調に『歴史とは何か 新版』の刊行まで持ちこむことができた。二〇二〇年二、三月から新型コロナウィルス感染症(Covid-19)のパンデミックは日本にもおよび、制限された空間で鬱々とする日夜が続いたが、それが二年目におよんだころ、この訳業に取り組むことを思い立った。前々から話はありながら曖昧な状態に滞っていたのだが、長びくパンデミックの随伴効果として、わたしの仕事もすこし方向転換したのである。昔からの知友が魅力的な邦訳を公にする例が相次いでいたことも励みになった。岩波書店の小田野耕明さんに相談して、二一年の春から毎日時間を決めて、カー先生のテュートリアルを受けるような気持でその文章と取り組み、註記されている文献はもちろん、関連事項もしっかり調査探究するという充実した月日が始まった。それから、考えていたよりは日時を要したが、小田野さんの手綱さばきよろしく、訳業ははかどった。なんといっても英断により、原本の脚註ばかりでなく、訳註も見開きの傍註とする、それでも足りない補註は巻末におくという方針は、訳者としてたいへん嬉しく、仕事の励みとなった。小田野さんとともに校正担当者もさまざまの情報や代案を示してくださり、おかげで思い違いも減った。

この一年間を省みて勉強したなぁという感懐がある。一書が完成するまでには何人もの協業が必要不可欠とは承知していたつもりだが、今回の感謝の念は特別である。ありがとうございました。

校正刷にくりかえし朱を入れている間に、遠くでは不条理な戦争が始まり、近くでは知友が病いとたたかっている。最後にはついに母を見送るにいたった。カーの学問と人生、そして人間社会のもろもろを思い考えながら、筆をおく。

近藤和彦

二〇二二年三月三〇日

索　引

（斜体の数字は略年譜のページを指す）

あ　行

か　行

さ 行

た　行

な　行

は　行

ま　行

や　行

ら　行

わ　行

略 年 譜

1892年	6月28日，エドワード・ハレット・カー，ロンドン北郊にて誕生．家族は「中位の中産階級」．
1905年(13歳)	ロンドン，マーチャント・テイラーズ校(パブリックスクール9校の一つ)に奨学生として入学，自宅通学．翌年，数学および神学で優秀賞．
1910年(18歳)	ケインブリッジ大学トリニティ学寮に合格．
1911年(19歳)	同学寮に全額奨学生として入学，古典学を専攻．
1914年(22歳)	8月に第一次世界大戦開戦(—18年)．
1916年(24歳)	ケインブリッジ大学卒業(優等)，外務省へ(—36年)．
1917年(25歳)	ロシア革命勃発．
1919年(27歳)	パリ講和会議に出席，その後もパリにて勤務．
1921年(29歳)	三等書記官．
1924年(32歳)	レーニン病没．
1925年(33歳)	アン・ロウ(ケインブリッジ大学卒，3児の母，夫は自殺)と結婚，二等書記官としてリガ(ラトヴィア)の公使館に赴任(—29年)．計5人の幸せな家庭生活が始まる．ロシア語を習得．翌26年に息子ジョン誕生．
1927年(35歳)	初めてソヴィエト連邦・モスクワに旅行．
1929年(37歳)	最初の書評「ユダヤ人ラスコーリニコフ」，『スペクテイタ』誌に掲載．最初の学術論文「ツルゲーネフとドストエフスキー」，『スラヴ東欧評論』に掲載．10月より大恐慌，世界に広まる．
1930年(38歳)	外務省国際連盟部(ジュネーヴ)に異動．『フォートナイトリ評論』誌に筆名ジョン・ハレットで初めて寄稿．
1931年(39歳)	最初の著書『ドストエフスキー 1821-1881』出版．
1933年(41歳)	一等書記官．ドイツでナチ党ヒトラー政権．『浪漫的亡命者たち』出版，ゲルツェンと仲間たちの肖像．
1934年(42歳)	『カール・マルクス 熱狂の研究』出版．

1935年(43歳)	ウェールズ大学アベリストウィス校の国際政治学教授職に応募(50名余と競合).
1936年(44歳)	外務省を辞してウェールズ大学教授に就任，ロンドンから通勤(—46年). 10月に講座就任講演「平和の保障としての世論」，ヴェルサイユ条約批判.
1937年(45歳)	『講和条約以来の国際関係』出版，マクミラン社から出した最初の著書. BBCラジオ番組に初出演. 『ミハイル・バクーニン』出版，書評を機にアイザイア・バーリンとの交際始まる. 後に「わたしが書いた最良の本」と述懐. 国際問題研究所(チャタムハウス)にて活動. ソ連，ドイツに旅行(アン同行). 「大テロル」は頂点に達していた.
1939年(47歳)	『危機の二十年 1919–1939 国際関係研究序説』執筆，出版は秋. 9月に第二次世界大戦開戦(—45年)，カーは情報省へ. 『イギリス——ヴェルサイユ条約から開戦までの外交政策の研究』出版.
1940年(48歳)	情報省を辞する. 講演や私信で「この戦争目的はただの戦勝ではなく，社会革命の観点が必要」と訴える.
1941年(49歳)	『ザ・タイムズ』紙の副編集長に任用(—46年). ドイツがソ連に侵攻(独ソ戦開始)，日本が米英に宣戦布告.
1942年(50歳)	『平和の条件』出版，経済・政治における「自由放任主義」を批判.
1944年(52歳)	チャーチル首相，『ザ・タイムズ』紙の社説(カー執筆)を攻撃.
1945年(53歳)	外務省内からカー非難の声. 『ナショナリズム以後』出版. ロンドン大学スラヴ東欧研究所の教授職に応募(有望と期待). 妻アンと決裂(アンは61年に死去するまで離婚に応じない). 12月にマクミラン社(社長は後の首相ハロルド・マクミラン)と『革命後のソヴィエト=ロシアの歴史』(仮題)の出版契約.
1946年(54歳)	『西洋世界にたいするソヴィエトの衝撃』出版. 『危機の二十年』第2版刊行. 8月『ザ・タイムズ』編集部を辞する. 同月ジョイス・フォード(2児の母，同年に離婚した夫は元ウェールズ大学でカーの同僚教授)と事実婚開始，大学内で非難の声高まり，12月ウェールズ大学へ辞職願.

1947年(55歳)	2月にロンドン大学教授人事は不首尾と判明．カーは定期収入を失う．ドイチャ夫妻(アイザック，タマラ)と知り合う．夏にオクスフォード郊外へ転居，庭で食料補給．10月，マクミラン社への私信で『ソヴィエト＝ロシアの歴史』につき「調べれば調べるほど新しい材料が見つかる．怖くなるほど」．
1950年(58歳)	BBCラジオで「新しい社会」6回講演，『ザ・リスナ』誌に連載．『ボリシェヴィキ革命1917–1923』第1巻(『ソヴィエト＝ロシアの歴史』の第1巻にあたる)出版，以後引きつづき59年までに計6巻出版．『革命の研究』出版．研究助成金をえてアメリカ合衆国へリサーチ・講演旅行(ジョイス同行，翌年まで)．以後くりかえす．
1951年(59歳)	『新しい社会』出版．
1953年(61歳)	オクスフォード大学ベイリオル学寮の任期付き教員に任用．バーリンと合同セミナー．
1955年(63歳)	ケインブリッジ大学トリニティ学寮の上級フェローに選出．ドイチャ宛私信で「このメリットは(a)教育義務なし，(b)定年退職なし，(c)自分の出身校だ」と喜びを伝えた(じつは5年任期，その後終身に更改)．
1956年(64歳)	ソ連共産党大会でスターリン批判報告．ハンガリー事件．スエズ危機．英国学士院(BA)のフェローに選出．R. W. デイヴィスと知り合う(58年から協力関係)．ハーヴァード大学にて溪内謙と知り合う．
1957年(65歳)	ソ連，スプートニク(人類初の人工衛星)成功．
1958年(66歳)	髄膜炎手術．
1959年(67歳)	ケインブリッジ大学「トレヴェリアン記念講演」に招待，快諾．
1961年(69歳)	1月–3月の6週間にわたり「歴史とは何か」講演．BBCラジオでも放送，『ザ・リスナ』誌に連載．ケインブリッジ大学歴史学部にてカリキュラム論議始まるも進展なし．6月，アン・カー病没．ジョイスは正規の結婚を希望，カーは応じない．12月にマクミラン社『歴史とは何か』出版(M1961)．
1963年(71歳)	ジョイスと決裂，カーは学寮内で寝起き(1964年まで)．

1964年(72歳)	『一国社会主義』第3巻出版(『ソヴィエト＝ロシアの歴史』第7巻)，以後続刊．『歴史とは何か』ペンギンブックス社より出版(P1964)．
1966年(74歳)	ベティ・ベーレンス(フランス18世紀研究者，62歳)と結婚．
1967年(75歳)	アイザック・ドイチャ，トレヴェリアン記念講演『未完の革命』のあとローマで急死．
1974年(82歳)	首の腫瘍手術．ベティの退職にともない口論絶えず．このころジョナサン・ハスラムの研究指導．
1978年(86歳)	『計画経済の基礎 1926–1929』第3巻第3分冊出版(『ソヴィエト＝ロシアの歴史』全10巻14冊が完結)．最終分冊のはしがきに「30年前にとりかかったプロジェクトを完成することができて，感謝で満たされ安堵している．もし最初からこの仕事の恐ろしいほどの規模を認識していたなら，こうしたことを早計にも手がけることはなかったかもしれない……」と記す．
1979年(87歳)	『ロシア革命 レーニンからスターリンへ，1917–1929年』出版．サッチャ首相(–90年)．
1980年(88歳)	『ナポレオンからスターリンへ，他評論集』出版．タマラ・ドイチャの依頼により「自叙伝」(本書所収)を執筆．
1982年(90歳)	夏，ベティと最終的に決裂，自立型老人ホームへ．11月4日，E. H. カー，ケインブリッジにて死去．『コミンテルンの黄昏』出版．
1984年	タマラ・ドイチャの尽力により『コミンテルンとスペイン内戦』死後出版．この年から断続的にE. H. カー文書，バーミンガム大学に寄託(2001年まで)．
1986年	『歴史とは何か』第2版，「第2版への序文」，デイヴィスの「はしがき」「E. H. カー文書より——第2版のための草稿」を付してパルグレイヴ＝マクミラン社から出版(M1986)．
1987年	『歴史とは何か』第2版，ペンギンブックス社より出版(P1987．本訳書の底本)．
1989年	ベティ・ベーレンス死去．

1990年	タマラ・ドイチャ死去.
1997年	アイザイア・バーリン死去.
1999年	ハスラムによる伝記 *The Vices of Integrity: E. H. Carr, 1892–1982* 出版.
2001年	『歴史とは何か』第2版，R. J. エヴァンズの序章を加えてパルグレイヴ゠マクミラン社より出版(M2001. 内実は変わらず).
2018年	『歴史とは何か』第2版，ペンギン・モダン・クラシックス版，2001年版の構成で出版(P2018. 製版は新規，脚註はすべて巻末へ移動).
2021年	R. W. デイヴィス死去.

典拠：Jonathan Haslam, *The Vices of Integrity: E. H. Carr, 1892–1982* (Verso, 1999); Michael Cox, ed., *E. H. Carr: A Critical Appraisal* (Palgrave Macmillan, 2000); *Oxford Dictionary of National Biography* (Carr, Behrens, Berlin, Deutscher の項); University of Birmingham: Special Collections: Papers of E. H. Carr (preliminary handlist); https://hdiplo.org/to/E250 (Haslam 2020); 溪内謙『現代史を学ぶ』(岩波新書，1995)，などにより訳者作成.

近藤和彦

1947年生まれ．東京大学文学部西洋史学専修課程卒業．名古屋大学助教授，東京大学大学院教授，立正大学教授を経て，
現在—東京大学名誉教授，王立歴史学会フェロー
専攻—イギリス近世・近代史
著書—『民のモラル』(山川出版社，ちくま学芸文庫)
『文明の表象 英国』(山川出版社)
『イギリス史10講』(岩波新書)
『近世ヨーロッパ』(山川出版社・世界史リブレット)ほか多数
訳書—トムスン／デイヴィス／ギンズブルグ他『歴史家たち』(編訳，名古屋大学出版会)ほか

歴史とは何か 新版　E. H. カー

2022年5月17日 第1刷発行
2024年6月 5 日 第5刷発行

訳 者　近藤和彦《こんどうかずひこ》

発行者　坂本政謙

発行所　株式会社 岩波書店
〒101-8002 東京都千代田区一ツ橋2-5-5
電話案内 03-5210-4000
https://www.iwanami.co.jp/

印刷・理想社　カバー・半七印刷　製本・中永製本

ISBN 978-4-00-025674-2　Printed in Japan

歴史とは何か　E・H・カー　清水幾太郎訳　岩波新書　定価九四六円

危機の二十年
——理想と現実
E・H・カー　原彬久訳　岩波文庫　定価一五四〇円

ロシア革命
——レーニンからスターリンへ、一九一七—一九二九年
E・H・カー　塩川伸明訳　岩波現代文庫　定価一五四〇円

イギリス史10講　近藤和彦　岩波新書　定価一二三二円

フランス史10講　柴田三千雄　岩波新書　定価一〇三四円

マルク・ブロックを読む　二宮宏之　岩波現代文庫　定価一三八六円

岩波書店刊

定価は消費税10%込です
2024年6月現在